PFALZ  BIBLIOTHEK

Pfalzbibliothek
IV

Konrad Krez
Freiheitskämpfer und Dichter

Wolfgang Diehl

Konrad Krez
Freiheitskämpfer und Dichter in Deutschland und Amerika

Sein Leben
und eine Auswahl
aus dem Werk

Pfälzische Verlagsanstalt

Pfalzbibliothek
Herausgeber: Wolfgang Diehl, Karl-Friedrich Geißler und Rolf Paulus
1988

Umschlaggestaltung: Werner Korb, Neustadt/Weinstraße
Gesamtherstellung: Pfälzische Verlagsanstalt GmbH,
Landau/Pfalz
ISBN 3-87629-124-0

Inhalt

Obwohl der 1828 in Landau in der Pfalz geborene Revolutionär, Poet und Deutschamerikaner, Sezessionskriegs-General, US-Innenpolitiker und Advokat Konrad Krez immer wieder als vergessene „Größe“ der Pfalz „gehandelt“ wurde und wird, ist er doch ein Unbekannter geblieben und steht im Schatten bekannterer, wenn auch nicht bedeutenderer Deutschamerikaner – wie z.B. des in Landau geborenen Thomas Nast, eines großen Karrikaturisten des 19. Jahrhunderts in den Vereinigten Staaten von Amerika, der die Parteiensymbole „Esel und Elephant“ erfunden hat. Spätestens seit der Veröffentlichung der beiden Emigrantengedichte von Konrad Krez „Entsagung und Trost“ und „An mein Vaterland“ in der Familienzeitschrift „Gartenlaube“ schätzten ihn Literaturfreunde, und die Aufnahme einiger seiner Lieder in das studentische „Deutsche Kommersbuch“ befestigte seinen kurzen Ruhm als anerkennenswerten Autor der deutschen Emigration. Zu allen möglichen Anlässen, bei den bekannten runden Jahreszahlen und Jubiläen, wurden die zahlreichen Zeitungsartikel und Aufsätze (und Aufsätzchen) über ihn immer wieder ausgeschlachtet und umgeschrieben – zuletzt anläßlich der Zweihundertjahrfeier der amerikanischen Revolution von 1776.

Zu Lebzeiten versuchte Konrad Krez, zumal im Alter, seine Kontakte zu Freunden, Mitschülern, Kommilitonen und Mitstreitern in der Reichsverfassungskampagne von 1849 aufrechtzuerhalten. In Amerika hatte er das typische Schicksal der erfolgreichen „Achtundvierziger“ und „Neunundvierziger“ (Wie man die emigrierten Teilnehmer an der demokratischen Verfassungsbewegung der Paulskirchen-Versammlung 1848 und die Aktivisten der revolutionären Volkserhebungen vom Aufstand in Wien und Dresden bis zu dem bewaffneten Kampf um die Reichsverfassung in der Pfalz und in Baden 1849 nannte). Als eine der führenden Persönlichkeiten des Deutschtums seiner Zeit in den Vereinigten Staaten, war er nicht nur überzeugter republikanischer Bürger und Streiter für die Interessen seines neuen Vaterlandes, sondern auch eine Gestalt, in der sich der abenteuerlich-kriegerische Freiheitskämpfer zweier Kontinente mit dem sensiblen und engagierten Poeten verband. So übertraf er sowohl für die USA als auch für die Pfalz (zumindest in den Augen der an der Emigration interessierten Liberalen und Kunstfreunde) an Bedeutung und Einfluß diejenigen Emigranten, die „nur“ aus politischen Gründen in der Heimat auf Interesse stießen. Es versteht sich, daß dieser Nachruhm in sehr unterschiedlichen Phasen anstieg und abnahm. Neben den Freunden und Briefpartnern von Krez war es vor dem Ersten Weltkrieg insbesondere der aus Landau stammende Sammler, Anreger und Förderer in allen Pfalz-Sachen, Bankdirektor Kommerzienrat Heinrich Kohl (der Pfälzerwald-Kohl und Freund von Max Slevogt), der die Erinnerung an Konrad Krez wachhielt und bescheidene Forschungen über Krez anregte. Seine Idee war es auch, für den Freiheitskämpfer Konrad Krez an seinem Geburtshaus in Landau, vis à vis des Deutschen Tores, eine Erinnerungstafel mit einem Portrait-Medaillon anzubringen. Mit dem Ersten Weltkrieg verflachte das Interesse an der liberalen und demokratischen Tradition und ebenso an den Emigranten und ihren Schicksalen. In den zwanziger Jahren verband sich, von einigen Arbeiten spezieller Krez-Freunde abgesehen, der Name des Dichters Krez zumeist nur mit dem Titel des bekannten und oft gedruckten Gedichts „An mein Vaterland". Die Gedichtbände von Krez galten als verschollen. An einen Nachdruck konnte offensichtlich nicht gedacht werden.

Erst als die Nationalsozialisten das „deutsche Volkstum im Ausland" wegen seiner sozusagen „natürlichen" Heimatverbundenheit als Propagandaträger für ihre nationalistischen und rassistischen Deutschtümeleien und als Legitimationsträger eines hypertrophen Expansionismus der deutsch-germanischen Herrenrasse vergewaltigten, entdeckten die Ideologen Konrad Krez und vereinnahmten ihn, in völliger Verdrehung und Verkennung seiner radikaldemokratischen und republikanischen Traditionen und Leistungen, als „Bannerträger des Deutschtums in Amerika". Es war ein Zeichen schändlichen Umgangs mit der Wahrheit, daß der auf die freiheitliche Verfassung der Vereinigten Staaten eingeschworene Republikaner und Streiter für Freiheit, Demokratie und Menschenwürde durch pseudosachliche und pseudopoetische Machwerke als „Vorläufer des 3. Reiches" gefeiert wurde. Obwohl dank der Großzügigkeit der Nachfahren von Konrad Krez sein schriftlicher Nachlaß in das Stadtarchiv Landau gelangte, fand sich niemand, diesen Nachlaß aufzuarbeiten und Konrad Krez den ihm gebührenden Platz in der pfälzischen Geistesgeschichte zu verschaffen.

Erst nach dem Kriege übertrug der Landauer Stadtarchivar, Dr. Hans Heß, die biografischen Notizen von Konrad Krez, die in schwer lesbarer Handschrift vorlagen und wertete sie aus. In Verbindung mit Archiv-Forschungen im Stadtarchiv Landau und ergänzt durch biografisches Material amerikanischer Herkunft konnte Hans Heß das Lebensschicksal von Konrad Krez in seinem Aufsatz „Konrad Krez – Ein deutscher Freiheitskämpfer und Poet in der Alten und Neuen Welt" biografisch angemessen darstellen.

Seit rund 30 Jahren beschäftigt sich der Autor dieser Zeilen mit dem Leben und dem Werk von Konrad Krez. Als sich die Gelegenheit bot, endlich auch den Autor Konrad Krez ebenso wie den Freiheitskämpfer, Revolutionär und Politiker in der „Pfalzbibliothek" zu Wort kommen zu lassen, ergab sich eine dreifache Aufgabe. Der Versuch ihrer Lösung liegt hier vor:

Erstens wurde der gesamte im Landauer Stadtarchiv befindliche handschriftliche Nachlaß übertragen und ohne Auslassungen und Einschränkungen in diese Arbeit eingefügt. Das gilt auch für die „Data aus meinem Leben", die jetzt ungekürzt vorliegen, ebenso wie für die politischen Äußerungen, die in poetischer und argumentativer Form in Bruchstücken vorhanden sind. Außerdem sollte Konrad Krez vor allem durch seine Gedichte wieder direkt zu uns sprechen können. Es gelang, die verschollenen und in Deutschland über öffentliche Bibliotheken nicht erhältlichen Bücher von Krez (erste und zweite Auflage von „Aus Wisconsin") aufzutreiben. Das erste Bändchen „Dornen und Rosen aus den Vogesen" von 1848 wurde mir dankenswerterweise von Freunden als Arbeitsmaterial zur Verfügung gestellt, nachdem ich das Straßburger „Gesangbuch" schon vor Jahren aufstöbern konnte. Die beiden in den USA erschienenen Auflagen von „Aus Wisconsin" wurden von der Library of Congress (Washington) als Fotokopien erworben. Damit war die Möglichkeit gegeben, eine genügende Auswahl zu treffen.

Drittens sollte die Biografie von Konrad Krez, ohne die sein Werk und seine Bedeutung für die Literaturgeschichte (hinsichtlich der „Sonderabteilung" Deutsche Emigrantenliteratur im 19. Jh.) nicht erfaßt werden kann, in einem historisch darstellenden und interpretierenden Sinne vertieft werden. In diesem Zusammenhang mußte die Rolle von Krez in der pfälzischen Revolution von 1849 von den vorliegenden Materialien her einigermaßen neu interpretiert werden. Für die Zeit in Amerika galt es, weniger die rein biografischen Fakten zu wiederholen, die ja auch bei Heß nachgelesen werden können, als vielmehr die für die amerikanische Innenpolitik wichtigen Probleme darzustellen, in die Krez eingegriffen hat. Als ein besonderer Glücksfall ist das Auffinden seiner handschriftlich in englischer Sprache verfaßten Resolution zur Sklavenfrage zu werten.

Von den einzelnen Aspekten seines Lebens her mag Konrad Krez immer nur einer von vielen gewesen sein, in der Kombination von Lebensschicksal, dichterischem Werk und politisch-revolutionärem Handeln ist Konrad Krez jedoch sicherlich eine einmalige Erscheinung, die auch weiter zu erforschen lohnen wird.

Angesichts der lobenswerten Bemühungen, die politisch-historischen Fundamente der „besseren Tradition" der deutschen Geschichte freizulegen, gewinnt eine dichterisch-politische Gestalt wie Konrad Krez historisch-politische Relevanz. Aber auch die inhaltlichen Aussagen seiner Poesie verdienen stärkere Aufmerksamkeit hinsichtlich ihrer Wertorientierung und Inhalte.

Krez gehörte als bewußter US-amerikanischer Neubürger mit seinen Freunden Carl Schurz und Franz Sigel zur zweiten oder dritten „Gründergeneration" der Vereinigten Staaten von Amerika. Seine Ideen und Gedanken, seine Loyalität seinem neuen Vaterland gegenüber und die Intensität seiner Heimatliebe können Vorbild für ein neues Bewußtsein von Partnerschaft und Freundschaft zwischen Deutschland und Amerika sein.

Landau, im Oktober 1986 *Wolfgang Diehl*

LANDAU.
(RHEIN-PFALZ)

Landau vom Ebenberg aus

I
„Data aus meinem Leben“

Herkunft und Jugend in Landau

„Johann Baptist Krez mein Vater war geboren in Unterfranken, in Wolfsmünster, im selben Ort sein Vater Schullehrer war. Er starb in Athen an der Brustwassersucht, fern von seiner Familie, welche er in Dürftigkeit zurückließ.

Meine Mutter Louise Henriette Krez geborene Naas ist aus Landau an der Queich. Durch Arbeit bei Tag und Nacht gelang es ihr, einen Sohn studieren zu lassen, und dieser Sohn bin ich, ihr Erstgeborener. Ich erblickte das Licht der Welt am 27. April 1828 in dem Hause meiner Großeltern zu Landau. Von anderen vier Geschwistern blieb nur mein Bruder Paul am Leben, der die Kaufmannschaft zu seinem Lebensberufe machte. Ich besuchte die lateinische Schule zu Landau bis zur dritten Klasse, und mit meinem zwölften Lebensjahr fing ich an Gedichte zu machen, die ich zuerst bloß reimte, dann nach Silben, und endlich nach Längen und Kürzen maß, was ich aus einem Buch lernte, das mir der Zufall in die Hände gab.

In dem Spätjahr des Jahres 1841 bekam ich einen Freiplatz in dem bischöflichen Seminar zu Speyer, wo ich das Gymnasium besuchte.

„Nach einem Aufenthalt von zweieinhalb Jahren wurde ich aus demselben [dem Konvikt-Wohnheim] entlassen, obwohl ich mich musterhaft betragen hatte. Wegen etwas kecker Opposition gegen meinen Vorgesetzten Laforèt (?) in der Verteidigung von Schillers Gedichten.“ [Der in Anführungszeichen gesetzte Text ist im Original in griechischen Buchstaben, allerdings in deutscher Sprache geschrieben.]

In dem biografischen Abriß „Data aus meinem Leben“ geht Krez recht spärlich mit seinen Lebensdaten um und berichtet auch über seine Herkunft nichts Genaueres. Hans Heß, der Landauer Stadtarchivar, hat verdienstvollerweise diesen biografischen Hintergrund ausgelotet.

Danach schloß der im unterfränkischen Wolfsmünster geborene Johann Krez, laut Aussage der Heiratsakten Rentamtsgehilfe in Germersheim, in Landau mit der am 6. November 1803 geborenen Bürgerstochter Demoiselle Catharina Louise Henriette Naas die Ehe. Heß schreibt (a.o.O. S. 248):

„Eltern des Bräutigams waren der am 23. September 1822 in Wolfsmünster verstorbene Schullehrer Johann Kretz und dessen schon am 17. Februar 1816 verstorbenen Ehefrau Margaretha, geb. Häusler. Als Eltern der Braut werden im Heiratsakt der am 16. März 1808 verstorbene Landauer Cafetier und Gastwirt Johann Christian Naas und dessen Ehefrau Barbara, geb. Cetty, angegeben; letztere war in zweiter Ehe mit dem

Paradeplatz in Landau

Landauer kgl. Lotto-Einnehmer Konrad Uhl verheiratet. Am 27. April 1828 wurde Joh. Baptist Krez, der als kgl. Lotto-Einnehmer gerade in Kusel beschäftigt war, von dessen in Landau bei ihrem Stiefvater und ihrer Mutter im Hause Blaues Viertel Nr. 140 (heute Königstraße Nr. 2) lebenden Ehefrau Catharina Louise Henriette der Sohn Konrad geboren. Am 11. Juni 1829 kam in Kandel ein zweiter Sohn, Paul August Anton Joseph zur Welt. Johann Baptist Kretz scheint als Lotto-Einnehmer vorübergehend dort beschäftigt gewesen zu sein und dort auch seine Familie bei sich gehabt zu haben. Am 31. August 1831 ist nun wieder in Landau die Geburt der Tochter Barbara Louise Apollonia Henriette bezeugt, die jedoch am 26. Mai des folgenden Jahres bereits wieder verstarb. Johann Baptist Kretz wird im Geburtseintrag dieser Tochter als Schreiber, „dermalen in Billigheim", angegeben; als Aufenthaltsort der Mutter wird Landau, Blaues Viertel, Haus Nr. 140, vermerkt. Am 1. August 1832 kam eine weitere Tochter, Maria Louise Apollonia, zur Welt. Auch diese ist schon im frühen Kindesalter, am 23. Februar 1834 wieder verstorben. In diesem Geburtseintrag wird Johann Baptist Kretz als „ohne Gewerb, gewesener Lotto-Einnehmer" bezeichnet, der nun mit seiner Familie in Landau, Blaues Viertel Nr. 171 (das spätere Haus Nr. 9 in der Stadthausgasse, das im Zweiten Weltkrieg zerstört wurde) wohnte."

Wie immer der Status eines Lotterie-Einnehmers war, die wechselnden Arbeitsstellen des Vaters und schließlich seine „Flucht" nach Athen bestätigen, daß Konrads Vater wohl kaum einen einträglichen Beruf hatte, der eine Familie angemessen ernähren konnte. Sonst hätte er sicher auch nicht 1832, als die Griechen den bayrischen Prinzen Otto von Wittelsbach zu ihrem König „gewählt" hatten, als Freiwilligen-Leutnant des bayrischen Truppenkontingents Otto nach Athen begleitet und Frau und Kinder mittellos in Landau gelassen, wo seine Witwe später die Familie mühsam über Wasser hielt. Es muß als eine außerordentliche Leistung der Mutter anerkannt werden, daß es ihr gelang, ihren Sohn Konrad auf die Landauer Lateinschule zu schicken.

Der offensichtlich gleichermaßen begabte wie fleißige Konrad Krez dankte dies seiner Mutter, die ja als Wäscherin und Näherin nur unter Opfern dem Sohn höhere Bildung zukommen lassen konnte, lebenslang. Aus allen seinen Äußerungen wird deutlich, daß er seine Mutter verehrte und liebte und keineswegs gewillt war, ihr Kummer zu bereiten. Hans Heß hat die Erfolge des Lateinschülers Krez, der 1838/39 die untere Abteilung der ersten Klasse besuchte, nach den Akten nachgezeichnet (a.o.O. S. 249):

„Unter 23 Schülern hat der junge Krez in diesem Studienjahr den allgemeinen Fortgangsplatz Nr. XII eingenommen; in Religion war ihm dabei Platz 2, in Schönschreiben Platz 6, in Deutsch Platz 9, in Latein Platz 13 zuerkannt worden. Die gleiche Klasse besuchten mit ihm auch Friedrich August Mahla, Johann Baptist Feldbausch, Johann Hitschler, Eugen Haas, Joseph Wechinger, um nur einige der Landauer Bürgerssöhne zu nennen.

1839/40 hatte Krez in der oberen Abteilung der ersten Klasse den Fortgangsplatz 10 errungen, um dann 1840/41 in der zweiten Klasse mit einem 1. Platz in Latein und Geographie sowie einem 2. in Deutsch, den Sprung auf Platz 1 zu machen, was ihm als Preis ein „Etymologisches lateinisches Wörterbuch" eintrug. 1841/42, in der letzten Klasse, wurde ihm mit einem 1. Platz in Latein und Geschichte, mit dem 3. in Deutsch und dem 4. in Französisch der allgemeine Fortgangsplatz II zuerkannt. Als Preis konnte er diesmal die „Geschichte der griechischen und römischen Literatur" von Schaaf in Empfang nehmen."

Gymnasial- und Konvikt-Zeit in Speyer

Berücksichtigt man den sozialen Hintergrund, der das Kind prägte, bedenkt man seine ausgesprochene Begabung und seine philologisch-historischen Interessen, so erkennt man leicht, daß Krez ein schwieriger junger Mann werden mußte. Angesichts der Bedürftigkeit der Familie und angesichts seiner Leistungsfähigkeit, die ja öffentlich anerkannt wurde, sah er sich offensichtlich verpflichtet, eine eigene Rolle zu spielen, die darauf hinzielen mußte, durch Erfolge die Armut seines Elternhauses zu verdecken. Berücksichtigt man, daß er dazu noch von kleiner Statur war, erklärt sich sein außerordentlicher Ehrgeiz auch psychologisch. Dabei prägte ihn sicher sein sozialer Hintergrund auch im Hinblick auf eine frühreife Intellektualität. Eine radikale charakterliche Integrität und ein besonderer Stolz scheinen neben Begabung und Bildung sein Wesen geformt zu haben. Daß er dabei kein Außenseiter wurde, sondern Mittelpunkt eines weiten Freundeskreises, ist ein Beweis der Lauterkeit seines Wesens und des Rückhaltes, den er in seiner Heimatstadt trotz der sozialen Not im Elternhaus fand.

Diese Bildungsvoraussetzung, gepaart mit Stolz und Selbstbewußtsein, ist die Ursache seines jugendlichen Aneckens in Speyer, von dem Krez an anderer Stelle in einem Fragment der Beschreibung seiner Erfahrungen mit dem Speyerer Konvikt berichtet. Wie Krez immer zuzugeben bereit war, prägte seine Wesensart zudem immer eine gehörige Portion Sinnlichkeit und Lebenslust, die vor keinem Übermut zurückschreckte. Dem weiblichen Geschlecht war Krez immer mit besonderer Begeisterung zugetan. Auch in dieser Hinsicht darf man ihn sicher frühreif nennen, allerdings hat er Sinnlichkeit und jugendliche Intellektualität gleichermaßen in seiner Jugend-Poesie sublimiert. In ihr dokumentieren sich auch Begeisterungsfähigkeit und ein enormer Freiheitswille. Dieser fand gewiß seine Verstärkung in der Notwendigkeit des sozialen Aufstiegs und der Überwindung der häuslichen Bedürftigkeit. Betrachtet man den jungen Krez als „Erziehungsprodukt", so muß man annehmen, daß die Landauer Lateinschule eher zu Toleranz als zu religiösem Eifer, eher zu Offenherzigkeit als zu Duckmäusertum erzog. Bei ernsthaften Konflikten mit seinen Lehrern wäre Krez wohl kaum in der Lage gewesen, sich zur absoluten Leistungsspitze seiner Klasse emporzuarbeiten.

Umso schlimmer war der Konflikt mit seinen Vorstehern am Speyerer Konvikt. Als der vierzehnjährige Krez am bischöflichen Konvikt in Speyer einen Freiplatz erhielt, um in Speyer das Gymnasium zu absolvieren, war gewiß in Übereinstimmung mit seiner Mutter der weitere Lebensweg vorgezeichnet. Er sollte katholischer Priester werden, das war logischerweise für einen Jungen seiner Begabung die einfachste Chance des sozialen Aufstiegs. In den zweieinhalb Jahren, die er am Konvikt weilte, ging allerdings mit Krez ein grundsätzlicher Wandel vor. Intelligent und belesen wehrte er sich, indem er offensichtlich seinen kindlichen Glauben aufgrund einer rational dominierten Bewußtseinslage wandelte, gegen alle Autorität, die kraft Amt und Funktion, Stellung oder Überlieferung Gehorsam forderte. Daß er dabei auch eine Art „Opfer" der die Öffentlichkeit sehr stark bewegenden theologischen Diskussion im pfälzischen Protestantismus wurde, sei betont. Er stellte sich, wie die starke Partei der protestantischen Rationalisten, auf den Standpunkt des Arianismus und verstand Jesus als Mensch. Auf diese Problematik wird unten noch einzugehen sein, denn dem jugendlichen „Rebell und Ketzer" verweigerte das Gymnasium das Abschlußzeugnis. Dies stand gewiß in einem engeren Zusammenhang mit seinem Oppositionsgeist im Konvikt selbst. Konrad Krez baute sich in jugendlicher Vernünftigkeit und, wie er in seinen Aufzeichnungen offen zugibt, durch eine Schülerliebe bewegt, eine eigene Religiosität zusammen, die mit den strengen Normen eines bischöflichen Konvikts nicht übereinstimmen konnte. Bedenkt man die Rigorosität religiöser Erziehung der damaligen Zeit, da ja die Kirche Erziehung schlechthin in Besitz hatte (im ehemals republikanisch-französischen Landau gewiß nicht ohne großen Widerstand der „Citoyens"), war der Konflikt des jungen Konrad Krez mit seinen Priestern im Konvikt und am Gymnasium vorprogrammiert. Krez war immer ein glaubensstarker Mensch, aber gleichzeitig ein Feind der festgezurrten Autorität, der aus seinem Herzen keine Mördergrube machte und seinen eigenen Glauben auf der Zunge trug. Er ließ sich also mit seinen Priestern auf Diskussionen über Glaubensregeln ein, bei denen die Männer der Kirche die offensichtlichen religiösen und menschlichen Anliegen des jungen Mannes nicht erkannten und sich für seine ketzerischen Auftritte angemessen revanchierten, d.h. ihre Möglichkeiten ausschöpften, ihn mit der Verweigerung des Gymnasialabschlusses für seinen „Abfall" von der offiziellen Theologie und seinem ursprünglichen Berufswunsch gründlich zu bestrafen. Die von Krez als himmelschreiende Ungerechtigkeit empfundene Behandlung hat gewiß seinen Gerechtigkeitssinn und seine Bereitschaft, für die Abschaffung dieser Hierarchien zu kämpfen, gestärkt.

Opposition in Glaubensfragen und Entlassung aus dem Konvikt

Man muß die Darstellung seiner Abrechnung mit dem Konvikt als Dokument seiner jugendlichen Wahrheitssuche verstehen, durch die er mit seiner spezifisch „pfälzischen" Toleranz die Feindschaft der Religionen untereinander nicht akzeptieren konnte. Auffallend ist, daß Krez auch hier im Sinne einer literarischen Gestaltung seiner Fehde gewillt ist, sich mit allen ihm zur Verfügung stehenden Mitteln einerseits zu rächen und andererseits sich so die erlittene Ungerechtigkeit von der Seele zu schreiben. Das ergibt vor allem gegen Schluß eine negative literarische Apotheose gegen die Konviktsbibliothek. Der Literaturliebhaber, ja, der Dichter kommt zum Vorschein, dem kein Bild zu stark und kein Vergleich zu verwegen war.

In seiner „Abrechnung" berichtet er:

„Eines Tages unterhielt ich mich mit demselben Lehrer über die Geschicke der Reformation. Er stellte die Protestanten so scheußlich hin, daß ich jedenfalls hätte glauben müssen, ein jeder solcher dieser (?) müsse Bocksfüße, Hörner und ein Schweif haben wie der leibhaftige Satan. Einige Zeit zuvor hatte ich aber, als ich eben zur Klasse ging, ein protestantisches Mädchen gesehen, das so schön von Gestalt und Angesicht war, als wenn sie das ganze Tridentium Concilium als Vater gehabt hätte. Ihr Anblick war mir so angenehm, daß ich die Religionsstunde schwänzte, um zu sehen, wo sie wohnte und vor lauter Eifer sogar den Katechismus des Petrus Canisius verlor. Ich fing an, mich vor mir selbst zu schämen, daß ich jemals geglaubt habe, Verschiedenheit der Religionsansichten nehmen einem Menschen etwas von seinem Werthe, und der Haß aus Religionswuth kam mir erst recht abscheulich vor, da ich ihn gegen ein so schönes Geschöpf [gerichtet] sah. Jetzt wurde mir deutlich, warum in der Zeit des ersten Christenthums Frauen eine so große Bekehrungsrolle gespielt, denn von ihr hätte ich mich leicht sogar zu der Sekte der Manichäer bekehren [lassen], die den Wein als ein Geschöpf des Teufels verdammen und gegen die mein frommer Religionslehrer, der sich bei keinem Wunder lieber verweilte als bei der Verwandlung des Wassers in Wein auf der Hochzeit zu Canaan, [mir] doch den gründlichsten Haß in die Seele geprägt hatte. Ich erklärte ihm also, daß ich nicht einsehe, warum die Protestanten schlechtere Menschen als die Katholiken [sein sollten] oder von Gott verdammt sein sollten, daß er sie doch mit einem ebenso schönen Körper und ebenso vortrefflichen Haupt und ebenso edle[n] Augen (gegeben) [ausgestattet] habe. Wenn ihre Ansichten falsch sind, so irren [sie], und ist irren nicht eine allgemeine menschliche Schwachheit. Was erwiderte er mir in Zorn und Flammen? Ich habe [es] nicht . . . geahnt. „Auch du bist auf dem Wege der Gottlosigkeit. Ja wenn (sie) im Irrthum wären, aber verstockt stoßen sie ihre liebende Mutter, die Kirche, zurück, die sie beraubt haben. Diebe sind es und Muttermörder, sie haben kein anderes Recht zu existieren als dasjenige, das sie durch die Gewalt der Mutter errungen haben. Nimm dich in

Acht, Undankbarer, wir haben dir das Kostgeld vom vorigen Jahr nachgelassen, weil die Früchte mißrathen sind und deine Mutter darum [gebeten] hat.“ Diese Gemeinheit brachte mich so in Harnisch, daß ich unter anderem erklärte, daß die Päpste, Bischöfe und Mönche, die die Protestanten auf den Scheiterhaufen schleppten und zum Schwerte verurtheilten, ebenso gut den Galgen und das Rad verdient hätten wie gemeine Raubmörder. Kaum war mir das Wort aus dem Munde, so gab er mir Ohrfeigen als Gegenbeweis und jagte mich zur Thüre hinaus, daß ich mich hoch und theuer vermaß, keinen Augenblick mehr in dem Raum zu bleiben, um der ganzen Stadt diese Ruchlosigkeit zu erzählen, ich wäre ein Mensch von Ehre und ließe mich nicht mit Ohrfeigen verkehren.

Gleich darauf wurde ich zum Regens, dem Vorstand der Anstalt, beschieden. Derselbe war ein großer hagerer Mann von ernstem Gesichte, so kahlköpfig, daß unser Herrgott wenig Mühe hatte, die Haare auf seinem Haupte zu zählen. Um sich in Achtung zu erhalten, erschien er äußerst selten, und wenn er es that, [dann] um die Feierlichkeit bei einer Brotaustheilung zu erhöhen. Ich wußte wohl, daß es ihm mit seinem Haupte keineswegs sehr recht (?) war, denn ich hatte ihn einmal durch das Schlüsselloch beobachtet, wie er mit einer Dame, die ihn zum Gewissensrathe erwählt hatte, schäkern gesehen, ohne seiner Natur Gewalt anzuthun, und ich konnte mir damals nicht denken, warum ein Gewissensrath die Kutte aufgeknöpft und zurückgeschlagen habe. Keineswegs aber war ich von der *Einsicht* frei, die wir alle vor demselben getheilt haben. Ich erwartete mir eine niederschmetternde Strafrede und hatte mich bereits auf [eine] keineswegs höfliche Antwort, auf alle möglichen Fälle vorbereitet. Er war ein feinerer Menschenkenner als sein Amtsbruder, welchen er deswegen tadelte, mich so behandelt zu haben.

Sieh, mein Sohn, sprach er, alle Menschen sind schwach, und auch der stärkste hat seine Anfechtungen. Das hat die heilige Kirche wohl erkannt, deshalb hat sie befohlen, Ketzer und Heretiker dreimal zu warnen, ehe dieselben bestraft werden. Ich weiß, du liest fleißig und strebst, dich in allem zu unterrichten, aber flehe Gott und die Jungfrau Maria um die Gnade, daß das, was vor [der] Welt dir zum Lobe dir nicht vor Gott zum Schaden gereiche. Zweifel hat selbst der heilige Augustin gehabt, aber er hat dieselben überwunden, gehe hin und thue desgleichen. Wer zweifelt, hat zwar nicht mehr weit zum Falle, die Kirche hat dir die Buße gegeben, wer aber den Zweifel äußert, der sündigt nicht allein gegen sich, sondern kann noch andere in den Unglauben hinein ziehen, ein räudiges Schaf steckt hundert gesunde an, und wehe dem, der Ärgernis gibt. Faste und bete und morgen gehe zum heiligen Abendmahl. Sieh ich meine es gut mit dir und möchte dich gerne zu einem würdigen Diener des Herrn vorbereiten dir zum Heil und deiner Mutter zur Freude, die all ihre Hoffnungen auf dich baut. Diese sanfte Rede, die mich umso mehr ergriff, weil sie von einem Manne kam, von dem wir gewohnt waren, nur gestraft zu werden, entwaffnete mich, und die wohl angebrachte Erinnerung an meine Mutter, an der ich von jeher mit größter Liebe gehangen habe, konnte ihre Wirkung nicht verfehlen. Wie ich später einsah, so hat diese Sanftmuth nichts anderes bezweckt, als meinen plötzlichen Austritt zu verhüten, indem man den Skandal hierbei fürchtete, um mich bei einer schicklichen Gelegenheit, wenn ich mich verfehlen sollte, mit Schande fortjagen zu können. Ich fuhr indessen fort, nach Wahrheit zu streben, und sich wegen Religion zu hassen und zu befehden kam mir ebenso lächerlich vor wie zwei Gelehrte, die, nachdem sie drei starke Foliobände über die Streitfrage geschrieben hatten, ob Hannibal am linken oder am rechten Auge scheel gewesen wäre, endlich die Entscheidung den Waffen anheimgeben und der eine den anderen erschießt und der Sieger seinen gefallenen Feind bedauerte, daß er trotz dem klaren Ausspruche des [Zweikampfs] seine thörichte Ansicht noch in das Jenseits mitnähme. Jeder Schritt und Tritt von mir wurde jetzt mit Argusaugen bewacht. Ein geistlich Seminar ist die beste Pflanzschule für Heuchler und Spione. Die Niederträchtigkeit, einen Freund zu verrathen zum Vortheil der Kirche ist ein gottgefälliges Werk und die Aufopferung alles Ehrgefühls eine rühmliche Selbstüberwindung. Gleichwohl konnte man mir nichts zur Last legen, und damit waren meine Genossen, die die Kneipen besuchten und mit den Mädchen, mit welchen sie zusammenkamen, schwerlich an die vier letzten Dinge dachten, besser angeschrieben als ich. Über einen ähnlichen Fall hatte sich ja auch einmal der Vorstand ausgesprochen, der Mensch sei schwach, die Barmherzigkeit Gottes groß und die Sünden des Fleisches weniger verwerflich als die Sünden des Geistes. Ein Bauer könne höchstens ein Wollüstling werden, aber ein Student ein Ungläubiger.

Von Büchern suchte man uns heilige Romane von bekehrten Seelen in die Hände zu spielen und heilige Schauspiele, die so langweilig waren, daß man regelmäßig in der ersten Scene des zweiten Actes einschlief, und wer es zum dritten wachend brachte, hatte nichts als den Ärger, den zweiten nicht verschlafen zu haben. Die Katastrophe war gewöhnlich, daß ein Heiliger mit lebendigem Leib in den Himmel flog. Auch geistliche Sonettenkränze waren unter den Schätzen der Bibiliothek, die aber so holprig waren, daß ein Maulthier darüber den Hals gebrochen hätte. Ergüsse einer christlichen Seele, die trotz ihrer Reime höchst ungereimt, und Erbauungsbücher, von denen noch keine sterbliche Seele erbaut war. Auch zwei rechtgläubige Heldengedichte hatte ein Dichter lieber der Sammlung einverleibt, als den Schmerz erlebt, daß weltliche Spukvögel Schweizerkäs oder Wurst in das heilige Papier eingewickelt bekamen. Wenn die Griechen einen solchen [Homer] bekommen hätten, so hätten sie lieber die Belagerung von Troya aufgegeben, als von ihm besungen zu werden. Wenn heute ein Alexander käme, so würde er die Helden bedauern, daß sie einen solchen Poeten zum Herold ihrer Taten bekommen haben. Auch Spottgedichte (...) waren darunter, wegen deren Bitterkeit sich sicher keiner seiner Feinde erhängt hat, Balladen und Romanzen, über die sich Bürger im Grabe herumdrehten. Schon das bloße Verzeichnis war so schauderhaft, so daß man beim Durchlesen Gänsehaut bekam, und die Bibliothek kam mir immer vor wie eine Sammlung gedruckter Klysthierspritzen. Meine Abneigung war so groß, daß ich oft einen ganzen Abend in irgendeinem lateinischen Wörterbuch alle Eigennamen aufschlug und mit einer wahren Wollust die Regeln über die Sätze verschlang. Indessen ging mir die schöne Protestantin nicht aus dem Kopfe. Ich ließ meinen langen Rock kurz schneiden wie die Röcke der anderen Studenten und wichste täglich von neuem meine Stiefel, was sonst nur an hohen Festtagen zu geschehen pflegte."

Die „etwas kecke Opposition gegen einen Vorgesetzten in der Verteidigung von Schillers Gedichten" war gewiß nur der ersehnte Anlaß, den „Ketzer" und „Freigeist" Krez aus dem Seminar zu werfen. Für die Mutter brach damit sicherlich eine Welt zusammen, aber ihr Sohn überstand mit Hilfe seiner Schulkameraden die Situation.

In seinen „Data aus meinem Leben" beschreibt er die Lage nach dem Hinauswurf:

„Dies war während der Pfingstferien, welche ich in Neckarhausen bei einem alten, noch aus churpfälzischen Zeiten her mit unserer Familie bekannten geistlichen Rathe namens Gerber zubrachte. Als ich ihm mein Schicksal bestmöglichst beigebracht hatte, ließ mich der alte Herr hart an. Ich machte mich bald auf den Rückweg nach Speier, woselbst ich meine Mutter traf, die weinte und wehklagte, weil ihr die geistlichen Herren den Bären aufgebunden hatten, daß sie einen ungerathenen Sohn habe. Ich aber miethete mir auf gut Glück ein Zimmer auf Zureden eines jüngeren Schulfreundes namens Zöller, der mir Glück wünschte, daß ich aus dem Konvikt gejagt war. Da [mich] alle meine Schulkameraden [liebten] ein gut Stück auf mich hielten, so legten sie im geheimen zusammen, bezahlten mir mein Kostgeld, und die Frau, bei der ich aß, mußte mir sagen, daß ein Herr, der sich sehr für mich interessiere und nicht genannt sein wollte, die Kosten bezahle. Sie wußten, daß ich mehr Stolz als Geld hatte und glaubten, mich so weniger zu verletzen.

Den besten dieser zartfühlenden Freunde habe ich in München am Nervenfieber verloren, drei Tage habe ich bei der Nachricht von seinem Tode geweint, und vergessen werde ich ihn nicht, wenn ich alles vergesse. Das Gedicht in den Dornen und Rosen, das das Stuttgarter Literaturblatt im Mai 1848 abdruckte, ist seinem Andenken gewidmet. Erst als ich zu anderen Mitteln mich durchzuschlagen meine Zuflucht genommen hatte, erfuhr ich die edle Handlungsweise meiner Freunde. Obgleich ich wieder in das Convict das folgende Studienjahr hätte zurückkehren können, wie es meiner Mutter versprochen war, so wollte ich doch lieber Hunger leiden, als mich so demüthigen. Ich studierte dann ruhig weiter bis in die dritte Gymnasialklasse, mich theilweise mit Unterrichtgeben ernährend."

Einer seiner Nachhilfeschüler erinnerte sich später an den jugendlichen Konrad Krez. Es war der Sohn des Kollegialrats Andreas Max Frey, der Beamter der pfälzischen Kreisregierung war. Frey, selbst von bescheidener Herkunft, wurde nach Griechenland berufen, als der bayrische Prinz Otto griechischer König wurde, und erreichte dort den Rang eines Kabinettsrats. Gewiß rührte aus dieser Zeit entweder eine Bekanntschaft mit dem Vater von Konrad Krez oder zumindest, nachdem Johann Baptist Krez in Athen gestorben war, eine Art Verantwortung für den Halbwaisen Konrad Krez her, die Frey veranlaßte, Konrad Krez als Nachhilfelehrer für seinen Sohn Friedrich Hermann Frey (geb. 1839), der sich später als Schriftsteller Martin Greif nannte und eine Berühmtheit wurde, zu engagieren.

Martin Greif schreibt in seinen Erinnerungen „Aus meiner Jugendzeit" (Gesammelte Werke v. 1912 Band 5, S. 139 f) über seinen Hauslehrer. „Es war Konrad Krez, der, in Landau an der Queich geboren, erst vor einigen Jahren als namhafter deutsch-amerikanischer Poet jenseits des Meeres verstorben ist, und von dessen lyrischen Hervorbringungen sein von ihm an die alte Heimat gerichtetes Lobgedicht mit Recht in die weitesten Kreise drang. Als schwärmerischer Jüngling von der in hohen Wogen gehenden politischen Strömung im Revolutionsjahr ergriffen, trat er, die wohl gemeinten Warnungen meines Vaters in den Wind schlagend, als der Aufstand in der Pfalz ausbrach, bei den Freischaren ein, um bald darauf zum steckbrieflich verfolgten Flüchtling geworden, unseren Augen für immer zu entschwinden."

Studium in München und Intrigen nach der Rückkehr nach Speyer

Krez führte seine Aufzeichnungen weiter:

„Da kam es mir in den Sinn, das Bergfach zu studieren. (Offensichtlich war das Studium des Bergfachs ohne ein Abschlußzeugnis des Gymnasiums möglich. W.D.) Durch die Vermittlung von Professor . . . Jäger und Regierungsrath Frei (Andreas Max Frey, s.o.), dessen drei Kinder ich zu seiner Zufriedenheit in den Anfangsgründen unterrichtet hatte, erhielt ich von der Regierung ein Stipendium von 100 fl (Gulden). Ich begab mich nach München auf die polytechnische Schule. Mit dem Gelde ging mir jedoch auch bald der Muth aus. Ich kann nicht verhehlen, daß eine Neigung zu einem schönen Mädchen, das nach Amerika auswanderte, und mein Wunsch, einmal die neue Welt zu sehen, mehr Schuld an dieser Bergfach-Leidenschaft hatte als Liebe zu den Metallen und mechanischen Wissenschaften. Ich machte mein Gymnasial-Schlußexamen bei dem neuen Gymnasium, das unter der Direktion von Benediktinern stand. Prüfungskommisar war der nicht rühmlichst bekannte Historiker Höfler (?). Sie gaben mir mein Zeugnis nicht eher als bis ich 20 Gulden bezahlen konnte, das endlich ein guter Freund mir vorschoß. Hierauf kehrte ich nach Speyer zurück und hoffte, dort an das Lyceum aufgenommen zu werden, was mir jedoch Hofrath

Jäger auf(s) hartnäckigste verweigerte, vorschützend, ich könne nicht aufgenommen werden, weil ich die Erlaubnis, das Examen machen zu dürfen, bloß zu einem bestimmten Zweck erhalten hätte. Er und sein Sohn rieten mir, die Oberklasse zu besuchen und so mit meinen vorigen Mitschülern noch einmal mich der [Prüfung] unterziehen sollte. Da ich von Natur aus ein folgsames Gemüth hatte, so folgte ich ihrem Rath. Aber am Ende des Jahres wurde mir die Aushändigung meines Schlußzeugnisses verweigert, trotzdem daß mir in der Prüfung die erste Note zuerkannt war, weil der Religionslehrer Busch, ein dummer Domvikar, mir die Note verweigerte. Es bestand nämlich damals eine Verordnung, daß ohne die günstige Note des Religionslehrers kein Schüler promoviren könnte. Ich hatte mich verschiedener Ketzereien schuldig gemacht und wurde mit mehreren meiner Mitschüler vor denselben geladen und gefragt, ob ich nicht diese oder jene Äußerung gethan hätte, was ich, da es die Wahrheit war, natürlich bejahte. Unter anderem hätte ich geäußert, daß Christus nicht Gottes Sohn sein könne. Zu dieser Überzeugung war ich gekommen in dem ich eines Abends den Himmel beobachtete und zu mir selbst sagte: Alle diese Himmelskörper sind so und so viel mal größer und müssen gewiß von Geschöpfen bewohnt werden, soll sich bei allen diesen der Sündenfall zugetragen haben, soll da Gott überall seinen Sohn auf irgend eine Art habe umkommen lassen und sollte er diese armseligen Insekten dieses Tropfens Erde nicht anders erlösen können als durch das Opfer seines Sohnes? Jedoch schwankte ich noch hierin, in dem ein von Kindheit eingesogener Glaube mit uns verwächst wie Fleisch und Knochen. – Dann hatte ich einmal geäußert, daß es lächerlich wäre, daß Gott eine Oblate auf das Geheiß jedes beliebigen Menschen, dem ein Fleck Haar hinten am Kopf herausrasiert wurde, in sein Fleisch und Blut verwandeln könne. Dies erklärte ich für meine unabänderlich feststehende Überzeugung, jedoch wäre ich gern bereit, durch Vernunftgründe mich überführen zu lassen. Dies schien ihm nicht recht geheuer, und er ließ sich nicht darauf ein. Den andern drei oder vier ertheilte er die Note, weil er sie für Verführte erklärte und ich habe bis auf den heutigen Tag jenes Zeugnis nicht erhalten und hätte ich nicht bereits früher dasselbe in München bekommen, so hätte ich nie eine Universität besuchen und nie in einen Staatsdienst treten dürfen. Da ich aber das erstere in der Tasche hatte, fragte ich niemals um das zweite mehr nach, denn die Sache war dem Ministerium zur Entscheidung vorgelegt und in Blättern wie die „Deutsche Zeitung" von Gervinus besprochen worden."

Mit seiner Äußerung, daß Christus nicht Gottes Sohn sei, die der katholischen Kirchen- und Schulaufsichtsbehörde gewiß eine Ungeheuerlichkeit war, besonders wenn man an das Alter des Delinquenten denkt, steht Konrad Krez allerdings in einer zeitgeschichtlichen Kontroverse, die in der Pfalz hohe Wellen schlug. Krez, der später in dem Gedicht „Es spricht der Tor: Es ist kein Gott" – „Es ist ein Gott, so steht in Feuerschrift/ geschrieben am gestirnten Firmamente . . ." ein Bekenntnis zu einem tiefempfundenen pantheistisch gefärbten Gottesbild ablegte, hatte, bewußt oder unbewußt, aber sicher nicht ohne genaue Kenntnisse des theologischen Kampfes in der zeitgenössischen protestantischen Kirche eine Entscheidung getroffen, die der des Sprechers der rationalistischen Partei der protestantischen pfälzer Theologen, des Herausgebers der Zeitschrift „Morgenröthe" Friedrich Theodor Frantz aus Ingenheim entsprach. Frantz verneinte in einem schriftlich fixierten Glaubensbekenntnis die Gottheit Jesu, was ihm als sektiererischer Abfall vom apostolischen Glaubensbekenntnis und von der vereinigten (protestantischen) Kirche ausgelegt wurde und die Suspension nach sich zog. Die politische und theologische (rationalistische) Opposition gegen das konservative und orthodoxe Kirchenregiment unter dem ehemaligen Erlanger Theologieprofessor Consistorialrat Dr. Isaak Rust stützte sich in erster Linie auf die Speyerer Zeitung von Georg Friedrich Kolb, in der der Kampf der regierungstreuen Orthodoxie für Pietismus, Mystizismus und Obskurantismus und gegen die Glaubens- und Lehrfreiheit kritisiert wurde. Daß die Meinung des Volkes und eines sehr großen Teils der Pfarrer auf der Seite der Rationalisten stand, bestätigten sogar die Orthodoxen und Rust-Anhänger wie Friedrich Blaul in seinen „Träumen und Schäumen vom Rhein" (S. 80) oder Pfarrer Schiller im „Pfälzischen Memorabile" (Teil X, S. 105). Die Suspension von Frantz 1846 verband den theologischen Protest mit dem politischen Kampf des Liberalismus gegen den regierungstreuen Geist der Orthodoxie. Zu den pfälzischen Märzforderungen, die dem König in München von pfälzischen Delegierten im März 1848 vorgelegt wurden, zählten auch die Entfernung der Oberkonsitorialräte Roth und Rust, die Wiedereinsetzung des suspendierten protestantischen Pfarrers Frantz zu Ingenheim sowie die Aufhebung der konfessionellen Trennung der Schulen und Lehrerseminare, Aufhebung der pfälzischen Klöster, Schutz der Rechte der uniierten protestantischen Kirche, die man zu Unrecht unter die lutherische bayrische Kirchenherrschaft gestellt sah.

Konrad Krez muß dieser Kirchenkampf durch die Lektüre der Speyerer Zeitung während seiner Schulzeit in Speyer genau bekannt gewesen sein. Seine Parteinahme für die Revolution im Jahre 1849 stellt, richtig verstanden, auch die Parteinahme für die rationalistischen Kräfte in der Theologiediskussion der Zeit dar. Er selbst leugnet ja keinen Gottesglauben und legt durch die Begründung seiner Haltung ein rationalistisches Bekenntnis ab.

Wenn Krez schreibt, daß „seine Sache" dem Ministerium zur Entscheidung vorgelegt und in Blättern wie der „Deutschen Zeitung" von Gervinus besprochen worden war, ist es eindeutig, daß er in seinem rationalistisch-liberalen Oppositionsgeist für die Munition der liberalen Parteigänger gegen die kirchliche Schulaufsicht und ihre „Willkür" mit Genuß selbst sorgte.

Krez führt seine Autobiografie weiter:

„Nicht minder widerfuhr mir Unrecht in einer anderen Sache. Wir hatten nämlich nach alter deutscher Sitte das Überstehen der Prüfung mit einem guten Schluck gefeiert. Der Wein war mir ein wenig in den Kopf gestiegen. Beim Nachhausegehen sangen wir und waren guter Dinge.

Als wir unter dem Altpörtel waren, wurde ich und ein anderer, die wir eine Strecke von den andern zurückgeblieben waren, von Handwerksburschen überfallen und durchgeprügelt. Ich hielt es anfangs für ein Mißverständnis und suchte sie aufzuklären. Sie prügelten darauf los, wir setzten uns zur Wehr, kehrten aber um und wollten den dunklen Torweg umgehen. Sie fielen uns von neuem an, warfen mich zu Boden und das Blut floß mir aus Mund und Nase. Ich raffte mich auf, zog meinen Hausschlüssel von ziemlichen Dimensionen aus der Tasche und erklärte, daß ich den ersten, der es wagte mich weiter anzugreifen, niederschlagen würde, Gesagt, gethan! Ich schlug einem den Arm halb aus der Pfanne und den andern so auf den Schädel, daß er augenblicklich bewußtlos auf die Erde fiel. In der Angst glaubte ich, er wäre todt und machte mich auf und davon. Mein Freund Weiß, ein starker Kerl, der einmal dem Adjunkten in Zweibrücken eine Ohrfeige gegeben haben soll, daß er von einer Seite der Straße in den Graben an der andern flog, warf zwei in den Speyerbach, ihre Hitze abzukühlen. Des andern Tags war großer Lärm in der Stadt und es hieß, die Studenten hätten einen Schuhmacher todtgeschlagen. Er war aber bloß ein wenig betäubt gewesen und verklagte zwei unserer Freunde als die Thäter und schwor, er wäre von ihnen angegriffen worden. Damit nicht auf diese ein falsches Licht fiele, stellten wir uns freiwillig; und da wir uns schämten, überhaupt in eine solche Geschichte verwickelt zu sein, gestanden wir alles zu und wurden jeder zu 24 Stunden Stadtgefängnis und den Kosten verurtheilt, zum großen Leidwesen des Friedensrichters Nickels, der ein herzensguter Mensch war. Dies alles geschah im Spätjahr 1847.

Noch eine hübsche Anekdote muß ich erwähnen. Ich wohnte mit einem Freund namens Ludwig Zöller bei einem Grobschmied zusammen. Dessen Frau kam damals nieder und zwar mit einem ungewöhnlich kleinen Kinde. Der Grobschmied, ein äußerst dummer Kerl, ließ sich von einem Nachbarn einreden, das Kind könne nicht von einem so großen, kräftigen Manne, wie er es sei, herrühren, es müsse von den Studenten kommen, weil es so klein sei. Es sei überhaupt kein Wunder, daß er ein jedes Jahr Kindtauf habe, wenn einer Studenten im Haus habe. Er verleidete dadurch seiner Frau so das Leben, daß wir vorzogen auszuziehen. Wir lachten herzlich über die Einfalt des Mannes, denn solche Gedanken waren uns bis dahin noch nicht in den Kopf gekommen.

Als Freikorpskämpfer in Schleswig-Holstein

Da ich in diesem Spätjahr kein Geld hatte, um die Universität zu besuchen, begab ich mich zu meiner Mutter nach Landau, arbeitete auf dem Bureau des Advokaten Kessel ein halbes Jahr für nichts, um mich praktisch in die Jurisprudenz einzuschießen, die zu studieren ich entschlossen war. Während dieser Zeit war ich mit der Sammlung Gedichte beschäftigt, die unter dem Namen Dornen und Rosen von den Vogesen herauskamen. Zwei meiner Bekannten, Julius Bettinger und Cornelius David, sammelten selbst Subskriptionen. Es wurden 500 Exemplare gedruckt und nach Abzug der Kosten und Auslagen blieben mir ungefähr 50 fl (Gulden). Mit diesen hatte ich die Absicht, mein Glück auf der Universität zu versuchen. Es war an einem der letzten Tage des Monats Februar 1848 als der Kondukteur mit flatternder Tricolore auf dem Eilwagen von Straßburg her zum Thore hereinfuhr. An der Post sammelte sich sogleich eine Menschenmasse, um zu erfahren, was es Neues gab. Er verkündete, daß aus Frankreich Louis Philipp geflohen und die Republik verkündet worden sei. Die Folgen jenes Ereignisses sind bekannt. Unter denselben war die Einsetzung einer provisorischen Regierung für die Herzogthümer Schleswig-Holstein. Die Begeisterung für dieselben hatte damals den höchsten Grad erreicht. Von Morgens bis in die Nacht hörte man Schleswig-Holstein. Eines Tages traf ich einen Bekannten von Langenkandel während der Parademusik auf dem großen Platz zu Landau. Als er mir sagte, daß er nach Schleswig ginge, erklärte ich mich alsbald bereit ihn zu begleiten; einige wollten sich noch anschließen. Als ich meiner Mutter diesen Entschluß erklärte, fing sie bitter zu weinen an. In der Volksversammlung, welche folgenden Abends gehalten wurde, wurde ich zum Ehrenmitglied der Nationalgarde ernannt, und beschlossen, daß man jedem von uns 50 Gulden zur Ausrüstung als Geschenk geben wolle. Nachdem ein tüchtiger Abschied getrunken war, machten wir uns auf, von mehreren Freunden bis Edesheim begleitet. In Speyer schloß sich ein Mulatte, der dort studierte, Freiherr von Laroche, an uns an, und meine ehemaligen Professoren verküßten mich so beim Abschied, daß ich saftig war wie eine Auster.

In Frankfurt versahen wir uns mit den nöthigen Waffen. Auf dem Dampfboote nach Köln trafen wir noch einen Schleswig-Holsteiner namens Dietz. Vor den Damen taten wir uns nicht wenig zugute auf unser Rinaldo-Rinaldini-mäßiges Aussehen, denn wir starrten in Waffen vom Kopf bis zur Zehe. In Rendsburg angekommen schickte uns die provisorische Regierung auf unser Verlangen zu dem von-der-Tann'schen Freicorps, an das ich ein Empfehlungsschreiben von einem befreundeten Offizier aus Landau erhalten hatte. Wir marschierten neun Mann hoch nach den Vorposten durch ein uns unbekanntes Land. Ich wurde mit dem Oberbefehl von meinen Kameraden betraut, der die schwierige Pflicht hatte, sich nach dem rechten Weg zu erkundigen. Da wir, ich weiß nicht von wem, erfahren hatten, daß die Dänen vor uns campierten, so hatten wir allerdings keine geringe Meinung von der nothwendigen Schlauheit. So oft wir ausruhten, stellten wir feldmäßig einen Vorposten aus, der einem jeden Bäuerlein ‚Halt! Woher? Wohin?‘ zuzurufen beauftragt war.

Einer namens Rittwegner (?) von uns, den ich später in New York wiedertraf, als ich gerade eine Rede an die versammelten Demokraten der drei (?) Nationen im Shakespearehotel gehalten hatte, hielt so einen preußischen Hauptmann, Grafen Görz, in seinem Wagen an, der ihn nicht wenig deshalb belobte. Durch ihn erfuhren wir erst unsere Richtung nach Altenhof, wo von der Tann damals auf Vorposten lag. Spät in der Nacht kamen wir an, und als wir in den Hof durch den Thorgang marschieren wollten, hielten sie uns die Büchsen vor die Brust und fragten Parole. Natürlich wußten wir nichts davon. Zum Glück berief ich mich auf meinen Brief an von der Tann, dem ich alsbald vorgeführte wurde, der den Brief las, mir die Hand gab, den Befehl erteilte, meine Leute passieren zu lassen und uns mit Nöthigem zu versorgen. An dem dritten Tage unserer Ankunft führte uns der alte von Hirken (so glaube ich hieß er) an den Fjord von Eckernförde, 3/4 Stunden von Altenhof, wo ein dänisches Kriegsschiff vor Anker lag. Dort warfen wir Batterien auf und stellten zwei abgeschälte Stücke von Baumstämmen, mit einer gemalten Mündung, dahinter auf, denn wir hatten keine Kanonen. Des andern Morgens, es war der Charfreitag 48, kamen die Dänen in aller Frühe, hoben unsere Mannschaft auf und eroberten diese Kanonen, die ihnen schwerlich viel Nutzen gewährten. Wir rückten ihnen entgegen und es entspann sich ein ziemlich lebhaftes Gefecht, wobei unsere Abtheilung unter dem Hauptmann Alberti wenig thätigen Antheil nahm. Wir wurden beordert, nicht zu schießen, da eine Abtheilung vor uns in den Umzäunungen lag. Das Land dort ist immer durch einen 2 – 3 Fuß hohen Erdwall und mit einem lebendigen Zaun abgegrenzt, welchem Umstande wir die Unthätigkeit der dänischen Reiterei zuzuschreiben hatten. Wir standen lange und schutzlos und wehrlos im feindlichen Feuer. Sie schossen aus Kartätschen und sogar mit 24-Pfündern nach uns. Einmal schlug eine Kartätsche ein, Dietz aus Frankfurt, der in Heidelberg studiert hatte und einen Schritt hinter mir stand, war so getroffen, daß Stücke seines Fleisches an meinem Kittel und an meiner Büchse hingen. Mein Nebenmann rechts, Neu aus Langenkandel, jetzt New York, rief: Ach Herr je der Krez, als ich dies hörte, blickte ich um mich um zu sehen, ob ich es wäre oder nicht. Kurz zuvor hatte einer aus Köln, den wir Max zu nennen pflegten, aus Unvorsichtigkeit sich selbst erschossen. Er hatte eine Stechbüchse und den Hahn schußfertig gespannt; seinen Bart hatte er auf den Lauf gestützt und schaukelte darauf hin und her. Sei es, daß er an einen Dorn oder sein Fuß an das Schloß kam, der Schuß ging los und die Kugel drang unter der Kinnlade durch ins Hirn. Das Blut sprudelte aus dem Munde wie aus einer Quelle hervor, und nach einigen Zuckungen war er tot.

(Nach einer gleichzeitigen Lithographie.)

Gefecht zwischen deutschen und dänischen Truppen während des schleswig-holsteinischen Freiheitskampfes von 1848/49.

Gestern noch auf hohen Rossen
Heute durch die Brust geschossen
Morgen in das kühle Grab. –

Nicht lange darauf hieß es, wir würden umgangen und Graf Reichenbach kam und forderte Freiwillige, um auf der anderen Seite den Dänen die Stange zu halten.

Es ist hier am Platze, etwas über das Terrain zu sagen. Rechts von uns war der Meerbusen, an dem die Landstraße nach Eckernförde hinzog, die wir durch eine Art Verhau gegen die Reiterei schützten, links ein Sumpf, so daß wir nur einige hundert Schritt zwischen beiden zu vertheidigen hatten, und hier waren wir wieder durch die Zäune geschützt, gegen die Feinde, welche die Anhöhe vor uns besetzt hatten."

In einem späteren Gedicht rekapituliert Krez seine Erlebnisse in Schleswig-Holstein. Er beschreibt die Begeisterung der unter den Farben Schwarz-rot-gold kämpfenden Studenten, die von Diplomaten um den eigentlichen Sieg gebracht wurden, weswegen Krez ihnen den Tod unter der Guillotine (im Sinne einer Rache des Volkes) ankündigt. Krez hat allerdings in dem einzig überlieferten Exemplar dieses für die Zeitung „Schnellpost" geschriebenen Gedichts, einem Zeitungsausschnitt des gedruckten Gedichts, die beiden letzten blutrünstigen Zeilen eigenhändig gestrichen.

Charfreitag 1848
von Conrad Krez

Charfreitag war's, als wir bei Eckernförden
Den dumpfen Knall der Schiffkanonen hörten.
Die Blouse kommt, es flieh'n die rothen Jacken
Wie scheue Rehe, hinterher die Bracken
Des von der Thann. Sie hemmt kein Kugelregen,
Der Schütze stößt die Leiche aus den Wegen,
Den Kolben kehrt er um zum Bajonette,
Stürmt hügelauf, durchbricht des Feindes Kette.

Vor Menschen, die die Flinte loszudrücken
Kaum erst gelernt – glorreiche Jugendthat! –
Wirft den Tornister zitternd von dem Rücken
Der fliehende graubärtige Soldat!

O Tag', als wir zum ersten Mal gesehen
Siegreich und offen jene Farben wehen,
Die wir verborgen unter'm Hemd getragen,
Dein Hurrah gellt mir ewig in den Ohren –
Dreihundert wilde Jäger, die wir uns geschlagen,
Zweitausend Dänen und das Feld verloren.

O Tag des Ruhms, o Sonne unsres Sieges!
O Tag der Schande, Ende dieses Krieges.
Ruht sanft am Meer, erschoßne Kameraden,
Ihr saht nicht, wie euer Blut verrathen.

Volk denk d'ran, verzucke keine Miene,
Färbt einst ihr Haupt den Sack der Guillotine.

Mit dem Bericht über die Erlebnisse in Schleswig-Holstein endet die Aufzeichnung von Konrad Krez über seine Jugend.

Auf der einen Seite erfahren wir von einem bemerkenswerten Kampf Krezens gegen die Institutionen, den er auch publizistisch führte. Es war eine Art Tollkühnheit, die ihn trieb, und die sich mit einer erstaunlichen Naivität verband. Sein unverrückbares Bewußtsein, daß er in seinen Anschauungen Recht habe, machte ihm nicht deutlich, daß er sicherlich in seinem Kampf gegen die Institution Kirche und Konvikt einen Gegner provoziert hatte, dem er nicht gewachsen war, zumal auch die Auswüchse seines jugendlichen Übermuts zu seinen Ungunsten ausschlagen mußten. Er war eben nicht moderat und erwartete seinerseits von seinen Feinden, daß sie ihm unter dem Gesichtspunkt der Gerechtigkeit gegenübertreten würden. Er hatte sich gründlich getäuscht, denn ganz so musterhaft hatte er sich wahrscheinlich nicht betragen. Der Kampf war aber eben doch damals schon sein Metier, der Kampf um Gerechtigkeit, Freiheit und Wahrheit.

Auf der anderen Seite muß man die Energie bewundern, mit der er sich den Schwierigkeiten stellte. Allerdings ging dies nicht ohne äußere Hilfe ab. Die erste Hilfe, die sich anbot, hatte bei Licht betrachtet einen gegenteiligen Sinn. Die pfälzische Regierung in Speyer stellte ihm ein Stipendium von 100 Gulden in Aussicht, womit er das Speyerer Gymnasium verlassen konnte, um sich an der Münchener Polytechnischen Schule in Richtung auf einen praktischen Broterwerb weiterzubilden. Man kann wohl von einem Abschiebe-Stipendium sprechen, denn es ging (gewiß in Übereinstimmung mit seinen Kontrahenten) den Bürokraten den pfälzischen Regierung in Speyer erst einmal darum, den „Bösewicht" aus der Kreis-Hauptstadt zu wissen. „Logischerweise" hatte man dann die 100 Gulden nicht parat und mußte Krez „vertrösten".

In dieser Zwangssituation sprang die Heimatstadt für Konrad Krez ein, eine erstaunliche Sache. Es ist ganz unwahrscheinlich, daß man das Speyerer Schicksal des Landauers in der Heimatstadt nicht kannte. So gesehen ist die Unterstützung von Krez durch seine Heimatstadt auch eine Art Widerstandsakt gegen die Kreisregierung und gegen die recht ungeschickte Schulbehörde in Speyer. Die Begründung der Zuweisung von 50 Gulden an Krez, wie sie im Landauer Ratsprotokoll vom 26. November 1846 nachzulesen ist, ist höchst erstaunlich. Der Rat stellte fest, „daß Rubrikant in jeder Hinsicht ein empfehlungswürdiger und fleißiger Jüngling sei, derselbe jetzt von allen Mitteln entblößt und seine Mutter sich in betrübten Verhältnissen befinde . . ., sowie in Erwägung, daß es Pflicht sei, aufkeimende Talente nach Maßgabe der gegebenen Mittel zu unterstützen." (nach Heß a.o.O. S. 250) Krez hatte in Landau, wie es sich auch in der späteren Ermittlungssache gegen den Revolutionär und „ausgelosten Königsmörder" (Krez war nach einem Brief in den Ermittlungsakten von 1849 in einer Münchener Studentenverschwörung aktiv und als Königsmörder durch das Los bestimmt worden. Siehe unten S. 48) zeigte, einflußreiche Freunde, die ihn aus genauer Kenntnis der Lage stützten und ihn schließlich sogar nach der Reichsverfassungskampagne vor der Verhaftung warnten.

Krez bewies seine außergewöhnlichen Fähigkeiten. Als ihm in München das Geld und der Spaß am polytechnischen Studium ausgingen, legte er ein Jahr vor seinen Speyerer Mitschülern das gymnasiale Schlußexamen in München ab und kehrte nach Speyer zurück. Daß ihm der gleiche Professor Jäger, der sich für das 100 Gulden Stipendium von der Kreisregierung eingesetzt hatte, nun den Eintritt ins Lyzeum verweigerte (offensichtlich wollte Krez hier durch Unterricht seinen Lebensunterhalt verdienen), sollte zu denken geben. Obwohl er das Abschlußzeugnis besaß, überredete man ihn zum Wiederholen der Abschlußklasse, um ein Speyerer Abschlußzeugnis zu erhalten. Als er mit der Note 1 den Abschluß bestanden hatte, kam die Rache seiner alten Feinde wieder über ihn. Dem „Ketzer" verweigerte der Religionslehrer eine Note und damit das Zeugnis insgesamt. Das war im Spätjahr 1847.

Das Münchener Gymnasialexamen ebnete Krez den Weg zum angestrebten Studium der Jurisprudenz, allerdings fehlte ihm das Geld dazu. So arbeitete er, nachdem er im Spätjahr Speyer im Unfrieden verlassen hatte, den Winter über als Anwaltsgehilfe beim Advokaten Kessel in Landau, um sich in die Materie einzuarbeiten. Gleichzeitig versuchte er, durch den Verkauf seines ersten Gedichtbändchens die notwendigen Mittel zu erwerben, um das Studium aufzunehmen. Möglicherweise reichten die 50 Gulden nicht, die als Erlös für die Gedichte heraussprangen. In dieser Zeit des Abwägens und Planens im Frühjahr 1848 fiel seine Entscheidung für den Anschluß an die Freiwilligen, die in Schleswig-Holstein für die deutsche Sache kämpfen wollten. Vielleicht erging es ihm wie zuvor seinem Vater, daß dieser „Feldzug" eine gewisse Verzögerung bis zur Entscheidung über seine Zukunftspläne mit sich brachte, so daß sich Idealismus und momentane Lösung der Lebensfragen überschnitten. Nach dem Einsatz in Schleswig-Holstein immatrikulierte sich Krez am 3. Juli 1848 in Heidelberg zum Studium der Rechtswissenschaft. Über die folgenden Monate herrscht einige Unklarheit. Tatsache ist, daß er Heidelberg verließ, um im Wintersemester 1848/49 in München weiterzustudieren. Das Regierungspräsidium in München behauptete, er sei zum Studium wegen fehlender Papiere nicht zugelassen worden. Aus Speyer kam die Nachricht, daß er in München studiert habe. Hätte er in München nicht studieren können, hätte er sich schwerlich im April von den Landauer Polizeibehörden einen Paß ausstellen lassen, um in München seine Studien fortsetzen zu können.

Die politischen Ereignisse des Jahres 1848 im Zusammenhang mit der Arbeit des Paulskirchenparlaments haben Krez, der ein überzeugter Parteigänger der Republikaner war, sicherlich schon 1848 in Hochspannung versetzt, so daß es für ihn selbstverständlich war, im Mai 1849 in die Pfalz zurückzueilen und, wie in Schleswig-Holstein, für die Sache der deutschen Einheit zu kämpfen. So reiste er vom Studienort München zum Sitz der provisorischen Regierung der Pfalz in Kaiserslautern und meldete sich freiwillig bei der Studentenlegion.

In dem Gedicht vom „Karfreitag 1848", das wahrscheinlich in einer amerikanischen Zeitung veröffentlicht wurde, hat Krez die Stimmung des Einsatzes beim Freikorps von der Thann beschrieben. Die gleiche Begeisterung wird die Studenten bewegt haben, die sich, wohl wissend, daß sie auch hier ihr Leben für die Einheit der Nation zum Markte trugen, der Verwirklichung der Gültigkeit der Reichsverfassung in ganz Deutschland verschrieben hatten.

Auf die historischen Hintergründe dieser biografischen Mitteilungen muß ein wenig genauer eingegangen werden.

Krez' revolutionäre Karriere begann also mit der Begeisterung für die provisorische Regierung der Herzogtümer Schleswig-Holstein im Frühjahr 1848. Durch die Februarrevolution in Frankreich waren die europäischen Staatsverhältnisse in Bewegung geraten, die Wünsche der Liberalen, Republikaner und Demokraten hatten jetzt mehr oder weniger ihren utopischen Charakter verloren. In Deutschland wollten die einen die Verfassungsversprechen eingelöst wissen, die anderen gleich die Fürsten verjagen und nach französischem Vorbild die Republik einführen. Letztere und vor allem diejenigen, die sozialreformerischen Ideen anhingen, wußten, daß es nicht ohne Gewalt abgehen würde. Die repressive Politik der Restauration, Reaktion und Vormärz-Zeit stand einer emotional verinnerlichten und intellektuell begründeten Forderung nach nationaler Einheit und liberalen Konstitutionen gegenüber. Große Teile der Bevölkerung erlitten politische Unmündigkeit und wirtschaftliche Not gleichermaßen. Im Militär- und Polizeiregiment nach dem in ganz Deutschland umjubelten Hambacher Fest vom 27. Mai 1832 formten die Regierungen sozusagen ihre potentiellen Feinde. Die auf die Pfalz ausstrahlende und gemünzte konservativ-reaktionäre Politik Bayerns reichte von der Behinderung der liberalen Opposition einer reaktionären Schul- und Kirchenpolitik bis zur finanziellen Benachteiligung der Pfalz und zu überhöhten Steuerlasten. So war es kein Wunder, daß sich zumindest bestimmte Kreise der Bevölkerung der Pfalz, vor allem Teile des bürgerlichen Milieus, benachteiligte kleinere Angestellte und Akademiker sowie vor allem die Studenten im Laufe der Jahre zunehmend radikalisierten. Das heißt, daß sie bereit waren, mit der Waffe in der Hand für ihre Ideale zu kämpfen und notfalls zu sterben. In der deutschen Geschichtsschreibung ist neben dem Jubel über den Aufstieg

Preußens und die Bismarcksche Reichsgründung im Handstreich (ungeachtet der nationalliberalen Zustimmung) diese uneingeschränkte Begeisterung für ein einiges Deutschland im Jahre 1848 immer zu kurz gekommen. Man lese Georg Büchners „Hessischen Landboten" von 1834, um diesen radikalen Geist zu erfahren, der unabhängig von der Zahl der Aufrührer auch in den Köpfen derer spukte, die nicht aufzumucken wagten. Von Büchner geht eine gerade Linie zu den Radikalen von 1849 und zu dem Flugblatt von Konrad Krez Ende Mai 1849, in dem er forderte: „Schmiedet die krummen Sensen gerade und mäht die Häupter eurer blutgierigen Unterdrücker, nehmt die Äxte und fällt statt der Bäume des Waldes die stolzen Reiter eurer Tyrannen ..." Die Geschichtsschreibung, die sich immer gerne in nationaler Euphorie erging, wenn es beispielsweise um die Darstellung der Freiheitskriege gegen Napoleon handelte, oder wenn der Kampf um Schleswig-Holstein als preußische Großtat gefeiert werden sollte, wollte nie recht zum Bewußtsein bringen, daß das „Lumpengesindel" der Revolution von 1849 mit den freiwilligen Kämpfern für die deutsche Sache in Schleswig-Holstein identisch war. Der Entschluß, im Frühjahr 1848 nach Schleswig zu gehen, war für Krez eine Notwendigkeit, die dem Bewußtsein entsprang, daß eine revolutionär denkende Elite sich dieser Verpflichtung nicht entziehen durfte. Mag hier noch ein Quentchen Abenteuerlust mitspielen, die blutigen Erlebnisse an der deutsch-dänischen Front haben gewiß alle Leichtigkeit im Denken und alle demokratisch infizierten Kriegsspielphantasien eliminiert. Daß Krez 1849 erneut in die Armee einer provisorischen Regierung eintrat, diesmal in der Pfalz, war ihm sicher eine Selbstverständlichkeit, eine nationale Pflicht im besten Sinne, ein notwendiger Schritt auf eine bessere Zukunft hin.

Schon in Schleswig-Holstein ging es um eine Sache des Volkes. Die dänische Krone und die Eider-Dänen versuchten, das schleswiger Gebiet bis zur Eider in den dänischen Staat einzuverleiben. Die seit den 30er Jahren für die Einheit und Eigenständigkeit der beiden Herzogtümer kämpfenden Schleswig-Holsteiner erhoben sich, als König Friedrich VII diese Einverleibung Schleswigs sanktionierte, und bildeten eine provisorische Regierung, die sich gegen die Dänen verteidigen mußte. Der Deutsche Bund schickte Truppen zur Hilfe, denen sich Freiwillige wie Krez und seine Freunde anschlossen. Ein Jahr später schossen die preußischen „Waffenbrüder" in der Pfalz und in Baden die Aufständischen über den Haufen.

II
Student und Rebell

Streiflicht aus der Zeit in München

Es gibt den kaum lesbaren und unvollständigen Entwurf einer Rede von Krez, in der er sich dafür bedankt, daß er offensichtlich eine Gruppe der Münchener Studentenschaft bei einer Deputation an das Ministerium vertreten darf, obwohl er erst kürzlich aufgenommen wurde. Er will dabei eine Petition an das hohe Staatsministerium gehen lassen, um seinem Landsmann Dr. Friedrich Pauli aus Landau die Berufung zum ordentlichen Professor der Chirurgie zu verschaffen, da Pauli einen sehr guten Ruf besitze und die ausgedehnteste Praxis der Pfalz führe, wobei er trotz der Tatsache, daß er Tag und Nacht und zu jeder Minute ans Krankenbett gerufen werde, 37 Arbeiten, teils Aufsätze und Bücher, publizierte und 155 wissenschaftliche Rezensionen über deutsche, französische und englische Bücher in wissenschaftlichen Fachzeitschriften veröffentlichte. Mag man sein Eintreten für den Landauer Landsmann noch unter dem Aspekt eines landsmannschaftlichen Freundesdienstes sehen, so verwundert doch, daß auch in München Krez offensichtlich schnell eine führende Rolle spielte, wie er überhaupt überall, wo er auftauchte, schnell Wortführer, Vordenker und Mann der Tat war, vielleicht ein wenig vom Ehrgeiz getrieben, seine bescheidene Herkunft durch Leistung für die Gesellschaft wettzumachen. Obwohl dieser Drang nach außen in allen Äußerungen von Krez deutlich wird, ist seine charakterliche Integrität, seine Gabe Freunde zu finden und zu haben ein Beweis für sein lauteres Wesen. Er war eben keiner, der sich nach vorn spielte, um Rollen zu spielen oder sich auf Kosten anderer Verdienste anzueignen. Krez war ein glühender Idealist, beseelt vom Geiste eines Schillers, ein wagemutiger Kämpfer für seine Ideale und damit auch für seine Freunde, Mitbürger und Zeitgenossen. Natürlich war er selbstbewußt, kannte seine Begabung, seine Fähigkeiten und war sich sicher nicht zu schade, sich an seiner Umwelt zu messen. Die Einsicht in seine Fähigkeiten und Kenntnisse erhob ihn aber nicht durch Eigenlob über andere, sondern er verstand sich als Dienender – im Dienste seiner hehren Ideen und einer großen Vorstellung von Freundschaft und Selbstverpflichtung.

Die Revolution von 1848 und die Reichsverfassungskampagne 1849

Die revolutionäre Bewegung von 1848 und 1849, an der Konrad Krez so aktiv beteiligt war, hatte ihre Begründung und Vorgeschichte in der Entwicklung in Deutschland seit der Niederlage Napoleons und dem Bruch des Verfassungsversprechens. Im Länderschacher des Wiener Kongresses hatte Bayern es auf die rechtsrheinische Pfalz abgesehen und wollte keine

Herrschaft über die linksrheinische, ehemals französische und „revolutionsverseuchte" Pfalz. Sie wurde schließlich von der Großmacht Österreich den Bayern aufgezwungen. Die Pfalz, die unter den napoleonischen Kriegen, Steuerlasten und Aushebungen genügend gelitten hatte, erinnerte sich im angemessenen Abstand zur Franzosenzeit immer intensiver der Vorteile im napoleonischen Großstaat, ja sogar (nostalgisch gesehen) der „gloire", die in den Veteranenvereinen gefeiert wurde. Der Konflikt der Pfalz mit der bayrischen Zentralregierung war von Anfang an vorprogrammiert – auch wenn Bayern mit dem Verzicht auf die „Ent-Napoleonisierung" französische Institutionen und Rechtsvorschriften (Code civil) den Pfälzern bewahren wollte, um größere Schwierigkeiten mit der von der französischen Revolution geprägten Bevölkerung aus dem Weg zu gehen. Schließlich stand mit der Gültigkeit der für die Pfalz modifizierten bayrischen Verfassung die juristisch egalitäre Gesellschaftsordnung der Pfalz (im Gegensatz zum ständisch-feudalen Bayern) im Zentrum der Politik, die in der Pfalz, anders als in anderen Teilen Deutschlands, immer publizistisch bis in weiteste Kreise der Gesellschaft getragen wurde. Die gewiß aus dem Erbe der Franzosenzeit resultierende Aufgeschlossenheit breitester Bevölkerungsschichten für politische Diskussionen war im Verein mit der oppositionellen und radikalen Publizistik Ursache für die Aufgeschlossenheit der Pfälzer für liberale Gedanken von einem gemäßigten Konstitutionalismus bis zur Begeisterung für radikale Republikaner. Die bayrische Politik, vor allem seit Ludwig I., verstärkte den Oppositionsgeist der pfälzischen „Volksseele", so daß es nicht verwunderte, daß im Revolutionsjahr 1849 die Provinzbehörden in der breiten Bevölkerung keinen Rückhalt fanden, wenn man davon absieht, daß es auch in der Pfalz Pragmatiker und Vorsichtige gab, denen die Lösung von Bayern doch etwas zu weit ging, aber nicht aus Gründen der Sympathie für das „überrheinische" bayrische Regime in München, sondern aus Einsicht in die Notwendigkeit der Einbettung in eine staatliche Ordnung.

Die Märzrevolution von 1848, die in weiten Teilen Deutschlands zu Aufständen und gewalttätigen Aktionen führte, so in Wien, Berlin, Sachsen etc., verlief in der Pfalz friedlich. Hier bestand sie, nach Faber, „zunächst in der spontanen Solidarisierung der liberal-demokratischen Kräfte in ad hoc sich bildenden Bürgerkomitees, in Bürger- und Volkswehren und anderen informellen Aktionsgruppen." (S. 396) Die Volksbewegung unterstrich das Bewußtsein, einen politischen Kampf gemeinsam führen zu müssen und war zudem unleugbar auf das Verfassungsversprechen bezogen. Die Adresse einer am 4. März 1848, also noch vor den Aufständen in Wien und Berlin, in Neustadt abgehaltenen Volksversammlung an den bayrischen König bestätigte in einem unmißverständlich fordernden Ton den Rechtsanspruch und damit die Rechtmäßigkeit der Forderungen, die im Hinblick auf die Vertreibung des französischen „Bürgerkönigs" Louis Philipp drohenden Charakter hatten.

Die Resolution lautet:

„Allerdurchlauchtigster, Großmächtiger, Allergnädigster König und Herr. Die gewaltige Größe und tief eingreifende Bedeutung der jüngsten Ereignisse, welche sich heute schon als welterschütternd beurkunden, verpflichten die erwählten Vertreter der Pfalz Eurer Königlichen Majestät im Drange dieser ganz außerordentlichen Umstände anzurufen, diejenigen Mittel zu ergreifen, deren unverzügliche Anwendung unumgänglich notwendig ist, wenn die Ruhe, Ordnung und Sicherheit nach Innen und Außen erhalten werden soll.

Die Verhältnisse der Zeit erheischen gebieterisch, die bis heute noch nicht erfolgte Gewährung der den Völkern gebührenden ihnen längst verheißenen Rechte; – sie erheischen:

1. Unverzügliche Berufung der Stände
2. Revision der Verfassung, namentlich des Wahlgesetzes
3. Gewährung unbedingter Pressefreiheit
4. Ein deutsches Parlament, ein Parlament für das eine und einzige Deutschland
5. Volksbewaffnung mit freier Wahl der Führer und zwar unverzüglich für die Pfalz
6. Vereidigung des Militärs auf die Verfassung
7. Öffentlichkeit und Mündlichkeit des Gerichtsverfahrens und Schwurgerichte
8. Trennung der Justiz von der Verwaltung und Überweisung der Polizeistrafgewalt an die Justiz
9. Freiheit des Glaubens und der Lehre
10. Freiheit der Gewerbe, sowie des Grund und Bodens
11. Revision der Landrats- und Gemeindegesetze, freies Versammlungsrecht der Bürger
12. Revision der Steuergesetze

Königliche Majestät! Die Gewährung dieser Zugeständnisse, aber nur die unverzügliche und ungekürzte Gewährung derselben, wird geeignet sein, unendliches Unglück von Deutschland, von den Fürsten und den Völkern abzuwenden. Nur dadurch kann die Überzeugung allgemein begründet werden, daß auch außer der republikanischen Regierungsform die Freiheit und die Rechte der Nation gesichert zu werden vermögen und einer solchen Überzeugung der Gesamtheit wird es bedürfen, um in diesen Momenten unendlicher Stürme – Umwälzungen vorzubeugen, deren intensive Stärke und Ausdehnung gleich unberechenbar erscheinen.

Pfalz, den 4. März 1848

Eurer Königlichen Majestät
allerunterthänigst, treugehorsamste
Deputierte der Pfalz
Brunck, Rud. Christmann, Eppelsheim, Hack, Heintz, J. L. Kern, A. Lilier, Reudelhuber, Scholler, Stockinger, Ph. Thillmann, F. Willich, Wolf."

Am 9. April wurde schließlich, nachdem sich in vielen Orten demokratische Gruppierungen gebildet hatten, in Kaiserslautern von rund 100 Vertretern des pfälzischen Volks eine Art Dachorganisation der Bewegung gegründet, der Pfälzische Volks- und Vaterlandsverein. Er stellte die Kandidatenliste für die Wahl zur Verfassungsgebenden Nationalversammlung in Frankfurt auf, der u.a. jene Männer angehörten, die sich in den Jahren seit dem Hambacher Fest als Oppositionelle einen Namen gemacht hatten: der Herausgeber der Neuen Speyerer Zeitung, Georg Friedrich Kolb, August Culmann und der aus dem Exil heimgekehrte Friedrich Schüler.

Schon in Februar 1848 hatten Volksversammlungen in Heidelberg und Mannheim Volksbewaffnung, Preßfreiheit, Schwurgerichte und ein deutsches Parlament gefordert. Nachdem die badischen und hessischen zweiten Kammern (Parlamente) eine einheitliche Zentralgewalt auf dem Fundament der Volksvertretung gefordert hatten, beschloß am 30. März die deutsche Bundesversammlung die Berufung von Abgeordneten des deutschen Volkes zur Vereinbarung einer Verfassung. Im Rahmen der Arbeit des Frankfurter Paulskirchenparlaments gehörten die breitesten Sympathien der Pfalz sicherlich den demokratisch-republikanischen Kräften, ohne daß es zu einer Polarisierung in der Pfalz kam. Ein Signal war sicher der Pfingstbesuch von rund 50 Abgeordneten der Frankfurter Linken, an ihrer Spitze Robert Blum, in der Pfalz, die bei einer Volksversammlung in Neustadt die Einführung der Republik forderten.

Offensichtlich war es Unzufriedenheit mit der Bundespolitik wie z.B. die Ablehnung des Waffenstillstands von Malmö, der auch für Konrad Krez den Einsatz der deutschen Truppen in Schleswig beendete, und politische Streitigkeiten in Bayern (12. Nov.: Königlich bayrische Verordnung über die Auflösung der zweiten Kammer), die zu einer Radikalisierung der pfälzischen Demokraten führten. Zudem war die standrechtliche Erschießung des Volkshelden Robert Blum in Wien am 9. November 1848 ein Fanal, das offensichtlich auch Zweifler überzeugte, wie wenig die eigentlichen „Machthaber" gewillt waren, die Nationalversammlung ernst zu nehmen, zumal diese erst am 4. August die Abschaffung der Todesstrafe proklamiert hatte.

Die Ereignisse in der Pfalz im Jahre 1849

So war es kein Wunder, daß sich die Pfälzer in der Frage der Reichsverfassung sehr engagierten und nicht gewillt waren, so kurz vor dem Ziel den Mißerfolg ihrer jahrzehntelangen politischen Bemühungen einfach hinzunehmen. Das Umschwenken der politischen „Großmächte" Deutschlands war abzusehen, das Scheitern der Verfassungsbewegung lag auf der Hand. Man muß sich diese Enttäuschung vorstellen, eine abgrundtiefe Enttäuschung, um den verzweifelten Ernst zu begreifen, mit dem in der Pfalz von den politisch engagierten Kräften der Kampf um die Reichsverfassung aufgenommen wurde, der ja für jeden Realisten von Anbeginn an erfolglos sein mußte, wenn nicht erwartete oder unerwartete Hilfe von außen, speziell von Freiwilligen aus dem französischen Elsaß, kommen würde. Im April schon hatte die bayrische Regierung die Reichsverfassung abgelehnt und die Auflösung der zweiten Kammer, die auf Antrag von Kolb für die Annahme der Reichsverfassung plädiert hatte, veranlaßt. Auch in Preußen wurde die zweite Kammer, die sich mit 179 gegen 159 Stimmen für die Anerkennung der Reichsverfassung ausgesprochen hatte, am 27. 4. 1849 aufgelöst und die deshalb ausbrechende Volksbewegung mit Gewalt unterdrückt. Damit wußten die Kämpfer für die Reichsverfassung von Anfang an, was sie zu erwarten hatten. Trotzdem begannen sie einen Kampf der Verzweiflung, vielleicht auch eine Art Ehrenrettung ihrer hohen Gefühle von Menschenrecht und Menschlichkeit, eine Art Selbstbeweis. Für die jungen Menschen wie Konrad Krez, die ja nicht einmal das Hambacher Fest miterlebt hatten, wurde dieser Kampf auch neben der Pflicht, für Gegenwart und Zukunft zu streiten, eine Verpflichtung, die aus dem Geiste der Tradition des einigen deutschen Reiches gespeist war. In den Köpfen der Studenten, der Intellektuellen und Dichter waren Ulrich von Hutten, Franz von Sickingen ebenso wie Götz von Berlichingen und Josef II. Glieder einer Reihe von Streitern für Einheit und Menschenwürde, für Völkerfreiheit gegen Tyrannenherrschaft. Ende April beschloß eine Volksversammlung in Neustadt die Berufung aller waffenfähigen Männer nach Kaiserslautern.

Obwohl die Propagandisten der Reaktion wie der Oberst-Lieutenant Staroste in seinem „Tagebuch über die Ereignisse in der Pfalz und Baden im Jahre 1849“ mit allerlei Lügen versuchten, den Volkskampf für die Reichsverfassung herabzumindern und die Lösung von Bayern als Werk einer negativen Menschenauslese („unfreiwillig aus dem Dienste entlassene Offiziere, rabulistische Advokaten, unzufriedene Schullehrer, einige Pfarrer, zungenfertige Juden, brodlose Literaten, bankerute Kaufleute, nebst allen sonst noch moralisch und finanziell ruinierten Personen“ S. 2) darzustellen, haben sie gleichwohl in der Schilderung der Ereignisse ihre eigenen Werturteile Lügen gestraft und die breite Basis der Revolution unterstrichen. Nach Staroste fand am 27. April in Offenbach bei Landau eine Volksversammlung statt, bei der sich ein Redner Bauer offen gegen die Regierung und für eine allgemeine Erhebung aussprach, das gleiche geschah am 28. in Neustadt, am 29. wurde in Speyer von einer Volksversammlung die Lossagung von Bayern proklamiert, gleichzeitig fanden in mehreren anderen Gemeinden, so in Oggersheim und Eppstein Volksversammlungen statt. Am 1. Mai war in Kaiserslautern eine vorberatende Volksversammlung, „in welcher beschlossen wurde, das Verfahren der bairischen Regierung in ihrer Auflehnung gegen die Beschlüsse der Frankfurter Versammlung und gegen die Frankfurter Verfassung als ‚rebellisch‘ zu

Die Eröffnung des Paulskirchenparlaments zu Frankfurt.

betrachten und in der Pfalz allen bezüglichen Anordnungen in so lange den kräftigsten Widerstand zu leisten, bis die bairische Regierung ihre unbedingte Unterwerfung unter die Reichsgesetze erklärt haben würde. Es wurde ein Landes-Vertheidigungs-Ausschuß ernannt, der auch sogleich in Tätigkeit trat und so lange in Permanenz verbleiben sollte, bis die gefahrdrohende Lage des Vaterlandes vorüber sein würde." (Staroste S. 4).

Dieser Landes-Vertheidigungs-Ausschuß gab in seinem Aufruf zu einer allgemeinen Volksversammlung am 2. Mai in Kaiserslautern die Begründung seines verfassungskonformen Handelns. Es hieß da: „Pfälzer! das Unglaublichste ist geschehen! Maximilian von Baiern hat die durch unsere souveränen Vertreter zu Frankfurt festgestellte und für uns rechtsgültige Verfassung verworfen. Tiefe Entrüstung erfüllt die Brust eines jeden Pfälzers; – es gilt zu zeigen, ob der Wille des souveränen Volkes oder der Wille einer volksfeindlichen Regierung maßgebend ist . . ." (Staroste S. 4) Staroste bestätigte gleichzeitig, daß sich fast jedermann für die Annahme der Frankfurter Verfassung aussprach, zumal die Bewegung eine demokratische war, „nicht ohne Beimischung kommunistischer Grundstoffe" (Staroste S. 4), wie der „Köder" Recht auf Arbeit, Freiheit, Wohlstand und Bildung für Alle" (Staroste S. 4) zu beweisen schien. Auch die Untätigkeit aller Behörden hinsichtlich dieser Bewegung verdeutlicht das breite Fundament, auf dem der Aufstand im Volke basierte.

Am 2. Mai fand in Kaiserslautern die berühmte Volksversammlung statt, zu der rund 10 000 Menschen kamen (darunter die Vertreter der politischen Vereine, der Landrat der Pfalz, Abgeordnete des Frankfurter Parlaments), die das vorberatene Programm vom Vortag annahmen und den Landes-Verteidigungs-Ausschuß bestätigten, dem keine Hasardeure, sondern ernsthafte Politiker mit Rückhalt im Volk angehörten: die Frankfurter Abgeordneten Schüler, Reichmann, Culmann, Schmidt, die Landtags-Abgeordneten Dr. Greiner, Dr. Hepp, Dr. Hanitz, Notar Schmidt aus Kirchheim-Bolanden, Oeconom Didier aus Landstuhl und Rechts-Kandidat Fries aus Frankenthal.

Wenn auch nicht in Übereinstimmung mit der bürgerfeindlichen Staatsmacht, so fand sich die Pfalz doch in Übereinstimmung mit der verfassungsmäßigen Ordnung. Es wäre ein Unding, zu vermuten, daß die Idee der Volkssouveränität, die bereits 1789 in der Pfalz bei vielen aufgeklärten Bürgern auf breite Zustimmung gestoßen war und die sich seit 1816 mit dem Verfassungskampf verbunden hatte, keine ausreichende Rechtsgrundlage geschaffen hätte, um sich vom ungeliebten Bayern zu lösen. Diese Bewegung der Pfalz war ja keine „Gegen-Bewegung", sondern eine Bewegung „für" die Reichsverfassung, auf ihrer Seite stand das Recht. Daß der Rechtsbruch auf der Seite Preußens liegt, ist keine Frage der Begründung des Einmarsches Preußens in Baden oder in der Pfalz. Mit der Billigung der verfassungsgebenden Versammlung in Frankfurt hatten die Fürsten, unabhängig von der Macht, die Souveränität dem Volke zurückgegeben.

Parlamentssitzung in der Paulskirche zu Frankfurt.

Deutsche Männer!

Die Gewaltherrschaft der Könige hat ihre Maske abgeworfen!

Sie hat es gewagt — Angesichts der Völker Europa's — mit Vernichtung zu bedrohen Alles, was civilisirten Nationen hoch und heilig ist!

Sie hat die russische Barbarei auf Deutschlands Boden gerufen!

Wortbrüchig verläugnet sie den letzten Schimmer von unseres Volkes Selbstständigkeit und Freiheit, die sie vor wenigen Monden bebend anerkannte!

Fürstenwillkür vernichtet, was die Vertreter des souverainen Volkes beschlossen!

Deutsche! Jetzt gilt es abermals, zum letzten Male, Eure Freiheit gegen die Angriffe der Fürsten zu schützen. Blicket auf das Beispiel der thatentschlossenen Pfälzer. Säumet nicht, bewaffnet Euch, organisirt Euch, benützet Euere Vereine, wählet leitende Wehrausschüsse, seid mannhaft gerüstet für den Augenblick, wo Ihr Euch den Gewaltschritten der Willkührherren entgegen zu stellen habt!

Und Ihr, Männer der Pfalz! — die Ihr für Freiheit, Ehre und Recht in die Schranken getreten seid gegen den Verrath der Könige, haltet muthig Stand! Pfälzer! Deutschlands Männer können und werden nicht thatlos und feig Eurer Erhebung zusehen; sie werden es nicht geschehen lassen, daß der Despotismus über Eure Leichen hinweg auch zur Vernichtung ihrer und des ganzen Volkes Freiheit schreite!

Frankfurt a. M., am 6. Mai 1849.

Die äußerste Linke der National-Versammlung.

(Klubb Donnersberg.)

Brentano. Culmann. Damm. Dietsch. Erbe. Hönninger. Höffbauer. Junghanns. Martiny. Mohr. Peter. Reichardt. Richter. Rühl. Schlöffel. Schlutter. Schmidt. Schmitt. Schüler. Schütz. Titus. Trützschler. Werner. Wiesner. Würth.

Aufruf der „äußersten Linken der Nationalversammlung" zur Unterstützung der Erhebung der Pfalz.

Die pfälzischen Abgeordneten der Nationalversammlung veröffentlichten am 2. Mai in der Neuen Speyerer Zeitung einen Aufruf, in dem sie nicht nur auf die Gültigkeit der Verfassung als Gesetz in ganz Deutschland hinwiesen, sondern auch auf die diesbezügliche Note des reaktionären preußischen Ministeriums an die deutschen Höfe, mit dem zweifelsohne die Fürsten zum Kampf gegen die Reichsverfassung gepreßt werden sollten. Der brutale Kampf Preußens nach der offiziellen Ablehnung der Annahme der Kaiserwürde und der Ablehnung der Verfassung am 28. April 1849 war abzusehen, denn schon am 4. Mai bestritt das Reichsministerium in Erwartung preußischer Ein- und Übergriffe der preußischen Regierung das Recht auf eigenmächtiges Einschreiten in den Einzelstaaten, und am 10. Mai wandten sich Beschlüsse der Reichsversammlung gegen preußische Einmischungen. Nichts lag näher, als daß der von der Frankfurter Zentralgewalt in die Pfalz geschickte demokratische Abgeordnete Eisenstuck, der von den Abgeordneten Culmann und Kolb begleitet wurde, als Reichskommisar die pfälzische Bewegung anerkannte. Nicht ganz verständlich ist die Definition seiner Aufgabenstellung durch Staroste und den doch modernen Historiker Faber, beide behaupten, daß er die Aufgabe gehabt hätte, die pfälzische Bewegung in die gesetzliche Bahnen zu leiten. Eisenstuck konnte sich ja in der Pfalz vergewissern, daß diese Bewegung gänzlich auf dem Fundament der Reichsverfassung stand, und so war es nur logisch, daß er die pfälzische Bewegung als einen ersten Schritt zu einer National-Souveränität begrüßte. Die Feststellung Fabers, daß die Lösung von Bayern eine revolutionäre Erhebung war, die zunehmend vom linken, demokratischen Flügel (Donnersberg) der Nationalversammlung und von außerparlamentarischen Gruppen gesteuert wurde, die aus allen Teilen Mitteleuropas in die Pfalz strömten, um von hier aus die Revolutionierung des deutschen Südwestens mit dem Ziel der Errichtung einer aus der Pfalz, Baden, Hessen-Darmstadt und Nassau bestehenden Republik einzuleiten, erkennt die gegebene Berechtigung dazu nicht ausreichend an. Die Steuerung der Bewegung durch Abgeordnete geschah durch pfälzische Abgeordnete wie Schüler, Culmann und Kolb, und es versteht sich, daß sich diejenigen Demokraten aller deutschsprachigen Länder in die Bewegung der Pfalz eingliederten, die sich zuhause für ihre Ideale nicht mehr einsetzen konnten, ohne den Kopf zu riskieren. Im Versuch, die Revolution zu organisieren, haben sich die Pfälzer das Heft nicht aus der Hand nehmen lassen, aber selbstverständlich ließ man sich die Hilfe sachkompetenter oder auch vermeintlich sachkompetenter Mitbürger, vor allem im militärischen Bereich, gerne andienen. Die Erhebung für die Reichsverfassung war eindeutig eine Volksbewegung, was noch ausdrücklich dadurch unterstrichen wurde, daß eine große Anzahl pfälzischer Beamte demokratischer Gesinnung am 8. Mai in Kaiserslautern eine Adresse an die bairische Regierung richteten, in welcher sie versicherten, daß „das pfälzische Volk einmüthig entschlossen sei, durch nichts mehr sich in der Anerkennung der Reichsverfassung beeinträchtigen zu lassen . . ." (Staroste S.10).

Politik in Poesie verpackt

Konrad Krez hat sich zeit seines Lebens mit der politischen Problematik seiner eigenen Erfahrungen beschäftigt. Seine Interessen tendierten sowohl in eine poetische als auch in eine sachliche historische Richtung. Allerdings mußte er sich wegen beruflicher und politischer Aufgaben in seiner neuen amerikanischen Heimat der Abfassung größerer Texte über diese Jahre enthalten. Wie sehr er die Verfassungsproblematik im Mittelpunkt des Vormärz sah, verdeutlicht eine poetische Szene mit politischem Inhalt, die im handschriftlichen Nachlaß erhalten ist. Interessanterweise ist es der Alte Fritz, der als Advokat der Volksinteressen von Krez sicher unhistorisch gezeichnet ist, der Götz von Berlichingen recht witzig über die deutsche Geschichte von den Befreiungskriegen bis 1848 unterrichtet. In einem handschriftlichen Fragment „Über deutsche Politik" stellt Krez die überdenkenswerte Theorie auf, daß durch die Gewährung constitutioneller Rechte für die europäischen Völker das Gleichgewicht zwischen den größeren Staaten wie England, Rußland, Österreich und Preußen hätte hergestellt werden können. Die Ursache für das Scheitern eines solchen Friedens-Experiments in Europa war nach Krez der Eigennutz der Fürsten, deren Egoismus so groß sei, daß sie darüber vergessen, sich für die Rettung ihres politischen Systems zu engagieren.

Politische Szene über die Verhältnisse des Vormärz
(Gespräch zwischem dem Alten Fritz und Götz von Berlichingen)
Der alte Fritz:
Nun wieder zur Sache, mein lieber Eisenarm, die Fürsten hatten nämlich, um das Volk zum Aufstand zu bewegen, demselben Freiheit und Wiederherstellung des Reichs versprochen, denn sonst wäre es am Ende einerlei gewesen, ob es französische oder deutsche Ohrfeigen erhielt. Damals waren die Herren sehr kleinlaut, und der König von Preußen hatte Kosttage beim Landadel. Der jetzige scheint es vergessen zu haben, doch war die Zeit des alten Fritz jenem näher als diesem. Zu Wien also tanzten die Herren, um zu berathen, wie sie am besten ihren Versprechen aus dem Wege gehen könnten. Statt des Kaisers machten sie einen sogenannten Bundestag, der alles das that, was die Fürsten sich zu thun schämten. Er war die erste Polizeibehörde.

Götz: Was ist denn Polizei?

Der alte Fritz: Polizei sind Spitzel in Uniform und Waffen, die zu sehen haben, ob jeder seine Nase nach Vorschrift trägt. – Aber mon cher chevalier, durch deine Querfragen wurde ich fast so verwirrt, wie du in deiner

Selbstbiografie. Ich wollte dir ja sagen, was eine Kammer ist. Eine Kammer ist die unvollkommene Erfüllung der Versprechen von 1815. Die Mitglieder derselben sind berufen, um Steuern zu dekretieren; wenn sie etwas mehr thun, werden sie nach Hause geschickt, damit das Volk sehe, wie mächtig sein Fürst sei. Ein Staat, der solche Kammern hat, ist ein constitutioneller Staat, weil er eine Constitution hat, eine Constitution aber ist das Verzeichnis der Freiheit und der Macht des Volkes, deren erster Paragraph ist, daß das Volk keine Freiheit und keine Macht habe, deren zweiter, daß dies nur auf verfassungsmäßigem Wege geändert werden könne, deren dritter, daß es kein verfassungsmäßiger Weg gebe, deren vierter, daß alles vom König abhänge. Endlich ist aber das Volk dieser Steuerbewilligungsanstalt müde geworden und hat im Innern etwas mehr Freiheit verlangt, nicht mehr der Spielball ausländischer Launen sein wollen. Die Fürsten versprachen auch alles – und wie sie es halten, das steht in der Allgemeinen Zeitung und in der preußischen und bairischen Note, worin deutlich steht, daß das Volk nichts zu hoffen habe. Und daß es ja jedermann sehen und lesen könne, hat der preußische und sächsische König eine große Fackel in Dresden. Das Volk hatte mit Zustimmung der Fürsten das Parlament gewählt, dem sich alle, Volk und Fürsten, unterwerfen sollten. Dieses wählte den Johann, [Erzherzog Johann von Österreich, am 29. Juni 1848 als Reichsverweser von der Nationalversammlung gewählt, dankte im Dez. 1849 ab. W.D.] der da gebieten sollte über die Vasallen des neuen Reichs, über den König, den Großherzog, den Churfürsten, und den Landgraf. Den fürchteten aber die Gemsen in Tyrol mehr als die Fürsten in Deutschland. Er hatte im weiten Reich Niemand, der ihm gehorchte als seine Frau und Kinder und brachte keine andere Macht mit nach Frankfurt als seine Dienerschaft und seinen Leibarzt und hatte keine anderen Waffen zu Gebote als seinen Stutzen und Hirschfänger. Das nannte man in Bayern eine starke Centralgewalt. Als das Parlament dieses merkte, und dazu brauchte es lange Zeit, [wählte das Parlament am 28. März 1849 den preußischen König Wilhelm IV. zum erblichen Kaiser von Deutschland] weil er so mächtig sei, der sich selbst das Schwert Deutschlands nannte und in Wahrheit eher dessen Flasche ist. Er hat es nicht angenommen, weil ihm die Freiheit ein Gräuel, das Volk ein Ärgernis ist und schickte sein herrliches Heer gegen diejenigen, welche für seine Erhebung aufgestanden sind. Wilhelm! Wilhelm! Das Karl II. spielen thut nicht gut, man meint, ihr hättet alle mehr als einen Kopf zu verlieren.

Götz von Berlichingen: Ich denke, wenn man überhaupt einen Kaiser hätte wählen wollen, so hätte man den Tüchtigsten im Reiche nehmen sollen, so einen Rudolf von Habsburg, der ja auch nur ein kleines Gräflein war, der kaum so viel Land hatte, um zwei Hasen mit dem überflüssigen Gras zu mästen und ehe er ausgehen wollte selbst sein graues Wammers flickte. – Aber Eure Majestät entschuldigen bis auf ein andermal, ich muß den Franz von Sickingen besuchen, den schmerzt wieder seine Wunde,

woran er zu Landstuhl starb, dort eben geht gewiß wieder etwas vor wegen des deutschen Reichs, das spürt er wie eine Wetterverändrung.
(unveröffentlicht)

Über deutsche Politik
Nach dem Sturze Napoleons waren die Verbündeten bemüht, das Staatensystem Europas wieder ins Gleichgewicht zu bringen. Napoleon, der Alleinherrscher des Kontinents, war gefallen, mit ihm die neugeborenen Fürsten seiner Politik. Ein Teil seiner Bedienten hatte ihn auf dem Schlachtfeld verlassen. Die alten Throne wurden von den alten Besitzern zurückgefordert. Den neuen gab der zur rechten Zeit ausgeführte Verrat Rechtstitel auf Vergrößerung. Das Fell des Löwen war zerschnitten, Frankreich in seine alten Grenzen zurückgedrängt. Die drei Continentalmächte Preußen, Österreich und Rußland (Preußen, das England zum Gegengewicht zwischen Rußland und Frankreich stark gestärkt sehen mußte) erhielten dazu ihren Beuteantheil. Die Eifersucht Österreichs mäkelte ... an dem Gewicht Preußens aus alter Erinnerung ... Die Rückschau des Wiener Congresses, die Erhaltung des Friedens für England war eine Handelsnothwendigkeit, für die Fürsten die Beendigung für ihre Vorrechte und despotischen Gelüste, für Frankreich eine Zeit, seine Wunden zu heilen.

Vier Großmächte gab es damals: England, das sich mit der Alleinherrschaft des Meeres begnügte, Rußland, Österreich und Preußen zur Verhinderung einer Alleinherrschaft auf dem Festland ... Es ist nicht zu leugnen, daß bei der consequenten Durchführung dieses Systems mit der Gewährung constitutioneller Rechte das europäische Gleichgewicht nicht so leicht wieder gestört wurde. Es ist gut, daß es nicht geschah, denn man hat den Beweis geliefert, daß Friede und Völkerglück unvereinbar mit der Monarchie ist. So groß ist die Eigensucht der Fürsten, so wenig sehen sie selbst etwas anderes in der Monarchie als eine Aussteuer für ihre Söhne und Töchter, daß sie selbst nichts freiwilling zur Erhaltung ihres Systems (unternommen haben).
(unveröffentlicht)

Der Revolutionär Konrad Krez

Obwohl wir über eine Akte des Präsidiums der königlich bayerischen Regierung von Oberbayern in Sachen „Verschwörung gegen das Leben Seiner Majestät des Königs“ und über die 1850 in Zweibrücken veröffentlichte „Anklag-Akte“ (errichtet durch die K. General-Staatsprokuratur der Pfalz nebst Urtheil der Anklagekammer des k. Appellationsgerichts der Pfalz in Zweibrücken vom 29. Juni 1850, in der Untersuchung gegen Martin Reichard, entlassener Notär zu Speyer, und 332 Consorten, wegen bewaffneter Rebellion gegen die bewaffnete Macht, Hoch- und Staatsverraths etc.) über die revolutionäre Tätigkeit von Konrad Krez während der Reichsverfassungskampagne recht gut unterrichtet sind, ist doch ein

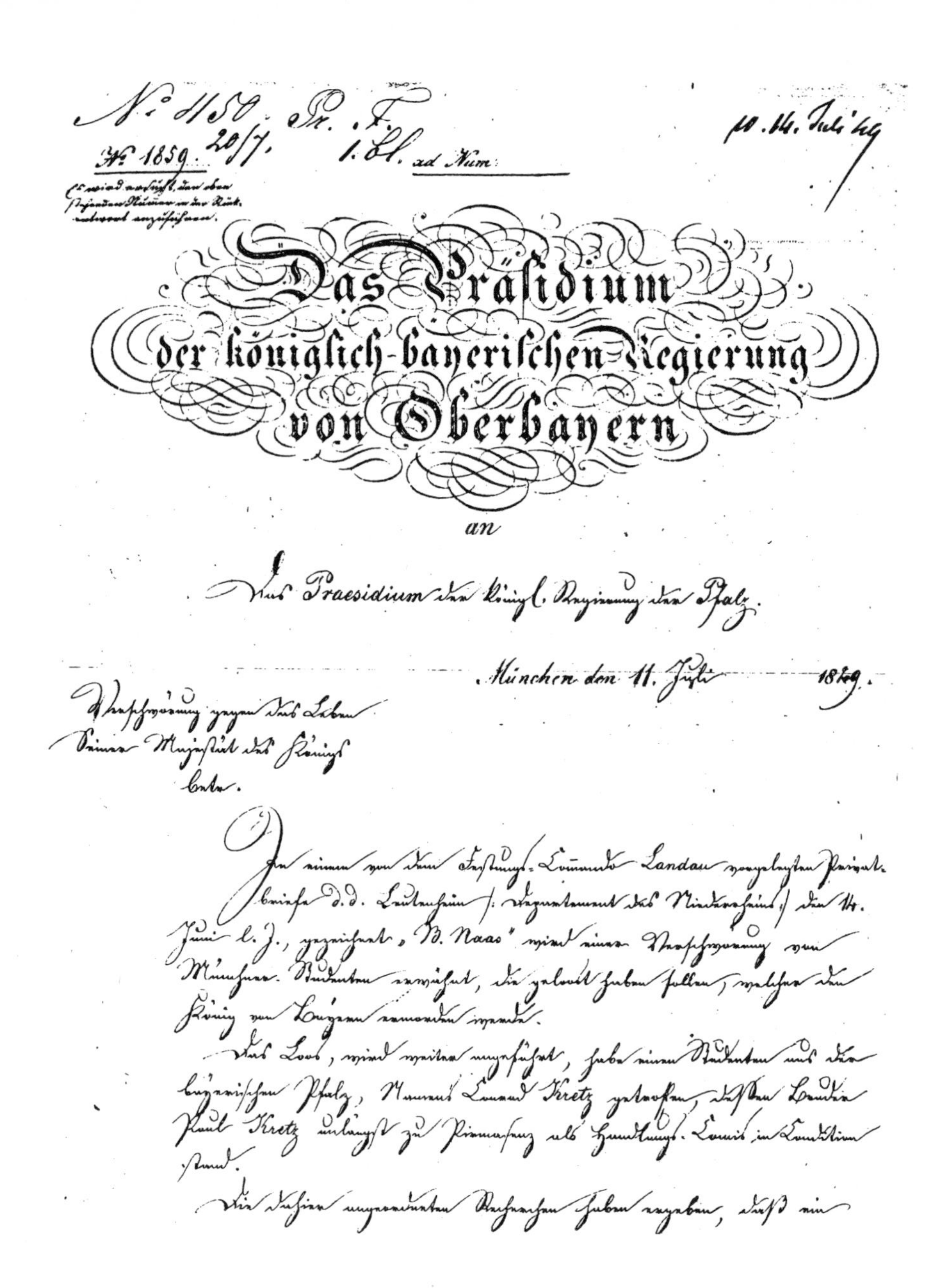

No 1150. Pr. F. 1. Bl. ad Num.

№ 1859. 20/7.

pr. 14. Juli 49

[illegible]

Das Präsidium der königlich-bayerischen Regierung von Oberbayern

an

Das Praesidium der königl. Regierung der Pfalz.

München den 11. Juli 1849.

Verschwörung gegen das Leben Seiner Majestät des Königs betr.

In einem von dem Festungs-Commando Landau vorgelegten Privatbriefe d.d. [illegible] (Regiment des Niederrheins) den 14. Juni l. J., gezeichnet „B. Naas" wird einer Verschwörung von Münchner Studenten erwähnt, die gelobt haben sollen, welcher den König von Bayern ermorden werde.

Das Loos, wird weiter angeführt, habe einen Studenten aus der bayerischen Pfalz, Namens Conrad Kretz getroffen, dessen Bruder Paul Kretz unlängst zu Pirmasenz als Handlungs-Commis in Condition stand.

Die dießfalls angeordneten Recherchen haben ergeben, daß ein

Faksimile der Konrad Krez betreffenden Präsidial-Akte vom Juli 1849.

Studant Conrad Kretz allerdings für das Wintersemester 18 48/49 an
der hiesigen Universität sich inskribiren wollte, wegen Mangels
der erforderlichen Nachweise aber zurückgewiesen wurde und daß derselbe sich hierauf mit Zurücklassung seines Passes, welcher gegen
gefällige Remission anliegt, von hier entfernte, ehe daß sein
weiterer Aufenthalt erforscht werden konnte.

Ich stelle daher das Ansuchen, in der Heimath dieses Individuums
Recherchen über seinen Aufenthalt, wie auch über sein bisheriges
Thun und Treiben anordnen und mir die Resultate baldgefälligst
mittheilen zu wollen. –

Praes. abs.

[illegible signature]

an
das k. Landkommiss. [illegible]

Praes. 14/7

den Studenten Conrad Kretz betr.

Gegen den ehemaligen Studenten Conrad Kretz liegen hier orts keinerlei Anzeigen vor. Auf Requisition des k. Regierungs Präsidiums v. Oberbayern wird ders. beauftragt nach aller Thunlichk. über den bisherigen Aufenthalt, das Thun u. Treiben des Kretz zu recherchiren u. schleunigst anher zu berichten.

[illegible] exp. d. 14/7. [illegible]

ab

[illegible signature]

wesentlicher Teil der Krez-Biografie unbekannt. Er bezieht sich vor allem auf die Zeit zwischen dem Einsatz in Schleswig-Holstein und dem Eintritt in die Studentenlegion am 27. Mai 1849. Aus der Präsidiumsakte geht hervor, daß Krez in seiner Münchener Zeit konspirativ tätig war. Auch wenn wir nicht wissen, ob die Auslosung von Konrad Krez zum Mörder, der den bayrischen König ermorden sollte, während der Polytechnikumszeit stattfand oder nach dem Beginn des juristischen Studiums in Heidelberg, genügt doch die Tatsache allein, Krez in einem anderen Lichte erscheinen zu lassen als bisher. Auf dem Hintergrund der unten abgedruckten Proklamation gegen die regierenden Häupter in Deutschland, die an Radikalität nicht hinter Büchners Hessischem Landbote (Friede den Hütten – Krieg den Palästen!) zurücksteht, kann die konspirative Tätigkeit nicht als Dummer-Junge-Streich bagatellisiert werden. Wenn Krez im Karfreitag-Gedicht von 1848 von den (deutschen) Farben sprach, die er unterm Hemd verborgen trug, bekennt er sich als Burschenschafter, der den verbotenen Farben Schwarz-Rot-Gold anhing und damit einer radikalen politischen Programmatik. Burschenschaftliche Verschwörungszirkel waren ja keine Seltenheit, die Politisierung der Studentenschaft war sprichwörtlich. Die Studenten waren die eigentlichen Träger revolutionärer Aktionen gegen den Obrigkeitsstaat. Man braucht nur an das Wartburgfest, das Hambacher Fest von 1832 und den Sturm auf die Frankfurter Hauptwache zu erinnern.

Die Präsidialakte, auf die Friedrich Krebs (Speyer) in den Landauer Monatsheften 1971/7 hinwies, ist über die Dokumentation für das Schicksal von Konrad Krez hinaus ein wichtiges Dokument für den oppositionellen Geist in amtlichen Behörden, für die starke Verbundenheit des Bürgertums mit der Volksbewegung von 1849 in der Pfalz.

Mit Datum „München, den 11. Juli 1849“ schrieb das Präsidium der königlich-bayerischen Regierung von Oberbayern an das Präsidium der königlichen Regierung der Pfalz betreffend „Verschwörung gegen das Leben seiner Majestät des Königs“. In einem von dem Festungs-Commando Landau vorgelegten Privatbriefe d.d. Leutenheim/Departement des Niederrheins/den 14. Juni l.J., gezeichnet „B. Naas“, wird eine Verschwörung von Münchner Studenten erwähnt, die „geloost“ haben sollen, welcher den König von Bayern ermorden werde. Das Los, wird weiter angeführt, habe einen Studenten aus der bayerischen Pfalz, Namens Konrad Kretz getroffen, dessen Bruder Paul Kretz unlängst zu Pirmasens als Handlungs-Comis in Condition stand.

„Die dahier angeordneten Recherchen haben ergeben, daß ein Student Conrad Kretz allerdings für das Wintersemester 1848/49 in der hiesigen Universität sich inskribieren wollte, wegen Mangels der erforderlichen Nachweise aber zurückgewiesen wurde und daß derselbe sich hierauf mit Zurücklassung seines Passes, welcher gegen gefällige Remission anliegt, von hier entfernte, ohne daß sein weiterer Aufenthalt erforscht werden

Patent

Bürger Conrad Krez aus Landau
wurde unterm heutigen in die Studenten
Legion der Rheinpfalz aufgenommen.

Kaiserslautern den 27. May 1849

Das Commando
der Studenten Legion
L. Jost Camerloher

Gesehen durch die provisorische
Regierung der Rheinpfalz
Kaiserslautern den 27. Mai 1849.
P. Fries

Patent über die Aufnahme von Konrad Krez in die Studentenlegion der Rheinpfalz vom 27. Mai 1849.

konnte. Ich stelle daher das Ansuchen, in der Heimat dieses Individuums Recherchen über seinen Aufenthalt, wie auch über sein bisheriges Thun und Treiben anordnen und mir die Resultate baldgefälligst mittheilen zu wollen."

In barschem Ton wird dann vom Regierungspräsidium in Speyer das Landkommissariat Landau, nachdem die Anzeige aus München vorliegt, „beauftragt", über den „bisherigen Aufenthalt, das Thun und Treiben des Kretz zu recherchieren und schleunigst [!] daher [nach Speyer] zu berichten." 14. Juli 1849

Das Antwortschreiben, das der „gehorsamste Polizeikommissär" von Landau verfaßte und das mit einem Anschreiben von Landkommissar Petersen am 17. Juli nach Speyer ging, kommt einer echten Mohrenwäsche gleich. „Den Studenten Konrad Kretz betreffend:

In Erledigung verehrlichen Auftrages vom Gestrigen Nr. 3507 G. rubrizierten Betreffes, beehre ich mich königlichem Landkommissariate andurch gehorsamst zu berichten, daß der Student Konrad Kretz von hier sich seit drei bis vier Jahren wenig dahier aufgehalten, während seines momentanen Aufenthaltes dahier immer gut betragen hat, so daß noch niemals eine Klage hierorts gegen ihn eingelaufen ist und überhaupt nichts Nachteiliges von ihm bekannt ist. Mit vorzüglicher Hochachtung Der gehorsamte Polizeikommissär."

Das Schreiben der Polizei an den Landkommissar Petersen erhielt von diesem einen devoten Begleittext, bevor es nach Speyer ging. Petersen adressierte es „An das hohe Präsidium der königl. bay. Regierung der Pfalz in gehorsamster Erledigung der hohen Weisung. Landau 17. Juli 1849 Hohen Präsidiums unterthänig gehorsamstes Land-Commissariat. Petersen"

Dieses Schreiben bekam von einem Speyerer Beamten, der sich damit nicht zufrieden gab und offensichtlich mehr erwartet hatte, mit Datum vom 20. Juli den Zusatz „Kretz ist ohne Zweifel der Polizeibehörde in Speyer bekannt."

Schleunigst schickte die Regierung in Speyer am 21. Juli einen Brief an den Polizeikommissär in Speyer, um Material über Krez zusammenzubringen. Die politische Gewichtigkeit von Krez im Zusammenhang mit der Reichsverfassungskampagne wird durch den Ton des Auftrags unterstrichen:

„Der k. Polizeikommissär in Speyer wird hiermit beauftragt, alles dasjenige, was ihm von dem früheren Thun und Treiben des Studenten Konrad Kretz aus Landau, sowie insbesondere von dessen Benehmen während der jüngsten Bewegung in der Pfalz, von dessen Flucht und gegenwärtigen Aufenthalte zur Kenntnis gekommen ist, sogleich berichtlich anzuzeigen."

Am gleichen Tag kann der Speyerer Polizeikommissär Kreutzer (Datum 21. Juli 1849) dem hohen Präsidium der königlichen Regierung der Pfalz berichten:

„Conrad Kretz aus Landau war früher Student am hiesigen Gymnasium und erlangte, als Schüler der Oberklasse, schon im Jahre 1847 eine gewisse Publicität, indem der katholischen Religionslehrer, Herr Domcapitular Busch, ihm wegen seiner freiheitlichen Ideen das vorgeschriebene Zeugnis verweigerte, was dann verschiedene Publicationen und Artikel in der „Neuen Speyerer Zeitung“ im Gefolge hatte. Seine Kostfrau, Wittwe Krätzer, eine würdige Matrone, sah sich genöthigt, in dem selben Jahre ihm den Tisch aufzukünden, weil sie „seine gottvergessenen Reden gegen alles Heiligthum und Obrigkeit nicht länger vor ihren übrigen jungen Studierenden an dem Kosttisch dulden wollte. Sein äußeres Betragen war ebenfalls nicht tadelfrei. Am 14. August 1847 wurde er von dem hiesigen Polizeigericht wegen Mißhandlung einer Person zu eintägiger Gefängnisstrafe und am 30. Mai 1848 wegen Straßenunfug zu einer Geldstrafe verurtheilt.

Im letzten Semester war Kretz auf der Universität München, von wo er einige Tage später als die übrigen pfälzischen Studierende zu Ende des Monats Mai, zwischen dem 24.–26., hier durchreiste und in die Studentenlegion eintrat, unter Willichs Kommando hielt er sich als Legionär theils in Edenkoben, theils bei den Cernierungstruppen [die revolutionären Belagerungstruppen. W.D.] Landaus bis zum Einrücken der preußischen Armee auf, flüchtete sodann nach Weißenburg und von da nach Straßburg, wo er sich, nach seiner Aussage, zu Ende des Monats Juni oder zu Anfang des Juli als Studierender der Rechte wollte immatrikulieren lassen.

Alle diese Nachrichten hat der gehorsamste Berichterstatter von Bekannten des Krez erhoben, welche ihm dieselben als völlig zuverlässig, und namentlich die über seinen letzten Aufenthalt, als aus eigener Anschauung und persönlicher Kenntnis geschöpft, mittheilten.

Ein Bruder des Rubrikanten, Kaufmann in Pirmasens, machte den Freischarenzug ins Badische mit, sistierte sich dann freiwillig Ende Juni, war einige Tage in Germersheim inhaftiert und wurde sodann wieder entlassen.“

Diesem Speyerer Polizeischreiben ist als Beweismittel die „Proklamation“, die „Im Namen des pfälzischen Volkes“ von „Conrad Grätz, Legionär“ unterzeichnet ist beigefügt. Ein handschriftlicher Eintrag auf dem Dokument datiert es Ende May 1849. Um es hier schon vorwegzunehmen: Die Aussagen des Denunziationsbriefes des gewissen „Naas“ über das geplante Attentat gegen den bayerischen König sowie der aggressiv gegen die Monarchen und ihre Politik gerichtete Inhalt der Proklamation begründeten die eigentliche Schwere der Urteilsbegründung des späteren Zweibrücker Urteils gegen Krez.

Die „Proklamation“ lautet:

Proklamation.

Die Völker Deutschlands haben zu Frankfurt getagt und sich für souverän erklärt, mit Zustimmung der deutschen Regierungen. Sie haben das so lange zerrissene und zersplitterte Deutschland unter eine einheitliche Verfassung gestellt, und die unter das schwere Joch der Knechtschaft gebeugte Freiheit wieder aufgerichtet. Jetzt aber, wo die Gesetze des Volkes zur Geltung gebracht werden sollen, hat sich eine Anzahl rebellischer Könige von neuem verschworen, die Freiheit und Größe unsers Vaterlandes an die Interessen ihres Hauses und die Domänen ihrer Familien zu verrathen, sie sind ärger als die Henker, die den Rock Christi ungetheilt verloosten, sie zerschneiden unser blutendes Vaterland und verloosen dasselbe an die Tyrannen Europas, an das entartete blödsinnige Haus Habsburg, wo der Sohn der bayerischen Sophie mit seinen Kroaten das Land regiert, an Wilhelm Hohenzollern, den Mordbrenner von Dresden, der die angebotene Krone uns mit Hohn, mit seiner ganzen Gemeinheit vor die Füße geworfen hat, und, o der Schande, daß ich es sagen muß, an den Czaren von Rußland, der durch die Kabinette eidbrüchiger Fürsten jenes stolze Volk regiert, dessen Kaiser einmal sagen konnte: In meinem Reiche geht die Sonne nicht unter. Auf, ihr Söhne und Männer der Pfalz, das Gesetz und die Ehre ruft euch unter die glorreichen Farben, vor denen der König von Preußen im März des Jahres achtundvierzig das sündige Haupt entblößte, die siegreich an den Küsten der Nord- und Ostsee zum Schrecken der Dänen flattern; es ruft euch das Reich und die Zukunft des gemeinsamen Vaterlandes unter die Waffen; es ruft euch die Ehre, daß ihr nicht länger die gebundenen Zugstiere der Fürsten seid; es ruft euch die Größe von Deutschland, daß der Name der Deutschen nicht länger ein Spott ausländischer Kinder und eine Verachtung fremder Männer sei. Auf, ihr Handwerker, laßt die Instrumente des Friedens beiseite und ergreift die Muskete und Büchse; und ihr, Söhne des Landes, schmiedet die krummen Sensen gerade und mäht die Häupter eurer blutgierigen Unterdrücker; nehmt die Aexte und fällt statt der Bäume des Waldes die stolzen Reiter eurer Tyrannen, wenn sie hereinbrechen wollen mit ihren Schaaren, den Fleiß und die Mühe eurer Väter zu zerstampfen. Betrachtet die gebrochenen Mauern, reist um die Dörfer eurer Heimath; dort haben meistens die Brüder eurer Fürsten gehaust, von dort aus von euch den Zehnten erhoben, die Aepfel auf den Bäumen, die Hühner im Stalle und die Garben auf dem Felde gezählt; sie haben, wie sie es heute auch thun, euch geringer gehalten, als die Stiere, die euer Land bepflügen, und doch seid ihr Menschen, habt Fleisch und Blut und Bein so gut und so ächt, ja ächter, als die Könige und Kaiser dieser Erde. Seht die Ruinen dieser Schlösser; das haben vor dreihundert Jahren die Bauern der Pfalz gethan.

Folgt euern Brüdern, den Studenten, die den blauen Kittel des Kämpfers den gestickten Uniformen rebellischer Fürsten vorziehen, denen die Mühen des Feldes und der Tod für das deutsche Reich lieber sind, als die Silberlinge der Könige von Gottes Gnaden. Ihr, die ihr traurig und niedergeschlagen seid, weil die Gewerbe stocken, erhebt eure Häupter mit Zuversicht; wir werden den Frieden erhalten, wenn ihr gerüstet seid und keine Opfer für das Vaterland scheut. Wollt ihr, daß wir unterdrückt werden, auf daß die Sattler Knuten und die Schmiede Ketten für das Volk arbeiten können? Was sträubt ihr euch, ihr Landleute, gegen Diejenigen, die es wohl mit euch meinen; jetzt oder nie bewaffnet euch, sonst kommen bald die Zeiten, wo man die Körner auf euren Speichern zehntheilt und die Hühner aus den Ställen und die Eier aus den Nestern holt. Zu den Waffen Alles, was deutsch ist! Es ruft euch das bedrängte, von den Künsten der Fürsten bedrohte Vaterland.

Es lebe das auferstandene deutsche Reich! Es lebe die Freiheit!

Im Namen des pfälzischen Volkes:

Conrad Grätz, Legionär.

Ein zur offenen Revolution aufrufendes Flugblatt von Konrad Krez (Teil der Ermittlungsakte vom Juli 1849).

Man muß sich das erstaunliche bürokratische Funktionieren bei der Jagd nach den Rebellen vor Augen halten. An einem Tag wurden drei gewichtige Schreiben verfaßt und expediert: Das Regierungspräsidium in Speyer fordert den Polizeibericht aus Speyer an, es erhält dessen umfangreichen Bericht und schreibt am gleichen Tag einen geharnischten Brief an den Landkommissar in Landau. Letzterer ist die böse Reaktion auf die verharmlosende Antwort der ersten Anfrage der Regierung. Diese war ganz offensichtlich bemüht, sehr schnell Material gegen Krez zusammenzusuchen, das von der Staatsanwaltschaft gegen Krez verwertet werden konnte. Daß die „Landauer" nicht nur keine Ausbeute beibrachten, sondern sogar dienstlicher Nachlässigkeit beschuldigt wurden, offenbart die Brisanz des Falles. Der Brief an das Landkommissariat Landau lautet:

„Dem k. Landkommissariate Landau wird auf den br.m. unterm 17.l [laufenden] Monats vorgelegten Bericht des Polizeikommissärs daselbst anliegender Bericht des Polizeikommissärs zu Speyer vom 21. Juli l. Jahres nebst einer Proklamation des Legionärs Konrad Kretz gegen sofortige Wiedervorlage [Offensichtlich als wichtigstes Beweismittel gegen Kretz. W.D.] herabgeschlossen, damit dasselbe aus diesen beiden Aktenstücken die Persönlichkeit und den politischen Charakter des gedachten Kretz kennenlernen wolle.

Es muß im gleichen Grade befremden, wie dem k. Landkommissariate Landau als vorgesetzte Distriktspolizeibehörde die schon früher übelberüchtige Persönlichkeit des Studenten Kretz, welche sich aller Wahrscheinlichkeit nach vor seiner Abreise nach München in Landau oder dessen Umgebung umhergetrieben hat, gänzlich unbekannt seye, wie dasselbe (Landkommissariat) dieses Individuum noch am 23. April 1849 einen Paß nach München ausstellen konnte und wie dasselbe auf den Erlaß vom 14.l (laufenden) Monats bei nur einiger Umsicht und Thätigkeit nicht den geringsten Aufschluß über das Thun und Treiben des genannten Kretz in der jüngsten Zeit hätte erlangen können, nachdem derselbe bereits der Gendarmerie-Mannschaft bekannt geworden sein soll."

Indem das unterfertigte Präsidium dem k. Landkommissariate Landau sein Befremden hierüber ausspricht, fordert es dasselbe zur ungesäumten Rechtfertigung auf. Sollte das Bürgermeisteramt Landau durch leichtfertige Ertheilung eines Zeugnisses die Ausstellung des Passes veranlaßt haben, so sei dieses zur Rechenschaft zu ziehen.

Das unterfertigte Präsidium erwarte binnen 3 Tagen erschöpfende Berichterstattung.

An das Präsidium der die Sache auslösenden Regierung von Oberbayern schreibt das Regierungspräsidium am 22. aus Speyer zurück. Dabei gibt das Schreiben wörtlich die Aussagen der Speyerer Polizei wieder. Dazu heißt es „Außer diesen Notizen über Kretz ist dem unterzeichneten Präsidium schon früher eine äußerst hochverrätherische Proklamation desselben zugekommen, welche derselbe als Legionär Ende May dieses Jahres erlassen hat.“ Es wird auch nicht vergessen anzumerken, daß „das k. Landkommissariat und Bürgermeisteramt Landau durch das Präsidium sogleich wegen der leichtfertigen Paßausstellung zur Rechenschaft gezogen wurden.“

Die verlangte Landauer Antwort ging mit Datum 24. July 1849 an die Königlich Bayerische Regierung der Pfalz, Kammer des Innern:

„In dem hohen Erlaße vom 21 ten pr. 23 ten 1 mts. (laufenden Monats) ist die gehorsamst unterfertigte Behörde zur Rechtfertigung aufgefordert worden, über die Art und Weise wie sie der hohe Präsidialverfügung vom 14 ten 1 mts. nachgekommen, wie es möglich gewesen sei, daß sie die Persönlichkeit und den politischen Charakter des Rubrikaten nicht genauer gekannt und namentlich sie demselben am 23 ten April l.J. einen Paß nach München ausgestellt habe. Der gehorsamst unterzeichneten Behörde erscheint es, obwohl sie die vorgesetzte Districtpolizeibehörde des Rubrikaten ist, durchaus nicht auffallend, daß sie durch das Polizeikommissariat Speyer über den politischen Charakter des Studenten Krez belehrt werden mußte. Derselbe machte, wie aus dem Berichte des Polizeikommissariates zu Speyer schon ersichtlich, sein Gymnasialstudium in dieser Stadt, hielt sich also auch größtentheils seit dem Beginn derselben allda auf und lebte höchstens während der kurzen Dauer der Ferienzeit in Landau. Er war also in der Zeit, in der der politische Charakter desselben sich entwickelt haben mag, dem Gesichtskreis der gehorsamst unterfertigten Behörde durchaus entrückt, und unter die Respicienz der Polizeibehörden, wo er später seinen Studien oblag, getreten, diese konnte daher auch jedenfalls sicherer und genügender Aufschluß über dessen Charakter geben, als die gehorsamst unterfertigte Behörde. Allein abgesehen davon ist es doch sicherlich nicht die Aufgabe der Districtspolizeibehörde den politischen Charakter jedes einzelnen Bezirksangehörigen unmittelbar selbst zu studieren; sondern es müssen sich dieselben Herren auf die Thätigkeit der unteren Landpolizeibehörden verlassen, deren Wirkungskreis ein viel beschränkterer ist und die mehr Zeit und Gelegenheit haben, die einzelnen Individuen, welche ihrem engeren Amtskreise angehören, kennenzulernen. Da man nun aber zur Erledigung hohen Erlasses vom 14. 1 mts. einen Bericht des hiesigen Polizeikommissars gehorsamst vorgelegt hat, so müßte man die Vorwürfe, welche der gehorsamst unterfertigten Behörde in dem hohen Erlasse vom 21 ten 1 mts. gemacht wurden, auf diese überwälzen, wenn man nicht einsehen würde, daß auch er außer Stande war, über den politischen Charakter und das Verhalten des Rubrikaten, der seit so langer Zeit dessen Aufsicht entzogen war, genügenden Aufschluß zu geben. Derselbe hat mündlich dahier nochmals erklärt, daß ihm nie etwas zur Anzeige gebracht worden sei, daß er überhaupt nie erfahren habe, was ihn hätte veranlassen können, den Studenten Kretz als übelberüchtigt oder gar als politisch gefährlich zu bezeichnen.

Von der durch den Rubrikaten verfaßten Proklamation hat wohl außer dem herabgeschlossenen Exemplar derselben kein anderes jemals seinen Weg durch die Thore der Festung Landau gefunden. Der hiesige Polizeikommissär hat erklärt, daß er nie etwas von der Existenz einer solchen erfahren und noch weniger ein Exemplar derselben zu Gesicht bekommen habe. Es ist auch schwer anzunehmen, daß in einer Zeit, wo fast jeder Tag mehrere und wichtigere Proklamationen brachte als diese von einem unbedeutenden Studenten verfaßte, dieser letzteren Gewicht genug beigelegt worden wäre, um sie in eine im Belagerungszustand befindliche vollständig abgeschlossene Festung hereinzuschmuggeln zu suchen, noch weniger aber, daß dieselbe allda eine solche Verbreitung erlangt habe, um zur Kenntnis der Behörden zu gelangen.

Ob Rubrikat bei den Cernierungstruppen Landaus sich befand, wie der Bericht des Polizeikommissärs zu Speyer es besagt, ist hierorts ebenfalls nicht bekannt. Während der Cernierung selbst konnte man dies wohl nicht erfahren, da die Communication nach außen vollständig unterbrochen war, aber auch später war dies hier nicht leicht zuverlässig zu ermitteln, da noch keines der von hier den Freischaren zugezogenen Individuen nach der Angabe des Polizeicommissärs zurückgekehrt ist.

Den unterm 23 ten April l.J. ausgestellten Paß für den Rubrikaten anlangend, so wurde ihm derselbe auf den Grund eines bürgermeisteramtlichen Zeugnisses zum Behufe der Fortsetzung seiner Studien in München ertheilt. Man vermag nun nicht einzusehen, warum ihm ein solcher unterm 23. April l.J. hätte verweigert werden können oder sollen. Es lag gegen denselben hierorts durchaus nichts vor und wegen seinen freigeisterischen Ideen oder seines Kampfes in der neuen Speyerer Zeitung gegen den Herrn Domcapitular Busch, wenn dieselben auch bekannt gewesen wären, hätte man ihm doch wohl einen solchen nicht versagen können? Die politische Bewegung der Pfalz war damals kaum im Entstehen begriffen, denn bekanntlich fand erst im Anfange des Monats Mai die erste Volksversammlung in Kaiserslautern statt, und wozu hätte also damals dieser Paß mißbraucht werden können? Auch scheint ja nach dem Bericht des Polizeikommissärs zu Speyer Rubrikat mit jenem Passe wirklich nach München gereist zu sein, und zwar zu keinem andern Zwecke vermuthlich als zur Fortsetzung seiner Studien. Ob er vor(her) oder später zurückgekehrt ist und sich den Freischaren angeschlossen hat, ist, wie bereits gehorsamst bemerkt wurde, hierorts nicht bekannt. Die herabgelangten Anlagen schließt man gehorsamst zurück.

Königlicher Regierung
untherthänigst ergebenstes Landcommissariat
Petersen"

Anklag-Akte,

errichtet durch die

K. General-Staatsprokuratur der Pfalz,

nebst

Urtheil der Anklagekammer des k. Appellationsgerichtes der Pfalz in Zweibrücken

vom 29. Juni 1850,

in der

Untersuchung gegen Martin Reichard,

entlassener Notär in Speyer, und 332 Consorten, wegen bewaffneter Rebellion gegen die bewaffnete Macht, Hoch- und Staatsverraths &c.

Zweibrücken, 1850.

Druck und Verlag der G. Ritter'schen Buchdruckerei und Buchhandlung.

Titelseite der „Anklag-Akte", die als Sammlung der Anklage-Punkte und des Urteilsspruchs des Appellationsgerichtes in Zweibrücken 1850 veröffentlicht wurde.

Die Anklage gegen den Studentenlegionär und das Todesurteil des Appellationsgerichts

Mit der Publizierung der „Anklag-Akte" gab das herrschende Regime der Pfalz nach der Niederschlagung des Aufstands durch die Preußen eine bezeichnende Dokumentation seiner Unfähigkeit, die Reichsverfassungskampagne publizistisch zu „bewältigen". Die Vorwürfe gegen die Aufständischen sind politisch manipulierte Aussagen, die in ihrer Lügenhaftigkeit noch die Ehrbarkeit des Aufstands unterstreichen, zumal jeder politisch Interessierte in Deutschland und besonders in der Pfalz es besser wissen mußte. Das bezieht sich schon auf die einleitenden Sätze. Da heißt es: „Wer je in sich nicht klar darüber war, ob die deutschen Stämme eine constitutionell-monarchische oder eine republikanische Regierung wünschen, dem mußten im Jahre 1848 die Thatsachen jeden Zweifel nehmen. Was auch verlangt wurde, ein Gelüste nach den Segnungen, deren sich zwei Nachbarländer unter republikanischer Staatsform erfreuen, ward nicht laut." Aber wenig später heißt es weiter: „Unter den Landestheilen, die als Hauptheerde des anzufachenden republikanischen Brandes dienen mußten, befand sich auch die Pfalz, obgleich gerade diese im Jahre 1848 durch eine gesetzliche Haltung sich ausgezeichnet hatte." Wie wahr, aber „die Pfalz" spielte das konstitutionelle Spiel der Paulskirchenversammlung nur so lange mit, bis klar wurde, daß die Verfassung von den führenden Herrscherhäusern mit Füßen getreten wurde.

Die Schuld am Aufstand wurde aber wider besseres Wissen sogenannten „Agitatoren" der Nationalversammlung, die die zweite Revolution forderten, und den deutschkatholischen Priestern, die den Staatsorganen als Verkörperung des Bösen erschienen, in die Schuhe geschoben.

Das zweite Übel in den Augen der Staatsdiener waren die „Vereine", in denen das „goldene Zeitalter" versprochen wurde. Man stellte sich aber nicht die Frage, warum vom 31. März 1849 die Zahl der 119 Vereine mit rund 15 000 – 16 000 Mitgliedern bis zum 17. April auf 174 solcher Bürger- und Vaterlandsvereine ansteigen konnte. Diese Entwicklung nicht als Ausdruck des Volkswillen zu interpretieren, ist kaum verständlich. Also suchte man einen dritten Schuldigen und fand ihn „als drittes Agitationsmittel" in der „eben so lügenhaften und frechen als feilen Presse – und diese", so heißt es in der Anklag-Akte, „war leider in der Pfalz umso wirksamer, als damals kein Blatt in derselben erschien, das der wahren Aufklärung des Volkes gewidmet gewesen wäre, alle vielmehr die Aufregung zu steigern bemüht waren." Trefflicher hätten auch die Revolutionäre die Einheit des Volkes nicht darstellen können.

Konrad Krez schloß sich, als die Pfälzer für die Reichsverfassung einzutreten bereit waren, spontan der „Studenten Legion der Rheinpfalz" an. Nach seinem erhaltenen Patent hat man Bürger Konrad Krez am 27. Mai 1849 zu Kaiserslautern in die Legion aufgenommen. Die Studentenlegion war gedacht als „lebendige Vermittlung zwischen der Regierung, deren Organen und dem Volke.“ Sie sollte in militärischer Hinsicht unter ihrem Hauptmann, im übrigen aber zur Verfügung der Civilkommissäre stehen und deren Anordnungen unterworfen sein. Sein Einsatzort war der Kanton Edenkoben. Edenkoben selbst war nach der Anklag-Akte neben Bergzabern und Neustadt eine Hochburg der Revolution, in der nach einem im Frühjahr 1848 gebildeten Volksverein bald ein demokratischer Märzverein entstand, in dem der spätere Civilkommissär Schneider als Herausgeber des Wochenblatts „Der Edenkobener Anzeiger“ eine führende Rolle spielte. Er verlangte schon am 29. April 1849 in einer Volksversammlung die Trennung der Pfalz von Bayern, falls die Reichsverfassung nicht angenommen werden sollte. Selbst die vor Verleumdungen strotzende Anklag-Akte bescheinigte Schneider, daß ihm „nichts Übles“ nachgesagt werde und er sich als Civilkommissär mit Mäßigung benommen habe. Solche Töne fand man für Konrad „Krätz“, sein „nächster Gehilfe und delegirter Civilkommissär, zugleich Legionär“, nicht. In der Aufzählung seiner „Verbrechen“ heißt es:

„Den Bäcker Peter Minges in Gleisweiler ließ dieser (Krez) verhaften, weil er angeblich den jungen Leuthen gerathen, sich der Konskription nicht zu unterwerfen. Christoph Satter von Edenkoben hatte einen Sohn, der sich bei den Zernierungstruppen in Nußdorf [die Belagerungstruppen vor der bayrischen Festung Landau. W.D.] befand, war dahin gegangen und hatte ihn zur Heimkehr beredet. Deshalb sollte er durch 20–25 Bewaffnete verhaftet werden, wurde jedoch nicht gefunden und mußte später vor dem Ang[eklagten] Krätz erscheinen, der ihn deshalb verhörte, jedoch wieder entließ; der Zeuge meinte, weil bereits Preußen im Anmarsche gewesen.“ An anderer Stelle werden die Vorwürfe erweitert:

„252 Konrad Krätz, Student aus Landau;

daß er sich derselben Theilnahme dadurch schuldig machte, daß er als Mitglied der Studentenlegion und Gehilfe des Civilkommissärs in Edenkoben gedruckte Proklamationen und Ansprachen erließ, in denen er auf die aufreizendste Weise zur Ergreifung der Waffen und zum Kampfe gegen die legitime Gewalt aufforderte, schriftlich die Erhebung und Eintreibung der Steuern und die Vornahme der Gemeindewahlen anordnete, am 5. Juni die Steuerkasse in Herxheim gewaltsam beraubte, und ebenso mit 14 Bewaffneten die Steuerkasse in Offenbach und die zu Mörzheim zu berauben versuchte, den Kassenbeamten befahl, eingesendete Gelder nicht nach Landau, sondern nach Edenkoben abzuliefern und Befehl zur Verhaftung des Peter Minges in Gleisweiler und Christian Sattler (der an anderer Stelle Christoph geheißen hatte. W.D.) in Edenkoben ertheilte, der auch soweit möglich vollzogen wurde.“

Selbst durch die Darstellung in der Anklag-Akte wird die „amtliche Tätigkeit des delegierten Civilkommissärs Konrad Krez“ nur eine Lappalie, auch wenn von Raub und Verhaftungen die Rede ist, um ja Verbrechen zu konstruieren. Schwergewichtiger und darum die eigentliche Gefahr im Falle einer Gefangennahme nach der Niederlage der Aufständischen war der Vorwurf des „Verbrechens der direkten Provokation mit Erfolg zu dem ... vorgesehenen Attentate zum Umsturz der Staatsregierung, zur Bewaffnung der Bürger gegen die königliche Gewalt und zum Bürgerkriege durch an öffentlichen Orten und in öffentlichen Versammlungen gehaltenen Reden, durch Maueranschläge und Druckschriften."

Bei der Beschreibung der Tätigkeit von Schneider und Krez im Kanton Landau geht die Anklagakte etwas genauer auf die Vorwürfe gegen Krez ein. Es heißt:

„Die Angeklagten Krätz und Ehrstein waren thätige Gehilfen des Angeklagten Schneider. Ersterer erließ eine gedruckte Aufforderung zum Kampfe gegen die Könige, die ärger seyen, als die Henker, die den Rock Christi ungetheilt verloost, da sie das blutende Vaterland zerschnitten etc. Auf, ihr Handwerker! – sagt er darin – ergreift die Muskete und Büchse, und ihr Söhne des Landes, schmiedet die krummen Sensen gerade und mähet die Häupter Eurer blutgierigen Unterdrücker, nehmt die Aexte und fället statt der Bäume des Waldes die stolzen Reiter Eurer Tyrannen. Was sträubt Ihr Euch, Ihr Landleute, gegen Diejenigen, die es wohl mit Euch meinen; jetzt oder nie bewaffnet Euch, sonst kommen bald die Zeiten, wo man die Körner auf Euern Speichern zehntheilt und die Hühner aus den Ställen und die Eier aus den Nestern holt. Zu den Waffen, Alles, was deutsch ist!"

Wohl nie hat eine Revolution weniger Opfer verlangt und erhalten als der pfälzische Aufstand. Es liegt im Stil der Anklage, sich über die Angeklagten lustig zu machen, wenn sie fortfährt: „Die Prophezeiungen des Angeklagten Krätz trafen sehr bald ein, mit der kleinen Abweichung jedoch, daß die „Volksbeglücker" selbst es waren, welche den Einwohnern ihre Früchte verzehrten und sich nicht mit Hühnern und Eiern begnügten, sondern auch wertvolleres Eigenthum raubten." Damit meinte die Anklage nicht etwa, daß die Studenten zum eigenen Vorteil raubten, sondern so wurde der Versuch bewertet, einiges Geld und Materialien zusammenzubringen, um den Kampf überhaupt wagen zu können. Die „Verbrechen" waren folgende:

„Krätz erließ auch Schreiben, durch welche er Steuererhebungen und die Vornahme von Gemeindewahlen anordnete, während Ehrstein sich bei der Rekrutierungskommission befand und als Unter-Civilkommissär am 3. Juni in Frankweiler ein Pferd requirierte. Unter dem 8. Juni nahmen Ehrstein und Krätz den Sturz der Steuerkasse in Herxheim vor und deren Bestand mit 39 kr. (Kreuzer) weg ... Nach Mörzheim kamen Krätz und Ehrstein am 3. Juni und verlangten, wie später noch einige Male, die Steuerkasse, zogen aber wieder ab, weil der betreffende Bedienstete jedesmal nicht da war. Der Steuerkasse in Offenbach raubten sie dagegen unterm 6. Juni, begleitet von 14 Bewaffneten, eine Summe von 512 fl (Gulden)

47 kr. (Kreuzer), wofür sie Quittung ausstellten."

Auch wo die Anklage ins Detail geht, wird sie nicht überzeugender. Die Unter-Commissäre verrichteten brav und bieder, wie in einer deutschen Revolution selbstverständlich, ihre Pflicht als Beauftragte der offiziellen Landesregierung, die ja schließlich vom Abgesandten der verfassungsgebenden Versammlung in Frankfurt abgesegnet worden war.

Die publizistische Tätigkeit von Krez als Civilkommissär ist von der Anklag-Akte angemessen gewürdigt worden. Seine Munition war eine intellektuelle. Als am 13. Juni 1849 die Preußen in die Pfalz einmarschierten und in wenigen Tagen die schlecht ausgerüsteten und sicher auch nur ungenügend geführten Revolutionäre über den Haufen rannten, war trotz streckenweise heldenhaften Widerstandes der Pfälzer die Niederlage schnell herbeigeführt. Vernimmt man, daß der Sohn des Landkommissärs Johann Wilhelm Petersen, Karl Petersen, als Offizier ebenfalls bei der Studentenlegion eingesetzt war, wird die Entdramatisierung der Angelegenheit Konrad Krez leicht verständlich. Angesichts der vielsagenden Dienstbeflissenheit, mit der die Speyerer Behörde, die sogar die Schülerstreiche ausgrub, um Krez einen Strick zu drehen, auf die präsidialen Wünsche einging, ist Petersens Haltung umso höher einzuschätzen. Man versteht aber jetzt auch, warum, Petersen, offensichtlich um Krez etwas zu entlasten, die blutrünstige Proklamation als unbedeutende Sache abtun will. Die Gewichtung des geplanten „Tyrannenmordes" zeigt das Todesurteil für Krez. Seine sonstigen Tätigkeiten können auch strafrechtlich nur als Lappalien betrachtet werden, die Planung des Königsmordes (Beweismittel vorhanden, siehe Proklamation und Brief von Naas) allerdings nicht.

Die Idee des Tyrannenmords ist so singulär nicht. Wie Veit Valentin im zweiten Band seiner „Geschichte der Deutschen Revolution 1848–1849" (S. 334 ff) beschreibt, befaßte sich Georg Fein, wie ebenfalls durch einen Brief bezeugt ist, mit dem Plan zum Mord der Herrscher von Hessen und Baden. Wenn Valentin feststellt: „Der Gedanke des Tyrannenmordes ... wurde auch sonst in den Kreisen der deutschen Sozialrevolutionäre mit aller Offenheit gepredigt" und darauf hinweist, daß es in einem Leitartikel von Karl Heinzen heißt: „Der Mord ist das Hauptmittel der geschichtlichen Entwicklung; Meuchelmord auf großem Fuße organisiert heißt Krieg; die Barbarenpartei Europas läßt uns keine andere Wahl mehr, als den Mord zum eifrigsten Studium zu machen und die Mordkunst auf die Spitze zu treiben. Der Weg der Humanität wird über den Kulminationspunkt der Barbarei gehen", dann erkennen wir leicht, daß Krez in seiner Verzweiflung über den Verrat der Fürsten und die mit fürstlichen Füßen getretenen Hoffnungen der Jugend in diese Gedanken einschwenkte. Man muß es richtig sehen: das ist kein Plädoyer für den Mord als Zeichen politischen Terrors der Unmenschlichkeit, sondern im Sinne des geschichtlichen Tyrannenmords die gewaltsame Lösung des von den Fürsten verratenen Volkes. Im Sinne der „Vertragslehre" fällt ja, wenn die Herrschaft das

„Erinnerung an das Jahr 1848/49". In abenteuerlicher Ausrüstung stellten sich die Aufständischen in der Pfalz und in Baden den bestens ausgestatteten regulären Truppen Preußens zum Kampf.

Wohl des Volkes aus den Augen verliert und versucht, aus Ehrgeiz, Furcht, Torheit und Verderbtheit, eine absolute Gewalt über Leben, Freiheit und Vermögen des Volkes zu erlangen, wegen des Vertrauensbruchs die eigentlich dem Volk als Gemeinschaft der einzelnen Bürger gehörende Souveränität an das Volk zurück, das ein Recht hat, seine Freiheit auch gewaltsam in Besitz zu nehmen. Die Äußerungen von Konrad Krez sind ebenso wie seine politischen Absichten Elemente eines politischen Idealismus, der bereit ist, den höchsten Einsatz zum Wohle des Vaterlandes und seiner Bürger zu wagen. Daß dies kein leeres Gerede war, bewies der Einsatz gegen die Dänen. Um wie viel mehr erhält dies alles Gewicht, wenn man von Autoren, die dies ohne Not schrieben, vernimmt, daß vor 1848 die Landauer vielfach das bayrische Regiment als eine Fremdherrschaft ansahen (Petersen, S. 87), zumal die Jugend, wie es Julius Petersen berichtet, „damals fast durchweg demokratisch, jedenfalls sehr liberal gesinnt war". (Petersen S. 23)

Die Untersuchung gegen Konrad Krez ist ein herausragendes Zeugnis der Reaktion und Verfolgung der demokratisch-revolutionären Kräfte der Pfalz, durchaus angemessen dem Impetus der Revolutionäre.

Das Todesurteil, zu dem der Angeklagte in Abwesenheit verurteilt worden war, konnte nicht vollstreckt werden. Als die pfälzischen Revolutionsscharen aussichtslos in Richtung Rhein marschierten, um sich mit den badischen Truppen zu verbünden, gelang es Krez, der sich im heimatlichen Landau aufhielt, offensichtlich gewarnt durch eine wohlmeinende Person im Polizeidienst, in Frauenkleidern zu entkommen. Ziel war die elsässische Grenze und dann Straßburg, der Sammelpunkt so vieler flüchtender Freiheitskämpfer. Im „Leibverhaftsbefehl" findet sich eine Personenbeschreibung: „Konrad Krätz, 23 Jahre alt, Student aus Landau, 5 Schuh 4 Zoll groß, von gewölbter Stirn, braunen Haaren und Augenbrauen, grauen Augen, langer Nase, mittlerem Munde, ohne Bart, rundem Kinn, ovaler Gesichtsform, gesunder Gesichtsfarbe, untersetzter Körperbau." Mit 156 cm Größe (nach Heß) war Krez nicht gerade groß, allerdings wird aus dem Vergleich mit anderen Personenbeschreibungen deutlich, daß er durchaus im Bereich damaliger „normaler" Größe lag.

Die Hinrichtung Robert Blums, des Führers der demokratischen Linken der Frankfurter Nationalversammlung, die gegen geltendes Reichsrecht verstieß und somit ein Willkürakt der Restauration war, bestärkte die pfälzischen Aufständischen in ihrer revolutionären Erhebung, zumal Blum einige Zeit zuvor bei einem Zug durch die Pfalz begeistert gefeiert worden war.

III
Der jugendliche Dichter Konrad Krez

Diese Wende im Leben von Konrad Krez traf nicht nur einen Studenten und Revolutionär, sondern auch einen Dichter, der sein eigenes Schicksal und seine Umwelt in seiner Poesie spiegelte, der er sich bereits auf dem Gymnasium verschrieben hatte. Die Dichtungen des Achtzehn- bis Neunzehnjährigen stehen in der Tradition der Romantik und eines Ludwig Uhland, Ferdinand Freiligrath und Heinrich Heine, was die Gegenwartsdichtung seiner Zeit betrifft, vereinnahmen aber gleichzeitg auf der formal-inhaltlichen Ebene die Dichtungen von August Graf von Platen und Nikolaus Lenau. Krez überträgt griechische, lateinische und französische Dichtung in seine eigene Empfindungswelt, die stark von der Anakreontik geprägt ist und in Hafis, dem persischen Dichter von Liebe und Wein, eine Art antiklerikalen „Privatgott" gefunden hat. Diese Gedichte sind stark von seinen Lebensumständen geprägt. Seine Privatfehden mit seinen Religionslehrern führten zu einem ausgesprochenen Antiklerikalismus in seinen Dichtungen, die seine Glaubenszweifel spiegeln, zu dem er sich umso lieber bekennt, weil ihm die Kirche der Inbegriff der Ablehnung jugendlichen Lebensgenusses, des Bekenntnisses zur Liebe und Verliebtheit und der menschlichen Entmündigung ist.

Der erste Gedichtband von Konrad Krez, der diese Arbeiten sammelte, hieß „Dornen und Rosen von den Vogesen" und erschien 1848 in Landau in Commission bei Ed. Kaußler. Das Vorwort datiert vom 1. 11. 1847. Krez sagt darin:

Mit Schüchternheit übergebe ich hier die Erstlingsfrüchte meiner Muse der Oeffentlichkeit. Da mir das literarische Gewissen ein wenig schlug, so legte ich das Manuscript verständigen Männern vor, und ein Duller hat sich, wenn ich es sagen darf, höchst schmeichelhaft für mich ausgedrückt; im Munde eines Mannes, der Jedem die Wahrheit in das Gesicht sagt, mußte das Urtheil um so mehr Gewicht für mich haben. Möge man die Nachsicht, die Erzeugnisse eines noch nicht zwanzigjährigen Menschen ansprechen zu dürfen glauben, eintreten lassen. An Tadlern wird es mir freilich nicht fehlen; denn „wer sich unter die Dichter mischt, den fressen die Recensenten." Vollkommene Gedichte wird es nie geben, alle sind blos Bruchstücke. Wir sind zu schwach, mit dem sterblichen Werkzeuge der Sprache die ewige Schönheit, wie sie vor unserer Seele dasteht, sinnlich darzustellen. Indessen hat das Niederschreiben von Gedichten auch nicht diesen Zweck, sondern blos den Griffel zu bilden, die Saiten des Herzens zu berühren, die aber von selbst forttönen sollen.

Mein Trost ist, mag ich nun erreicht haben, was ich wollte oder nicht, daß ich mir von jeher einer heiligen Ehrfurcht vor der Muse bewußt bin, was mir das gewisseste Zeichen zum Berufe zu sein dünkt. Wer mit Andacht hintritt vor ihr Bild, dessen Geist hebt sie empor über die Alltäglichkeit, nicht aber zu gestaltlosen Träumereien, sondern zur Veredlung der Wirklichkeit. Mit Begeisterung entflammt sie das von niedern Gedanken entfernte Gemüth, führt es zum Begriffe des Edlen und Schönen, zur Großartigkeit des Wesens, sie ist wie eine heilige Jungfrau, auf deren Antlitz die geheimsten Regeln der Schönheit, die bezauberndsten Lehren der Züchtigkeit geoffenbaret sind, deren erhabene Gestalt eine heilsame Scheu einflößt, deren Angesicht, worüber die zarteste Andacht ausgegossen ist, die Vertraulichkeit verscheuchend, Ehrfurcht über die menschlichen Herzen schüttet.

Odi profanum vulgus et arceo

sagt Horaz, und dieser eine Vers stempelt ihn mehr zum Dichter, als alle Oden, die er zum Preise des August[us] und zum Lobe gemeiner Mädchen gesungen hat.

Mögen meine Freunde an den Ufern des Rheines und der Isar, denen ich diese Gabe der Freundschaft widme, und alle mir Wohlgesinnten hieran ein Gefallen finden.

Diese Worte offenbaren den stark idealistischen Ursprung, auf dem Krez seine Dichtung aufbaut. Er steht darin in der klassisch-romantischen Tradition, die bei ihm im Begriff der „Veredlung der Wirklichkeit" kulminiert. Diese „Veredlung" geht für Krez zeit seines Lebens in zwei Richtungen: einmal im Blick auf Schönheit und sinnliche Welterfahrung, Liebe und Liebesleid, zum anderen in die Richtung eines ausgeprägten moralistischen Lebensentwurfs, der bei aller Hinneigung zu Lebensfreude und Lebensgenuß höchste sittliche Anforderungen an sich selber stellt. Begriffe wie Wahrheit, Aufrichtigkeit und Treue begleiten ihn sein Leben lang. Für sie ist er sowohl in der Reichsverfassungskampagne 1849 als auch im amerikanischen Bürgerkrieg bereit, sein Leben zu wagen. So haben auch seine epigonalen Schülerverse immer auch etwas von einem unbändigen Freiheits- und Wahrheitsdrang, auch vom Stolz des begabten Außenseiters, der in der biedermeierlichen Ständegesellschaft gewillt ist, sich – und wenn's sein muß mit dem Kopf durch die Wand – durchzusetzen, um nicht seinen mit der abendländischen Dichtung eingesogenen Idealen untreu zu werden. So finden sich neben sentimentalen Jugenderlebnissen die politisch-humanitären Anliegen seiner Zeit, wie sie auch in den Dichtungen der älteren Generationen vorgeprägt waren.

Nachdem er die eigene Qualität als Dichter auch in der Bewältigung formaler Gesetze sah, verwendete er den Kanon der Formen mit jugendlicher Selbstverständlichkeit und besang die Tiefe des Lebens mit jener Koketterie eines Überbewußtseins, das die eigenen Lebenserfahrungen verabsolutierte, so daß es scheint, der junge Mann habe die Höhen und Tiefen des Lebens schon voll ausgekostet – z.B. in einer unglücklichen Schülerliebe, die nur zu oft Primanerlyrik hervorruft. Letztere wäre aber nicht der Rede wert, würde nicht ein wacher Geist der Wirklichkeit, auch als Ironie, Spott und Humor, zu ihrem Recht verhelfen. Das bedeutet, daß durch manches seiner Gedichte ein Riß geht, der für das gespaltene Bewußtsein steht. Auf der einen Seite die Lauterkeit eines Anliegens und auf der anderen die manchmal bis ins Lächerliche überhöhte Sprachebene, die sich zum Teil auch in den Übersetzungen aus dem Griechischen, Lateinischen und Italienischen zeigt. In diesem Zwiespalt steht seine lyrische Selbstbefragung:

Soll ich danken oder fluchen,
Gottheit! für der Dichtkunst Gabe,
Weiß ich, ob ich mehr der Schmerzen
Oder mehr der Freuden habe?
Um den Kaufpreis meines Friedens
Gabst du mir die Kunst der Lieder,
Denn es ist des Geistes Satzung
Wider das Gesetz der Glieder ...
(S. 9)

Daneben gerät die Apotheose seiner pfälzischen Heimat, ebenfalls einer lyrischen Selbstbefragung entsprungen, zur Verknüpfung ihrer landschaftlichen Schönheit und ihres Reichtums mit den freiheitlichen Errungenschaften. („Sind es nicht deutsche Herzen ...“ S. 7) Auch die Romantik kommt nicht zu kurz:

Mein Trauring ist zersprungen,
Zersprungen wie seine Treu,
Keinem Goldschmied ist es gelungen
Zu löthen ihn auf's neu.
Die Liebe und Treue zerrannen,
Wie Herbstlaub fielen sie hin,
Doch wie die Nadeln der Tannen
Bleibt ewig mein Leiden grün ...
(S. 43)

Das ist bescheiden und zeigt, daß Krezens Qualität in der Gedankenlyrik liegt. Poesie und politische, historische Tat erheben den Menschen, an ihnen schwingt er sich auf. So heißt es in dem Gedicht „Brecht die Rosen, die euch blühen ... (S. 25)

Dichter! Helden! aus der alten, wie der neuen Zeit,
Die ihr in die dürren Äste oft die Kraft gesandt,
Daß sich an des Ruhmes Flamme, was der Frost verdarb,
Wieder hob, mit neuem Muthe das Gemüth ermannt.
Scheuchet der Erinn'rung Rosen mir die Wirklichkeit,
Daß ich fröhlich weiter walle, durch dies Distelland.

Dornen und Rosen

von den

Vogesen.

Von

Conrad Krez.

Landau.

In Commission bei Ed. Kaußler.

1848.

Titelblatt des ersten Gedichtbandes von Konrad Krez „Dornen und Rosen aus den Vogesen“ (1848).

Das heißt, daß die Überwindung der rosenverklärten Erinnerung mit Hilfe der Dichter und Helden die Kraft gibt, das Distelland der Gegenwart zu bestehen. Wer fröhlich das Distelland durchwandern will, lehnt die romantischen Fluchtwege ab, nicht ohne die jugendliche Erfahrung der Liebe mit der Vorstellung frisch-freier Lebensbewältigung zu verbinden – ganz im Zeichen von Burschenherrlichkeit und jugendlichem Übermut. Aber auch diese Komponente verbindet sich – zeittypisch – mit politischen Implikationen. Die Studentenschaft mit ihren Korporationen hat ja seit den Freiheitskriegen als Kristallisationspunkt der traditionalistischen Reichsidee gedient und den Einheitsgedanken aufrechterhalten.

Dazu bekennt sich auch Krez und verbindet mit diesem Kommersbuchton seine emphatische Selbstschau als eine Art Selbstrechtfertigung: „Bin ich schlechter als ein Andrer, der in Seide eingehüllet . . .?" Im Bewußtsein seiner Natur und Begabung pfeift er auf Adel, Hierarchie und alles, was sich äußerlich groß dünkt: „Ich mag der torheitsvollen Welt / nicht, wie sie wünscht, mich fügen . . .!"

Das politische Bekenntnis der Gegenwart ist auch für Krez eine Lehre aus der Geschichte. Von Hermann dem Cherusker bis zu Franz von Sickingen und Ulrich von Hutten und zu den Hoffnungen der Gegenwart, die sich z.B. für Krez in der Thronbesteigung Ludwig I. offenbaren, findet er Vorbilder. Als Ergebnis seiner jugendlichen Glaubenszweifel und der Streitereien mit den orthodoxen Kirchenvertretern vertritt er im Kampf gegen alle ultramontanen Regungen der Geschichte – oder was man aus dieser parteilichen Sicht dafür hält – eine deutsch-katholische, antirömische Position, die er lautstark im Hinblick auf die vielbeschworene Reichseinheit zum Ausdruck bringt. Das vorweggenommene Ergebnis des deutschen Einigungskampfes ist der Sieg der Einheitspartei im Schweizer Sonderbundkrieg („Von Alpenhöh'n bringt Siegesgeläut der Süd . . ." (S. 82)). In den zweiundneunzig Vierzeilern des Liedes von Ulrich von Hutten, in dem er Huttens und Sickingens Taten für die Reichseinheit verherrlicht (die so historisch nicht ganz richtig gesehen wurden), ergreift Krez vehement Partei:

„Auf deutsches Volk, frisch in den Streit,
Zum Siegen oder Sterben,
Der Freiheit schwarzes Trauerkleid
Zum Purpur umzufärben.

. . .
O Landstuhl, deine Trümmer
Sind heilige Ruinen,
Denn unsre Einheit lieget
Begraben unter ihnen.
(S. 114/115)

Der eigentlich historische Anachronismus dieser Freiheits- und Einheitsbegeisterung wird in der Verklärung des aufgeklärten Monarchen Joseph II., Sohn und Mitregent von Maria Theresia deutlich („Im Schauspiel siehet Joseph, der zweite, oftgenannte . . . S. 67). Im Gegensatz zu den Hofschranzen ist Joseph der „Menschenfreund", der im Bild des biblischen Joseph erhöht wird, den die Fürsten verschacherten.

Gedichte aus: „Dornen und Rosen aus den Vogesen"

HEIMAT UND LIEBE

Sind es nicht deutsche Herzen,
Ist es nicht deutscher Wein,
Daß aller Sang verstummt ist
An unserm linken Rhein?

Wohnt nicht ein stolz Geschlecht dort,
So adlich und so frei,
Als ob ein jeder als Ritter
Und Fürst geboren sei?

Dort thront auf Richterstühlen
Des Volkes frei Geschlecht
Und spricht dem Volke furchtlos
Sein frei und offen Recht;

Dort wogen gold'ne Aehren,
Die Körner schwer wie Gold,
Wovon kein Schweiß des Landmanns
Den blut'gen Zehnten zollt,

Auf Hügeln goldne Reben,
Kastanien in dem Thal,
Auf Felsen Ritterschlösser
Mit Sagen ohne Zahl,

Und blondgelockte Jungfrau'n
Mit blauem Augenlicht,
Das Antlitz zart, als wär es
Ein liebliches Gedicht. –

Dies Land ist meine Heimath
An dem smaragdnen Fluß,
Wovon schon beim Gedanken
Mein Herze singen muß.

Wohlan! so will ich singen,
Was meine Brust bewegt,
Und was mit keuschem Sinne
Mein deutsch Gemüth gepflegt.

Am linken Rheine wandelt
Noch eine deutsche Maid,
Die, Sanges werth, dem Sänger
Den Kranz der Eiche beut.

*

Es stehen ungeknicket
Die Blumen auf der Haide,
Wovon ich ihr gepflücket
Lebendiges Geschmeide.

Jetzt wird sie sich von Golde,
Von Perlen Schmelz erkiesen,
Wenn ich auch pflücken wollte
Den Schmelz ihr von den Wiesen.

Es flötet nicht besorget
Die Amsel in den Hecken,
Die jetzo unbehorchet
Nicht Liebesseufzer schrecken.

Was soll im Wald sie thuen
Wo Amseln einfach flöten?
Sie lauscht den Kakatuen
Damastener Tapeten.

So mag sie sich erfreuen,
Wenn nur die feilen Künste
Mit falschen Schmeicheleien
Dem Herzen zum Gewinnste.

*

Wenn unser Auge Blumen sieht,
Wie ihre Krone sorglos blüht,
Erhebt sich unser klein Gemüth,
Sie blühen nicht um Schätze.

Da denk' ich nun, ob es sich paßt,
Daß Eintagsmenschen ohne Rast
Sich mühen, um der Sorge Last
Dem Rücken aufzubürden?

Mir ist der Chor der Musen hold,
Da bin ich reich, was brauch ich Gold,
Ich sing' um keinen andern Sold,
Als um den Sold der Minne.

Und wenn ihr Thoren nicht versteht,
Daß eitel sei, was untergeht,
Und werthlos, was der Wind verweht,
Verdenkt es nicht dem Dichter,

Wenn er die Saiten lieber schlägt
Und lieber, was in ihm sich regt,
In zarte Lieder überträgt,
Als rost'ge Gelder zählen.

SELBSTERFAHRUNG – SELBSTVERSTÄNDNIS

Soll, wie ein altes Eisen,
Vergessen in der Truhe,
Mein Herz der Rost verbeißen
In Trägheit und in Ruhe?

Mit Rosenkränzenringen
Sollt' ich die Finger plagen,
Und fromme Psalmen singen
In meinen jungen Tagen?

Wo andere die Minne
In zarten Liedern ehren,
Da sollten meine Sinne
Der Heiligen begehren?

Wo andre Schläger schärfen
Und die Florette spitzen,
Die schlanken Gere werfen,
Sollt' ich in Kirchen sitzen?

Das mögen andre lieben,
Ich will statt Vespersingen
Mich in den Waffen üben
Und meine Ständchen bringen.

*

Wär ich ein Bursche alter Zeit,
Stieg ich einher in andrem Kleid,
Auf meinem Haupte hätte
Ich Federn am Barette,

Zum Kniee ging der Stiefel vorn
Und hinten klirrte schwer der Sporn,
An schwarzrothgoldnem Träger
Hing dann mein blanker Schläger.

Dann wollte ich zum Kampfe gehn,
Wenn sich die Fremden unterstehn
Mein deutsches Land zu kränken,
Und meinen Schläger schwenken.

Dann führte ich wohl manchen Streich
Für unser heilig deutsches Reich,
Elsaß und Lotharingen
Dem Doppelaar zu bringen.

Und stürbe ich in blut'gem Strauß,
Auf Lanzen trüg man mich hinaus,
Eins meiner Kriegsgesänge
Als Requiem erklänge.

Wenn, statt für deutsche Herrlichkeit,
Für Ehre einer deutschen Maid
Auf der Mensur ich bliebe,
Der Ehre treu und Liebe.

Mit Fackeln würde mich hinaus,
Vorbei an jener Jungfrau Haus,
Für die ich mich geschlagen,
Man zu dem Grabe tragen.

Erschiene sie, das Auge roth
Von Thränen, wahrlich schöner Tod,
So hieß es unter allen,
Für solche Jungfrau fallen.

Ein jeder schwüre dann bei sich
An meinem Sarg', daß er, wie ich,
    Für ewig treu verbliebe
    Der Ehre und der Liebe.

*

Wenn nicht mein Herz an Seide schlägt
Von indischen Geweben,
Wird dann nicht meine Brust bewegt
Großfühlend sich zu heben?

Zur kühnsten That verspür' ich Kraft
In unentweihten Knochen,
Noch keine niedre Leidenschaft
Hat meinen Stolz gebrochen.

Es rollt in mir noch heißes Blut
In unverstopften Rinnen,
Es schwillt mein Herz von Kraft und Muth,
Das Edle zu gewinnen.

In's Aug' der keuschen Jungfrau kann
Ich stolzen Blickes blicken,
Mit Götterkraft kann ich als Mann
Einst mein Geschlecht beglücken;

Indeß sie tausendmal geflickt
In's edle Brautbett steigen,
Und fast von ihrer Haut erdrückt
Aus halben Lungen keuchen.

Sie glauben mit verdorbnem Saft
In ausgewelkten Lenden,
Daß sie ein Kind von Art und Kraft
Gesund erzeugen könnten.

Ja! Kürbisköpfe, hohl wie Schaum
Mit ausgebranntem Hirne,
Wie hat Verstand und Geist hier Raum
In tiefgedrückter Stirne?

Mein Vater war in Männlichkeit
Von ächtem Schrot und Korne,
Und ich, sein Sohn, spitz mich bei Zeit
Zu einem jungen Dorne,

Der Falschheit und der Tyrannei
Sammt henkenden Gefährten,
Der Welschheit und der Heuchelei
Ein Dorn im Aug zu werden.

Ich habe einen deutschen Geist
Und einen deutschen Rücken,
Der nicht, wie's ihn ein Zwingherr heißt,
Gewillt ist, sich zu bücken.

Wenn mich die Welt nicht lieben kann,
So mag sie mich denn hassen,
Es wird sich leicht, da ich ein Mann,
Ihr Haß ertragen lassen;

Ich mag der thorheitvollen Welt
Nicht, wie sie wünscht, mich fügen,
Wohlan! wenn auch die Eiche fällt,
Wird sie sich doch nicht biegen.

*

Welchen Schmerz mußt ich erfahren,
Immer brennt die alte Wunde,
Und ich habe keine Hoffnung,
Daß die Narbe je gesunde.
Bin ich schlechter als ein Andrer,
Der in Seide eingehüllet,
Dem aus seines Reichthums Quellen
Gold und Silber reichlich quillet?

Hab ich doch ein Herz im Busen,
Adlich, edel ausgerüstet,
Wenn sich's auch mit keinem Stammbaum
Und mit sechszehn Ahnen brüstet,
Hat mich doch Natur begabet
Mit den herrlichsten Geschenken,
Mit der Gabe schön zu fühlen,
Mit der Mitgift frei zu denken.

Daran lernt den Geist erkennen,
Und der Seele Adel proben,
Daß er nicht aus schlechtrem Stoffe,
Als der eure, sei gewoben,
Wenn Gefühl und Hochsinn in dem
Starrsten Leide nicht erkalten,
Wenn er in dem tiefsten Elend
Immer seinen Stolz behalten.

Wenn das Glück, vielleicht ein König,
Eurem Namen hold gewesen,
Daß ihr da für eure Knechtschaft
Rang und Titel aufgelesen,
So bedenket, doch noch niemals
Bog sich einer uns'rer Rücken,
Von der Erde niedrer Gnaden
Solch ein Blümchen abzupflücken:

Nein es können meine Enkel
Stolz an meinem Grabe lesen,
Daß ich nicht ein Fürstenkriecher,
Sondern freier Mann gewesen. –
Sprach's und seine hohe Stirne
Machte frei der Hauch der Lüfte,
Und er ging und schlug den Mantel
Sich um seine stolze Hüfte.

*

Einmal sollt ich Theolog
(Denkt euch meinen Schrecken!)
Werden, und man wollte mich
In die Kutte stecken;

Doch Brevier und Rosenkranz,
Beichte, Messe lesen,
War nicht meine Leidenschaft
Sonderlich gewesen.

Als sie sahen, daß ich nicht
In ihr Krämlein taugte,
Sorgten sie, daß ich nicht selbst
Fortzugehen brauchte.

Das Brevier sammt anderen
Heiligen Effekten
Legt' ich seitwärts, wo sie bald
Staub und Moder deckten.

Die Scharteke kann der Wurm,
Wie er will, zernagen,
Wenn die Herzen frisch und frei
In dem Busen schlagen.

*

In's Meer der Welt warf ich des Glaubens Schwere,
Und flüchtig schaukelte dahin mein Kiel
Im ankerlosen, uferlosen Meere,
Der Winde Luft, der Wellen schwankes Spiel,
Des Irrthums Beute und ein Raub der Leere,
Die peitschend trieb zu unerforschtem Ziel,
Ein leichtes Blatt, das jeder Wind bewegt,
Ein dürrer Strauch, der nirgends Wurzel schlägt.

*

ZEITGEIST – HOFFNUNGEN – TRÄUME

Muse! des Zeus Tochter, die Ulmen
Pflanzt über die Gräber berühmter Männer,
Die herrliche Thaten, erhabener Männer Namen
In die Tafeln der Ewigkeit gräbt,
Würdig denk ich von dir,
Nicht wie von gemeiner Magd,
Wie andre. Sie scherzen, sie kosen mit dir,
Zudringlichen niedrigen Denkens voll
Sie begreifen die Schamröthe nicht,
Die deine jungfräuliche Wange färbt.

Wenn ich dahin wandle von der Kaiser rheinischen Gräbern,
Wo der geächtete Heinrich, jahrelang unbeerdigt,
Noch ein todtes Ziel römischer Rachsucht,
Endlich die Ruhe fand,
Zu den Burgen der Sickingen,
Durch ehrfurchtsdunkelvolle vogesische Thalschlucht,
Wenn ich dahin schreite
Unter altersbemoosten breitastigen Eichenhäuptern,

Sie mahnen mich an Herrmanns
Eichenbelaubte Siegesschläfe,
Wie er heimzog auf cheruskischem Schild,
Die Beute varischer Legionen
Unter der Barden preisendem Loblied den Göttern
An dem jetzt des Triumphschmucks beraubten Ast aufhing.

Da denke ich dann des alten, des glorreichen,
Des tausendjährigen Reichs,
Des großen Karl, der das Skepter seiner Macht
Ueber den Occident ausstreckte,
Dem der Orient Geschenke der Ehrfurcht brachte;

Der herrlichen Römerzüge der Ottonen,
Denen das päbstliche Rom die Hände bot
Und den Eid des Vasallen schwor.
Aber Schamröthe knirschenden Stolzes
Färbet mein Angesicht,
Wenn der banngetroffene Heinrich
Das Reisegeld sich erbettelt, hinzuziehen,
Er, König der Deutschen,
Vor des saonischen Fischers Sohn,
Baarhaupt, Baarfuß,
Mit der Sünderkerze,
Im Schlosse zu Canossa
Den Dienern ein Mitleid,
Eine Erbarmniß der Weiber,
Um des hochmüthigen Gregors Verzeihung.

Dann aber vernimmt der vergangenheiterfüllte Geist
Mit Freude pochendem Herzensschlag,
Wie ghibellinischer Freiheitsruf
An den Thürmen römischer Mauern niederscholl,
Bis der letzte hohenstaufische Jüngling,
Der klagenden Mutter uneingedenk,
Entflammt durch die Väter
Weitgepriesenen Thatenglanz,
Durch ihre ruhmreichen Lieder,
Hinzieht in sein sicilisches Erbe,
Wo sein und des badischen Friedrichs Blut
Unter Karls capetingischem Henkersbeil
Neapels Markt bespritzte,
Ein von päbstlicher Herrschsucht gebilligtes Opfer.

Dann athme ich frisch auf mit der Freiheit,
Wenn der fränkische Ritter,
Des salischen Heinrichs Rächer
Und der Wittenbergische Mönch
Die verrosteten Fesseln pfäffischer Herrschaft bricht.

Ein Rauschen erhebt sich in der Waldeinsamkeit,
Das erschrockene Geäste bebt,
Die entlockerte Wurzel dröhnt
Kündend der Muse erhabenes Nahen,
Mit den Rossen des Windes,
Auf dem Wagen des Sturmes,
Ihre Harfe ist der Orkan,
Der Donner ihr Saitenspiel.
Jetzt rühret nicht mehr
Ein liebelnd Geschwätz hysterischer Weiber,
Kein schwindsüchtiger Klingklang
Das donnergetroffene Trommelfell.

Nur großartige That und Sinneserhabenheit,
Wenn das Titanengeschlecht Ossa auf Pelion
Hinaufwälzend thürmt, Gottheit ankämpfend.
Zu den Wolken, den Bollwerken des Himmels,
Soll schwellen die Brust, gewappnete Helden gebärend,
Charakter erhaben und hochragend,
Wie Cedern am Libanon, wie Eichen am Spessart,
Verachtend der Schule kleinartigen Maßstab,
So meißle die Muse Gestalten
Aus vorweltlichem Urstein,
Nicht Köpfe der Venus,
Nein Häupter Medusas mit herrlichem Graun,
Daß die schwangere Welt der That sich entbinde.

*

Mein Vaterland! in freiem Schlag
Kann jetzt dein Herze pochen,
Mein Vaterland! es ist der Tag
Auf dich hereingebrochen,
Daß du nicht länger schlummern wirst,
Der Morgen hat geschlagen,
Es hat dein Sänger und dein Fürst
Das Banner vorgetragen.

Brecht auf ihr Franken von dem Main,
Vom Isarstrand Bojaren,
Du treues Volk vom freien Rhein,
Sich um ihn herzuschaaren,
Brecht auf, der Stamm zum Stamm gepaart,
Der Schwaben treue Haufen
Als Schanze sich um ihn geschaart,
Um unsern Hohenstaufen!

Du, Ludwig, ziehe uns voran,
Als deutscher Fürst und Barde,
Wir brechen deutsche Freiheit Bahn
Bei deiner Feldstandarte,
Den Musen mit dem deutschen Lied
Und deutscher Kunst begaben,
Dem sollten sie ein deutsch Gemüth
Und Herz versaget haben?

Du ziehe vor der Freiheit her,
Ihr kühn das Wort zu reden,
Kein Pfaffe soll in Zukunft mehr
Ein deutsches Volk zertreten!
Sei Fackelträger zu dem Brand,
Den nicht der Tiber lösche,
Du nach, mein Volk, und halte Stand,
Der Freiheit eine Bresche!

Du nach, mein Volk, und reiße ein
Der Wahrheit enge Schranken,
Kein Hemmniß und kein Damm soll sein
Dem Strome der Gedanken,
Es soll sein Fluß, was undeutsch ist,
Als Sündfluth überbrausen,
Nicht welscher Trug, nicht welsche List
An seinen Ufern hausen.

Und soll auch nicht ein einz'ger Thron
Die Skepter Deutschlands schwingen,
So soll doch eine Religion
Uns brüderlich umschlingen!
Erfasse, Ludwig, das Panier
Der neuerwachten Zeiten,
Dem Volk vertraut, wir folgen dir,
Durch Kampf und Tod zu schreiten.

*

Von Alpenhöh'n bringt Siegesgeläut der Süd,
Durch die erstaunten Gauen Europas trägt
Die Silbertöne eures Ruhmes
Flüchtigbeschwingete Siegesbotschaft.

Der Welten zweie stehen entblößten Haupts,
Ehrfurchtgebietend schreitet der Wahrheit Sieg,
Das Haupt geschmückt mit Bürgerkronen,
Durch die begrüßenden Reih'n der Völker.

Wie lange, sitzend traurig gesenkten Haupts
Auf den Gewölben eurer Tyrannengruft,
Hat die Geschichte ihres Preises Griffel
Lässig gesenkt in der Thaten Ruhe?

Da ging die Freiheit pochend von Ort zu Ort,
Und fragte zagend: Löwe! so bist du todt,
Der die Gewalt der Tatzen einst in
Blutigen Rücken gehackt der Zwingherrn?

Er aber schlief nur. Zornig durch das Geschrei
Ehrloser Kuttenknechte erhob er nun
die Keule seines Schweifes und es
Zittern der feindlichen Städte Zinnen.

Es wankt das Knie pflichttreuevergeß'nen Volks,
Und vor des eidgenössischen Kreuzes Macht
Fliehen in verworr'ner Flucht die Träger
Schmählich bewältigter Amulette.

Die Menschlichkeit geht eurem Triumph voran,
Verachtungsvoll folgt prahlender Hochverrath,
Die von der Bürger Blut bespritzten
Hände geknebelt mit Rosenkränzen.

Heil mir, daß ich erblickte das Morgenroth,
Da die Vergeltung ehern den Fuß erhob,
Das Haupt der Schlange zu zertreten,
Welche gestochen der Menschheit Ferse.

Heil, dreimal Heil mir, daß ich ein Volk gesehn,
Begeisterungsvoll lodernd für Recht und Licht,
Wie es mit einem Mosesschlage
Heere gestampft aus der Alpen Felsen.

Wenn unter siebzigjähriger Rippe noch
Aufopferungsgluth flammt für das Vaterland,
So haben noch der Alpen Schlünde
Gräber genung für der Freiheit Feinde.

*

Im Schauspiel siehet Joseph, der zweite, oftgenannte,
Wie einen Bühnenkaiser vorstellt ein Komödiante,
Er schreitet auf den Brettern so königlich einher,
Als ob er selbst zum Kaiser und Herrn geboren wär.

Soweit die Bretter gehen, ist seiner Macht Revier,
Und seine Flitterkrone vergüldetes Papier,
Ein angestrichner Sessel sein Thron von Elfenbein,
Farblos geschliffne Gläser sein Diamantgestein,

Sein Gold ist schimmernd Messing, sein Silber glänzend Zinn
Und weiß und schwarzgefleckte Zotten sein Hermelin.
Spricht er noch so erhaben, wie's Pöbel nicht versteht,
So wird dann ausgepfiffen die Bühnenmajestät.

Es lächelte ein Höfling. Da sprach der Menschenfreund
Zum Schranzen, der im Dünkel sich wundergroß gemeint:
Was ist ein Kaiser anders, als wie ein Komödiant?
Den ruft Talent und jenen die Erstgeburt zum Stand.

Was ist vor Gottes Augen das Gold, das Elfenbein,
Als Schauspielgarderobe und Kinderspielerein?
Der Kiesel und die Perle, der Purpur und der Lein,
Der Hermelin, die Wolle, das Glas, der Edelstein.

Der Bettelstab, das Skepter, ist seiner Weisheit gleich,
Vor seinem Königsschmucke ist alles Flitterzeug.
Mitleidig muß er lächeln in seiner Majestät
Sieht er, wie so ein sterblich Geschöpf sich spreizt und bläht.

Was ist zur Welt die Erde? ein winzigkleiner Fleck,
Was ist mein Reich zur Erde? ein winzigkleines Eck;
Nicht so, wie sich die Bühne zu meinem Land verhält,
Verhalten meine Länder zur Erde sich und Welt.

Und spiele meine Rollen ob gut ich oder schlecht,
So werd' ich ausgepfiffen gerecht und ungerecht.
So sprach er und war größrer Bewunderungen werth
Als Philipps Sohn, des Asien als Göttersohn verehrt!

O Joseph! Joseph! wenn ich den Namen nur erwähne,
So steht mir in der Wimper die schwermuthsvolle Thräne.
Noch einmal Joseph deinen Geist, einmal noch dein Herz,
Dann würde wohl gesunden der Deutschen Weh und Schmerz.

So aber warf hinab dich dein Volk in die Zisterne,
Den Fürsten hats verschachert an Mäckler fremder Ferne,
Daß wir von Deutschlands buntem Gewande sagen müssen:
Es ist sein Rock, die Wölfin hat meinen Sohn zerrissen.

*

Für was habt ihr noch Augen als zum Weinen,
Da täglich ihr des Elends Sense seht,
Die auf der Gruft erschlagener Gebeine
Die blutgetränkte Saat der Freiheit mäht?
Weint Mütter euch die Augen blind;
Denn besser ist's, daß euch ihr Licht erlischt,
Als daß das Blut der Söhne, die erschlagen sind,
Am Beile rauchend, euern Schmerz erfrischt.

An Ketten könnt ihr Perlen tragen
Als „ew'ge Thränen," denn so lang ein Tropfen Bluts
Der Ahnen, ihres Freiheitsmuths
In ihren Enkeln pulsend schlagen,
So werden eingedenk der alten Zeiten
Die Thränen auf die Sklavenwangen gleiten:
Das sonst so frei Geschlechte
Ist eine Heerde willenloser Knechte,
Die gehn und bleiben
Wie sie die Knuten des Tyrannen treiben.

Zu fruchtbar war, das Unheil zu gebären,
Die Wolke, die von Osten sich erhob,
Den Wolkenbruch des Blutdursts zu entleeren,
Worin der Steppen Cyrus schnob,
Ihr Blitz hat jenen Holzstoß angezunden
Worauf der Heiland eures Glücks gebunden,
Sie war es, die mit schwerem Hagelschlag
Die Saaten eurer Hoffnung niederschlug,
Ihr Donner war's, der eurer Freunde Schmach
Bis zu der fernsten Zukunft Küsten trug.

Das Siegesbanner, das ihr uns gewoben,
Hat Deutschland auf die Särge eurer Leiden
Als Bahrentuch es auszuspreiten,
Zur Flagge der Undankbarkeit erhoben.
Für uns geblutet habet ihr, gestritten,
Das Blut, wovon Wiens Wälle Spuren tragen,
Muß beim Gericht der Nachwelt uns verklagen,
Weil müßig wir's gelitten,
Daß Schädel, die für uns die Narben tragen,
Des Henkers Arm wie Töpfe hat zerschlagen.

Wir aber haben nichts versprochen
Wie jene, die in meineidvollem Schwure
Ein punisch Wort gebrochen,
Und unser Schwur ist nicht der Treuschwur einer Hure.
Sie haben das Gewebe ihrer Lügen
Als Garn für die Hyäne aufgehangen.
Sie riß hindurch, ihr aber wart wie Fliegen
Im Netz der Zungenkunst gefangen.

Seht, spritzt das Blut, das ihr um sie verspritzt
Aus eueres Gehirnes Scherben,
Nach ihren fahlen Wangen,
Daß endlich jetzt darauf die Röthe sitzt,
Die längst sie hätten sollen färben.
Ich aber will mein Angesicht verhüllen
Um unsrer Schande willen.

Doch du, der hinter Gräbern sich verschanzt,
Auf Grüfte seiner Freude Banner pflanzt!
So höre denn, was unsre Seher sagen:
Es wird die Stunde schlagen,
Worin der Stier Europa's, lang gereizt
Durch jenen Purpurkittel, der in Blut gebeizt,

Woran die Freiheit klebt,
Worin sie Buße thut in Asch und Sack,
Gewaltig seiner Hörner Kraft erhebt,
Zur Erde dich zu schleudern;

Denn an der Freiheit Klippe wird das Wrack
Der Zwingherrschaft wie Eierschalen scheitern.
Wenn freie Männer ihre Schilde rütteln,
Der Städte Brand Beleuchtung deiner Sünden,
Dann hüll dich ein in deinen Purpurkitteln,
Für Cäsarn wird sich stets ein Brutus finden.

IV

Die erste Zeit der Emigration und das „Gesangbuch" (1850)

Über die Lebensumstände von Konrad Krez während der Emigration nach seiner Flucht aus Landau wissen wir so gut wie nichts. Allerdings kann man aus manchen Gedichten seines in Frankreich erschienenen zweiten Gedichtbandes „Gesangbuch" einige Schlüsse ziehen. Wenn er im Eingangsgedicht („Möge keine fromme Schwester ..." S. 1) vom Limmatufer spricht und im „Sonett vom Zürichsee" meint, wie entschuldbar es sei, hier das Vaterland zu vergessen, läßt dies den Schluß zu, daß er kurz in der Schweiz war. Dieser Aufenthalt wird in einem Brief bestätigt (siehe Dokumentation). Allerdings darf man in diesem Zusammenhang nicht vergessen, daß am 19. Juli 1849 der schweizer Bundesrat beschloß, die politischen und militärischen Führer der Revolution auszuweisen, die sich über die schweizer Grenze geflüchtet hatten. Krez hielt sich offensichtlich, wie viele seiner Freunde und Mitstreiter, vor allem in Straßburg auf, das den Pfälzern von der Franzosenzeit her und durch die Verbindungen zwischen den elsässischen und pfälzischen Demokraten einen heimatlichen Charakter hatte. Hier wollte man abwarten, bis sich das deutsche Volk geschlossen erhebe. Hier vernahm man allerdings nur die enttäuschenden Nachrichten aus Baden, wo die Standgerichte der Preußen vor der Festung Rastatt blutige Ernte hielten. Wie das „Sonett aus dem weißen Thurm von Straßburg" beweist, waren die Emigranten aber auch in Straßburg seitens der Behörden keine gerngesehenen Gäste. Offensichtlich wurden die Emigranten eine Zeitlang interniert.

Von Straßburg datiert ein am 17. 4. 1850 geschriebener Brief von Krez an die Gattin des Edenkobener Civilkommissärs Schneider. Krez versucht, der Frau des inhaftierten Freundes und Aufständischen Mut und Trost zuzusprechen:

Sehr geehrte Frau [Schneider]

Mit dem größten Bedauern und mit noch mehr Entrüstung habe ich vernommen, durch welche niederträchtigen Intrigen Herr Schneider verhaftet wurde. Ich kann nicht umhin, dies Ihnen auszudrücken und Ihnen Trost in diesem Mißgeschick zuzusprechen. Nach dem Stand der Sache, wie ich sie erfahren habe, zweifle ich kaum an seiner baldigen Freilassung, mag kommen was da will. Sie werden eine Frau sein, die mit Stolz auf einen Mann blickt, der für eine Sache leidet, für deren Gerechtigkeit die Edelsten unseres Vaterlandes eingestanden sind. Sie werden wissen, daß es eine Ehre ist, für die Bethätigung der Vaterlandsliebe auf den Bänken der Angeklagten und Verbrecher zu sitzen. Ich würde mehr beifügen, wenn ich nicht wüßte, daß Sie eine Frau sind, die mit Standhaftigkeit alles zu ertragen weiß. Grü-

Gesangbuch

von

Conrad Krez.

Straßburg,
gedruckt bei Ph. Alb. Dannbach, Schildsgasse, 1.
1850.

Titelblatt des zweiten Gedichtbändchens von Konrad Krez „Gesangbuch" (1850).

ßen Sie mir Herrn Schneider, Luise und Emilie, sowie Ihren Herrn Schwiegervater
mit Versicherung seiner vollkommensten Hochachtung
hat die Ehre Sie zu grüßen
Ihr ergebenster
Conrad Krez

Straßburg 17. 4. 1850

Über das Denken und Fühlen des Revolutionärs und Dichters sind wir durch das „Gesangbuch", das 1850 in Straßburg bei Ph. Alb. Dannbach, Schildgasse 1, gedruckt wurde, unterrichtet. Allerdings schrieb er das Vorwort dazu am 22. Mai 1850 in „Nanzig" (= Nancy).

Im Vorwort heißt es:

Zum zweiten Male trete ich vor das Publikum und zwar mit größerer Zuversicht; denn eines redlichen Strebens bin ich mir bewußt. Ich weiß zwar meine Fehler, vielleicht besser wie meine Recensenten: allein sie liegen nicht sowohl in einzelnen Stücken, als in mir selbst. Wie konnte ich bei der Sturmfluth der Ereignisse während zwei Jahren, jene Ruhe und Klarheit des Geistes bewahren oder vielmehr gewinnen, die, wie der Geist Gottes über den Wassern, über der Seele des Dichters schweben soll? Als Künstler zwar kenne ich kein anderes Gesetz, als das der Kunst, aber darf ich nicht die Nachsicht meines Kunstrichters beanspruchen, daß das Gefühl der Vaterlandsliebe stärker war als die Vorschriften einer kalten Philosophie? Ich für meinen Theil, wenn ich wüßte, daß Kunst und Bürgerpflicht unverträglich wären, würde lieber die Lorbeeren eines Göthe in das Feuer werfen – Kinkels Zuchthausjacke wäre mir lieber als dessen Staatsfrack – als einen herostratischen Ruf mir erwerben, wenn ich thatlos zusähe wie der Tempel meines Vaterlands abbrännte. Schmach über ein solches Herz, das nicht hingerissen wird durch die Leiden desselben, nicht von Zorn und Haß erfüllt gegen dessen Dränger! Wird doch selbst Eisen von Kälte und Hitze angegriffen, selbst Steine schwitzen Empfindung.

Immerhin aber bin ich mir gewiß, mehr geleistet zu haben, als jene Stümper, die mit hohltönendem Gequacke alle Teiche erfüllen und mit loyalem Rabengesang von allen Bäumen die Vögel verscheuchen.

Weit entfernt, die Meinung so vieler junger Poeten in Verachtung der Form zu theilen, glaube ich vielmehr, daß sie gerade für den angehenden Dichter am nothwendigsten zu achten ist, um ihn vor den Ausschweifungen einer allzuüppigen Phantasie, die sich am Ende in das Gestaltlose verliert, glücklich zu bewahren. Sie wollen es der Natur nachthun, uneingedenk, daß der Freiheit des Geistes nicht ihre unwandelbaren Gesetze zu Statten kommen. Sie wollen Kraft zeigen und wissen nicht, daß die Kraft nicht darin besteht, Schwierigkeiten zu umgehen, sondern dieselben zu überwinden. Möchte man auch hierin den Alten folgen, die gerade in den

Das Mädchen von der Queich.

Holdes Mädchen von der Queich,
Du bist schön und anmutreich,
Wie das Land, das sie durchfließt.
In die Fremde muß ich gehn,
Land und Mädchen! von euch beiden
werd ich keines wieder sehen;
Denn auf ewig muß ich scheiden.

Schönes Mädchen, schönes Land!
Weil ich einmal euch gekannt,
Kann ich nie mehr glücklich sein.
Mit mir wird das Heimweh gehen,
Wo ich immer wandern mag,
Das Verlangen, euch zu sehen,
Folgt mir wie ein Schatten nach.

Faksimile des Gedichts „Das Mädchen von der Queich". In seinen Gedichten von 1849/50 bezeugte Krez, daß ihm der Abschied von der Heimat und besonders von den Pfälzer Mädchen recht schwer fiel. Der Text lautet: „Mädchen von der Queich. Holdes Mädchen von der Queich, / Du bist schön und anmutreich, / Wie das Land, das sie durchfließt. / In die Fremde muß ich gehn, / Land und Mädchen! von euch beiden / werd ich keines wieder sehen; / Denn auf ewig muß ich scheiden. // Schönes Mädchen, schönes Land! / Weil ich einmal euch gekannt, / Kann ich nie mehr glücklich sein. / Mit mir wird das Heimweh gehen, / Wo ich immer wandern mag, / Das Verlangen, euch zu sehen, / Folgt mir wie ein Schatten nach."

zügellosesten Dithyramben am meisten den Grazien geopfert haben. Aber diese verrückten Romantiker, die dem Leben und der Philosophie ihre christlich germanische Barbarei einzubrennen trachten, haben das Gebiet der Schönheit, in das sich die guten Köpfe vor ihren Verfolgungen flüchteten, nicht weniger mit ihrem Vandalismus verheert. –

Wenn ich nicht immer erreichte, wornach ich hierin strebte, so muß ich um dieselbe Nachsicht bitten. Dem politischen Unmuthe ist gar oft die Feile aus der Hand gefallen.

Vielleicht werde ich über dem Meere ein Asyl finden – das dießseitige hat die Quälerei der Polizei uns sattsam vergällt – in welchem mir die Ruhe erlaubt, den Geschmack meiner Freunde durch Vollendung eines größeren Gedichtes, dessen Anfang bereits unter meinen Heften liegt, mehr zufrieden zu stellen.

Zum Schlusse statte ich noch meinen zwar etwas verspäteten Dank den mir unbekannten Recensenten des Leipziger und Stuttgarter Literaturblattes für die liebevolle Milde ihrer Kritik ab. Ich hoffe, ihre Erwartungen nicht zu Schanden zu machen.

Mögen meine Freunde mir ihr Andenken bewahren, und meine Feinde mich ebenso hassen wie ich dieselben verachte.

Sein Bekenntnis zur Form und zum politischen Inhalt seiner Arbeit verbindet sich mit der Ablehnung der „verrückten Romantiker", der Stümper und jener, die loyalen Rabengesang erschallen lassen. Das ist ebenso eine Kampfansage an die Unpolitischen wie an die Anpasser. Der „angehende Dichter" verurteilt in seinem modifizierten Rationalismus und politischen Idealismus die religiöse Grundhaltung der Restaurationsromantiker in der Tradition von Clemens Brentano, der die Betrachtungen der stigmatisierten Klosterfrau Katharina Emmerich niederschrieb. Die irrationalistisch-mystische Tradition der deutschen Geisteswelt war Krez zutiefst verdächtig. Dabei ist er in vielen seiner Texte selbst ein Erbe der Romantik, versucht allerdings Gefühl und politischen Verstand zu verbinden. Dadurch ist der Kunstwerkcharakter einiger Gedichte sicherlich beeinträchtigt. Dem politischen Unmut fiel eben manchmal die Feile aus der Hand. Andererseits ist das „Gesangbuch" ein klassisches Dokument deutscher Emigrantendichtung. In den meisten Texten wird die Zerrissenheit des Autors sichtbar, der im Guten wie im Bösen, im Haß gegen die politischen Gegner, die Fürsten, und in der Liebe zu den zurückgelassenen Liebschaften und Angebeteten in der Vergangenheit verhaftet ist. Im Eingangsgedicht heißt es am Schluß „Durch die Erde will ich schweifen ... An verlorne Liebe denkend / Und verlornes Vaterland." (S. 3). Das ist ganz rückwärtsgewandt. Heimweh bestimmt den Ton vieler Gedichte:

O könnt ich mit euch ziehen
Ihr Wolken, an den Rhein,
Mit euch, ihr Phantasien
An seinen Hügeln sein.
(S. 4)

An anderer Stelle wiederholt sich diese Konstellation. Selbst von der ausgemalten Emigration in Südamerika heißt es:

Und unter Pisangbäumen
An des La Plata Strand
Von meiner Liebe träumen
Und meinem Vaterland.
(S. 8)

Krez bezieht sich dabei, wie er in den Anmerkungen schreibt, auf einen konkreten Anlaß. Er wollte sich mit einigen Freunden als Offizier an einer Expedition nach Montevideo beteiligen. „Die Verhandlungen mit dem Gesandten jener Republik waren zu einem günstigen Resultate gelangt; allein das Unternehmen scheiterte an der Weigerung Frankreichs, die Garantie der eingegangenen Bedingungen zu übernehmen." (S. 96)

Die Bereitschaft, nach Südamerika zu gehen, offenbart, daß Krez nicht an eine schnelle Heimkehr dachte, zumal diejenigen seiner Freunde, die sich als gesuchte Aufständische in Deutschland stellten, ins Gefängnis wanderten. Während führende Männer des „Jungen Deutschland" sich mit den Mächten arrangierten (Gutzkow wurde Dramaturg am Dresdener Hoftheater und Laube 1849 Direktor des Wiener Burgtheaters), orientierten sich die „Achtundvierziger" weiter an ihren Idolen Sickingen und Hutten, die heroisiert wurden, und an der Idee von einem demokratisch-republikanischen Deutschland in Freiheit und Einheit. Der ritterlichen Sickingen-Zeit stellte Krez die Brutalität der Fürsten seiner Jahre gegenüber:

Und kein Krieger war so elend,
Den besiegten Feind zu morden,
Freilich durch die Hohenzollern
Ist es anders jetzt geworden ...
(S. 66)

„Der Aufruf zum Kampf", dem die Schatten der gefallenen Revolutionshelden wie Blum und Dortü zuwinken, hört sich an wie ein letztes vergebliches Aufbäumen gegen das Schicksal, das eine Entscheidung fordert, die den heimatlichen Kampf um Freiheit und Konstitution hinter sich läßt. Das letzte Gedicht des Bandes heißt „Abschied" und vereint das Rückwärtsdenken jetzt mit dem mutigen Vorwärtsdenken. „Die Welt gehört dem Manne!", heißt es in der letzten Verszeile. Das ist ganz der realistisch-zupackende Konrad Krez, der sich von Gefühl und Schmerz nur kurz übermannen ließ. Der Emigrant schaute vorwärts.

Noch einmal vereinigt das „Gesangbuch" die volksliedhafte Gefühlsinnigkeit des Liebenden, die biografische Reminiszenz, Haß und Kampf gegen die verräterischen Fürsten mit dem hoffnungsfrohen Geist der Jugend, der sich nicht unterkriegen lassen will. Krez ist zu sehr Sinnenmensch, um sich in Trauer zu erschöpfen. „Was wir verloren haben, / Das müssen wir vergessen", sagt er im Gedicht „Es soll kein Loos verbittern / Mir heitere Gefühle . . .". (S. 45)

Das ist der Geist, auf dem Konrad Krez in Nordamerika, wo er im Januar 1851 ankam, aufbaute.

Gedichte aus dem Straßburger „Gesangbuch"

ERLEBEN UND ERLEIDEN

Das Mädchen von Schleswig

Ein lieblich Mädchen stickte
Dem Liebsten zum Geschenk
Viel Blumen und viel Blätter
Hinein in ein Wehrgehenk.

Blau war wie ihre Augen
Der Stickereien Grund,
Und weiß wie ihre Hände,
Und roth wie ihr schöner Mund.

„Schön Mädchen lasse ruhen
Die lilienweiße Hand,
Er braucht nicht deine Blumen,
Er braucht nicht dein Gürtelband.

Bei Kolding liegen Leichen,
Dein Liebster liegt dabei."
Da tropfte manche Thräne
Auf ihre Stickerei.

Anstatt an ihrem Busen
So ruht sein Haupt auf Stroh;
O Julia beweine
Nur deinen Romeo.

Was kann der Sieg uns frommen,
Was nützen unsre Thaten?
Sie wecken blos Bedauern,
Daß man uns doch verrathen.

Und wären alle Augen
Des Argus auch die Meinen,

Ich hätte nicht genug,
Um Deutschland zu beweinen.

Nur Preußens König hat
Kein Herz, um sich zu grämen,
Nur Preußens König hat
Keine Wange, sich zu schämen.

Sonnett aus dem weißen Thurm zu Straßburg

Die Küstenwohner Afrika's schilt man Barbaren,
Unglückliche, die Schiffbruch hingetragen,
Berauben sie, um sie dann zu erschlagen,
Sobald ein Wrack am Strande aufgefahren.

Schiffbrüchig und unglücklich, wie wir waren,
So hat uns nackt und mehr noch zu beklagen,
Als unsre Todten, her der Sturm verschlagen,
Nachdem im Meer versunken unsre Laren.

An Frankreichs Ufer kamen wir geschwommen,
Mit Waffen bloß und Vaterlandesliebe:
Die ersten, unsre Eigen, hat man uns genommen,

Und diese müssen wir mit Kerker zahlen,
Mit Schub und mit Handschellen, sonst für Diebe.
Sind wir bei Menschen oder Kannibalen?

Sonnett vom Zürichersee

Es weht der Wind, die weißen Segel schwellen,
Die bunte Flagge treibt ihr flatternd Spiel,
Und seine Furchen zieht der schlanke Kiel,
Dem Schwane gleich, durch die krystall'nen Wellen.

Ein heit'res Lied von fröhlichen Gesellen
Klar wie die Perle, die vom Ruder fiel,
Tönt silbern hin, verkürzt das frohe Ziel,
Wo wir den Fuß ans grüne Ufer stellen.

Sobald an's Rohr, den Kahn die Schiffer banden,
So locken schon die schönst geleg'nen Schenken.
Vergißst du hier an's Vaterland zu denken,

So könnte selbst ein Hannibal nicht zürnen,
Sein Capua kennt nicht die Silberstirnen
Der Alpen, nicht den See von Diamanten!

Unglaublich ist zu hören,
Was sich mir zugetragen,
Ich wollte gestern schwören
Der Liebe zu entsagen.

Ich sah zum Glück die braunen
Kastanienfarbnen Augen,
So hab' ich wegen Launen
Nicht falsch zu schwören brauchen.

Dagegen schwur ich heute,
Das konnt' ich sicher schwören,
Mein Leben soll der Freude
Und Liebe zugehören!

Mich soll der Tod einst finden
Beim gold'nen Saft der Reben,
Mir Rosen noch zu winden
Zum Kranz beschäftigt eben.

Wie opfernd Hafis Musen
Ich heitrer Liebe pflege,
Die Schläfe an den Busen
Der Schöngelockten lege.

Dann will ich unverdrossen
Ihm folgen zu den Todten,
Genug hab' ich genossen,
Was mir die Zeit geboten.

Mag auch der Pfaffe künden
Für Jenseits ewig Feuer,
Zu schön sind meine Sünden
Und ewig für mich theuer!

*

Weinend saß ich an des Baches
Lenzesgrünem Bord,
Und es rannen meine Thränen
Mit den Wassern fort.

Rinnest du an ihrem Fenster
Klare Fluth vorbei,
Sag ihr, daß bei deinen Wellen
Meine Thräne sei.

Sag ihr, daß ich unter einer
Düstern Erle saß,
Um mich her verwelkte Blumen
Abgeschnitt'nes Gras.

Wie der Epheu hundertringig
Um den Stamm sich ringt,
Und mit seinen grünen Armen
Liebevoll umschlingt,

So hat mein Gemüth, das unstät
Hin und her geschwankt,
Sich mit allen seinen Armen
Um sie hingerankt.

Alles, was mein Herz gefühlet,
Was mein Geist gedacht,
Hab' ich alles ihrer Liebe
Opfernd dargebracht.

Und sie riß den grünen Epheu
Von dem Stamme fort,
Schnitt die Wurzel ab, so liegt er
Nun im Weg verdorrt.

Und der Jüngling dem kein Himmel
Und kein Stern zu hoch,
Daß er ihn nicht in dem Fluge
Seines Geistes erflog,

Sitzt am Ufer eines Baches
Ein verlachter Thor,
Thränenreich und arm an Thatkraft,
Ein geknicktes Rohr!

Doch da sprach zu mir nun eine
Stimme ernst und rauh:
„Was du da für Perlen hieltest,
Ist nur eitler Thau,

Ueberlaß es einem kleinen
Geiste, daß er klagt,
Wo mit stolzem Selbstgefühl ein
Großes Herz entsagt."

Die Brautfahrt

Sprach ich: Liebes Kind! ich muß
Küssen dich, und Kuß auf Kuß
Drückte ich ihr auf die Backen,
Auf die Stirne und den Nacken,
Bis vor Aerger und vor Scham
Sie zuletzt den Reißaus nahm.

Als ich Esel! mehr als blind,
Folgte dem geliebten Kind,
Uebersah ich ganz und gar,
Daß der Keller offen war.

Niemand kam sein Lebtag schneller
Als ich damals in den Keller.
Eh ich es noch ausgefunden,
Lag ich bei Kartoffeln unten,
Und ein gut Stück meiner Haut
Hing bei eingemachtem Kraut.
Fünfzehn Fuß fiel ich hinunter,
Und es nimmt mich heut noch Wunder,
Daß ich mir nicht jeden Knochen
In dem Leib entzwei gebrochen.

Doch das Bischen von Verstand,
Das ich übrig hatte, schwand
Mir gar bald; ich kann nicht sagen,
Wer mich in das Bett getragen,
Wo ich an dem nächsten Tag
In dem Haus des Mädchens lag.

Nicht im Stand, ein Glied zu regen,
Und bedeckt mit Ueberschlägen,
Kam ich zu mir, und ich sah,
Ihre Eltern waren da,
Mich mit Salben einzureiben.

In dem Hause krank zu bleiben
War mir Wasser auf die Mühle,
Doch die nämlichen Gefühle

Schien der Alte nicht zu theilen;
Denn er schien sich mehr zu eilen,
Als mir lieb war, mich zu heilen.
Gern hat er es nicht gethan;
Denn ich sah ihm deutlich an,
Daß er lieber mich mit Hieben
Als mit Salben eingerieben.

Doch er mußte sich halt fassen,
Was geschah, geschehen lassen,
Und nach etwas Zank und Hader
Wurde er mein Schwiegervater,
Und ich glaub nicht, daß bis heute
Eins von uns die Fahrt bereute.
(Aus: Aus Wisconsin. 1875. S. 113)

Die Zigeuner!

Der Abend hat begonnen
Den Schleier auszubreiten,
Die Hirten treiben pfeifend,
Die Rinder von den Weiden.

Der Klang der Abendglocke
Und das Gezirp der Grille,
Ein Lied der Schnitterinnen
Durchbricht der Dämm'rung Stille.

Und einsam steht vom Dorfe
Die laub- und ästereiche,
Zum Obdach für Zigeuner
Von Gott geschaff'ne Eiche.

Ein Weißdorn, wilde Rosen
Den Knorrenstamm umzaunen,
Das ist die grüne Wand
Des Hauses unsrer Braunen.

An einen Zweig gebunden
Liegt ausgestreckt ein Fohlen,
Schwarzlockige Aegypter
Um halbverlosch'ne Kohlen.

Die Arme unter'm Haupte
Ein Mann auf grünem Rasen,
Und vor ihm kniet ein Mädchen
Die Flamme anzublasen,

Darüber schmort und brodelt
Ein Nachtmahl in der Pfanne
Von selbstgefang'nen Fischen.
Daneben eine Kanne,

Gefüllt mit frischem Wasser,
Das karge Mahl zu würzen.
Die andern bringen Laubwerk
Zu Betten in den Schürzen.

O wär' ich der Zigeuner!
Dann hätte ich vergessen,
Daß ich wie meine Väter
Ein Vaterland besessen.

Und legtest du Kalypso
Odysseus deinem Dulder
Die schöngelockte Schläfe
Nachts an die müde Schulter!

Die weichsten Moose wollt' ich
Zu deinem Lager tragen,
Die besten Fische fischen,
Das schönste Wildpret jagen,

Das klarste Wasser schöpfen,
Die reifsten Beeren pflücken,
Die schönsten Kränze flechten,
Dein gold'nes Haar zu schmücken.

*

Mädchen mit den schwarzen Locken,
Und dem schwarzen Augenpaar,
Wollte Gott ich wäre Joseph,
Und du wärst Frau Putiphar:

Erstens käm' ich nicht in's Zuchthaus,
Zweitens nicht um meinen Mantel,
Drittens schwerlich in die Bibel
Ueber keuschem Lebenswandel.

ANKLAGE UND ABRECHNUNG

Möge keine fromme Schwester,
Die des Büchlein's Titel sieht,
Einen Psalter in ihm suchen
Oder sonst ein frommes Lied.

Daß ich mich noch nicht bekehret,
Zeigt euch hier der erste Blick;
Denn von meinen Hekatomben
Werden keine Götter dick.

Schöner ist es, wenn der Sänger
Menschlich unter Menschen weilt,
Als daß er die Kirchenwände
Und die Sterne lange weilt.

Meine Verse sind der Jungfrau
Und dem Jünglinge geweiht,
Nicht will ich, daß eine Alte
Zahnlos sie zum Himmel schreit;

Denn es flieht die Kunst die Kirche
Seit sie von den Menschen flieht,
Und die Wagen der Barbaren
Ueber Cäsar's Enkel zieht.

Gerne will ich drauf verzichten,
Daß ein König an mich schreibt,
Wenn es nur ein schönes Mädchen,
Mir die Hand zu drücken, treibt,

Oder daß ein deutscher Jüngling,
Sich in Feindeshaufen stürzt,
Um ein ewig Leben ringend,
Das ein heilger Tod verkürzt.

Mir sind Felsen, Wald und Bäche
Lieber, als die Kaiserburg,
Edler ist es freier Sänger
Als bei Hof ein Dramaturg,

Und ich hab' ein höher Streben,
Und bei Gott! ein höher Ziel,
Als das Lob der „Allgemeinen"
Für ein Laub'isch Hackbrettspiel;

Oder daß man wie ein Zedlitz
Oestreichs Siegeslieder grunzt,

Denn die Dichtung ist kein Hausknecht
Und kein Sekretär die Kunst.

Dirkes Schwan verschmäht's, der Rabe
Von Radetzky's Sieg zu sein,
Und der Pegasus erniedrigt
Nie sich als geflügelt Schwein. –

Durch die Erde will ich schweifen,
Wie ein and'rer Childe Harold,
Bald am Ufer, wo die Limmat
Ueber klare Kiesel rollt,

Bald in kräuterreichen Thälern,
Bald auf nackter Felsenwand,
An verlorne Liebe denkend
Und verlornes Vaterland.

Franz von Sickingen

Kommst du Wanderer! nach Landstuhl,
Stelle hin den Wanderstab,
Und dein Haupt entblöße Ehrfurcht,
Denn dort steht ein heilig Grab.

Unser bester Ritter streckte
Dort der Freiheit letzte Waffen,
Die er ruhmvoll für das Reich trug
Gegen Fürsten und die Pfaffen.

Gegen Volk und Freiheit einig
Ist Pallast und Gotteshaus;
Denn es hackt ja keine Krähe
Einer andern Augen aus.

Statt des Chorhemds einen Panzer,
Statt des Kelchs und der Monstranze
Führt die Linke einen Zügel
Und die Rechte eine Lanze.

Unter seinen frommen Schenkeln
Seufzt das reichgeschmückte Thier –
Also zog mit Pfalz und Hessen
Jener Erzbischof von Trier

Gegen Landstuhl, um dem Ritter
Ein Levitenamt zu lesen,

Weil er neulich nicht gar freundlich
Bei ihm auf Besuch gewesen.

Auf der Veste spielt die Orgel
Das Geschütz des Ritters Franz,
Und es betete ein Mancher
Seinen letzten Rosenkranz.

Von der Kanzel, deren Bau er
Noch zur rechten Zeit erledigt,
Hält er zu des Bischofs Messe
Eine wohlerwog'ne Predigt.

Aber ach die neuen Mauern
Brechen endlich doch entzwei,
Denn es ist des Pfaffen schlimmes
Kriegsgeräth gerad' so neu.

Und ungläubig wünscht die Bresche
Selber einzusehn der Ritter,
Eine Kugel trifft den Balken,
In die Seite ihn ein Splitter.

Siegreich ziehen jetzt die Fürsten
Ein in das gebroch'ne Schloß,
Der von Pfalz und der von Hessen
Und ihr frommer Bundsgenoß.

Noch recht zeitig kommen jene,
Des Besiegten Hand zu drücken,
Als jedoch der Bischof nahn will,
Kehrt er sterbend ihm den Rücken.

Anerkennend gab der Sieger
Ihm ein ehrend Grabgeleit.
Damals galt noch nicht das Standrecht
Für des Feindes Tapferkeit,

Und kein Krieger war so elend
Den besiegten Feind zu morden,
Freilich durch die Hohenzollern
Ist es anders jetzt geworden.

Sonst galt königlich für edel
Heute gilt es für gemein,
Und es schämte sich ein Stallknecht
Solch ein deutscher Fürst zu sein.

Baden, das des Atreus Gräuel
An dem eignen Fleisch erneute,
Lacht beim Brande seines Landes
Hohn mit einer Nerosfreude.

Und es hat die Hand von Habsburg
Sich in Ungarn so befleckt,
Daß kein Hund mehr aus derselben
Den geschenkten Brosam leckt.

Sind das, Herr Gott! deine Gnaden,
Habsburg, Hohenzollern, Baden,
So bewahre uns vor Hunger,
Cholera und deinen Gnaden!

Sonnett auf Ulrich von Hutten

Wo windbewegt die Weiden Ufnaus schwanken,
Dort liegt ein Mann, sein Grab kann man nicht sagen,
Deß Herz hoch wie ein Römerherz geschlagen,
Ich meine hier den ritterlichen Franken

Voll trotziger erhabener Gedanken,
Der, was nur Herbes kann am Leben nagen,
Armuth und Krankheit, Hunger, Frost ertragen,
Für Deutschland, das unwürdig ihm zu danken,

Kein Kreuz auf seinem Hügel ihm errichtet.
Der Hunne hätte einen Haufen Stein,
Der Gäle einen Karn ihm aufgeschichtet.

Ein jedes Volk ehrt seine Patrioten,
Das deutsche Volk, das sie verfolgt, allein
Läßt ungekannt die Gräber großer Todten.

Luis de Camoëns

Manchem ist die Jugend golden,
Und das Alter wird ihm erzen,
Denn die Hoffnung und die Täuschung,
Ist das Loos der Menschenherzen.

Muth und Jugend in den Sehnen
Schifft der Dichter der Lusiade,
Seines Ruhmes Bahnen suchend,
Durch des Meeres nasse Pfade.

Schon sieht er die gold'ne Rückkehr
Von des Reichthums Stapelplätzen,
Sich als andern Vasko Gama
Ueberreich an Ruhm und Schätzen.

„Lissabon begrüßt am Hafen
Der Levante Ueberwinder
Mit den goldgezäumten Hengsten,
Ein Geschenk besiegter Inder.

Und sein König sammt dem Hofstaat
Steht an des Pallastes Pforte,
Ihm zu danken fehlen seinem
Königlichen Mund die Worte.

Endlich spricht er: kann ich besser
Meinen Camoëns belohnen?
Flechte meiner Blumen schönste
Noch in deine Loorbeerkronen.

Was das Mißgeschick getrennt hat,
Das verbinde meine Gnade,
Camoëns sieh deine Gattin,
Deinen Gatten sieh Almade."

Also schmückt er seine Hinfahrt
Mit den Träumen hoher Ehre,
Und durchfurcht des Westens öde
Und des Ostens stille Meere.

Wenig Jahre später wirft ein
Schiff vor Lissabon die Anker,
Kranken Leibs und kranker Seele
Steigt an's Land ein Doppelkranker.

Abends zwischen Licht und Dunkel
Geht er durch die Hauptstadt weiter,

All' Gepäck trägt ein Malaie,
Seines Mißgeschicks Begleiter.

Keine Seele in der Menge
Geistesloser Müssiggänger
Denkt jetzt an den heimgekehrten
Armen, schätzelosen Sänger.

Und das Mädchen seiner Träume,
In der Fülle eitlen Schimmers,
Hält den Treuschwur längst für Thorheit
Eines jungen Frauenzimmers.

Doch wer Städte sieht und Länder
Und der Menschheit niedres Trachten,
Stört sich nicht an Kleinigkeiten,
Denn er kann die Welt verachten.

Aber sah er Reiche blühen
Und sein Vaterland verfallen,
So empfindet er den tiefsten
Und den schönsten Schmerz von allen.

Dieser drückte der Verzweiflung
Wirre und verzerrte Male
In des Dichters stolze Züge,
Als er starb im Hospitale.

Armer Dichter, welche Qualen
Drückten erst dein Sterbekissen,
Sähst du wie ein deutscher Sänger
So dein Vaterland zerrissen.

Wie die Rosse der Tyrannen
Aus den blut'gen Strömen tranken,
Wie am Sterbebette Deutschlands
Sie um seine Lappen zanken.

Richter sind die Ungerechten
Und verurtheilt die Gerechten,
Kerker baut man für die Guten
Und Palläste für die Schlechten.

Staub von ihren Füßen schüttelnd
Flieht die Wahrheit vor den Thoren,
Nur bei den Spionen finden
Ihre Klagen offne Ohren.

Flüchtig müssen die Verrathnen
Durch die fremde Erde irren,
Die Verräther schwelgen fröhlich
Aus den heimischen Geschirren. –

Laß mich Tod nicht eher sterben,
Um dies eine will ich flehen,
Bis ich Deutschlands Ruhm und Freiheit,
Deutschlands Einigkeit gesehen.

Bei Lassaulx Rede in der Amnestiefrage

Suchet Federn auf den Schweinen,
Pomeranzen auf den Fichten,
Oder eine gute Strophe
In den Gossmann'schen Gedichten,

Ehrgefühl bei deutschen Fürsten,
Griechisches Profil bei Affen,
Alles könnt ihr eher finden
Wie den Edelsinn bei Pfaffen.

Auf den Professor x

Seine Frau sah lang vergebens
Eine Kammer nach der andern!
Frisch gewählet, um die Wege
Aller andern auch zu wandern.

Niemals wollte ihrem Gatten
Eine einz'ge Wahl gerathen,
Immer stand er auf der Liste
der gestrichnen Kandidaten

Aber wer sich nicht nach Frankfurt
Zu Sankt Paulus weiß zu bringen
Wird vielleicht doch noch für Erfurt
Die ersehnte Wahl gelingen.

So bekam der Vielgeprüfte
Noch vor Thorschluß seinen Sitz
Eine Rolle im Theater
Unsres Bürgers Radowitz

Seine Frau hat ihm den grünen
Tisch Herrn Mohls sich angeeignet
Um ihn vorher einzuüben
Wenn vielleicht sich was ereignet.

Einen Sessel frisch gepolstert,
Daß er weich drauf sitzen kann,
Denn er hat ja einen Hintern
Trotz Minister Ringelmann.
(unveröffentlicht)

Warum nach Erfurt?

Freund! du frägst, warum nach Erfurt?
Ei das weiß ja jedes Kind,
Daß man sieht, wie große Esel
Unsre Professoren sind.

Auf Fugger's Tod!

Des Morgens, als noch Dämmerlicht,
Auf Landau's Dächern lag,
Als scheuten sie das Angesicht
Vom lichten freien Tag,

Brach über ihm den Stab entzwei
Ein bairischer Profos,
Ein Kriegsknecht zählet und auf drei,
Da knallt die Büchse los.

Das Hirn bespritzt des Walles Wand,
Durchlöchert ist das Herz,
Es bricht das Knie, es sinkt die Hand –
Es war der elfte März.

Vergiß mein Volk nicht diesen Mord,
Nicht diesen Tag und spricht
Dir jemand noch von Fürstenwort,
So spei ihm in's Gesicht.

Jetzt aber kömmt es an den Tag,
Wer Deutschland haßt und liebt,
Das ist die Zeit, die Zeit der Schmach,
Wo man den Waizen siebt.

Noch wird ein Tag der Rache sein,
Er kömmt, wenn er auch hinkt,
Wo unser Schlachtroß aus dem Rhein
Und aus dem Neckar trinkt.

Wann unsre Fahne schwarzrothgold
Im frischen Rheinwind wallt,
Nach Frankfurt die Kanone rollt,
In Wien die Büchse knallt,

Wenn es in Dresden kracht und stürmt,
Die Herrn aus Karlsruh fliehn,
Und sich die Barrikade thürmt
Vom Pflaster in Berlin.

Hurrah! die Flinte ausgekretzt,
Den Hahn geschmiert zum Spannen
Patrone in den Lauf gesetzt,
Das Pulver auf die Pfannen.

Das Lustspiel geht zum letzten Akt
Mit manchem Kaisertraum,
Die Freiheit wird nicht umgehackt
Mit einem Freiheitsbaum.

Das Volk steht auf, der Sturm bricht los,
Wird's durch Europa schallen,
Und wie die Mauern Jerichos
Wird jed' Zwinguri fallen.

Von dem Ural zum Apennin,
Vom Tajo bis zum Ister
Tönt unsere Parole hin:
„Die Völker sind Geschwister!"

Kein Krieger wird die Arme mehr
Zum Brudermorde bieten,
Und vor den Völkern macht das Heer,
„Gewehr in Pyramiden." –

Ich weiß der Freiheit Stunde schlägt,
Ich seh' das Richtschwert blinken
In ihrer Rechten und sie trägt
Den Lorbeer in der Linken,

Den wird sie als den schönsten Lohn
Der Helden Stirnen schenken,
Und ein noch grünend Reis davon
In Fuggers Hügel senken.

An die deutschen Fürsten!

Warnend hat die dunkle Zukunft
Schon an euer Thor geklopfet,
Aber, weil ihr ew'ge Thoren,
Habt ihr euer Ohr verstopfet.

Meint die Wahrheit ihr zu tödten,
Wenn ihr steinigt die Propheten.
Thoren ihr verfolgt die Männer,
Die vor euch die Wahrheit reden.

Krank vom Scheitel bis zur Zehe,
Seid ihr dennoch solche Gecken,
Daß ihr eure Aerzte hasset,
Weil die Mittel bitter schmecken. –

Das ist eine Zeit gewesen,
Die ein Narr zu deuten wußte,
Wo der Taube hören konnte,
Und der Blinde sehen mußte.

Ihr allein zu blind zum sehen,
Ihr allein zu taub zum hören,
Könnt euch nicht die Zeichen deuten,
Die sich gegen euch verschwören.

Hat für euch denn keine Lehren
Keinen Griffel die Geschichte?
Und erscheinen euch die alten
Zeiten nicht im Traumgesichte?

Wie die Henker die gesalbten
Locken eines Königs scheeren,
Wie der Trommel dumpfe Schläge
Ihm das letzte Wort verwehren?

Eurem Untergang wird Niemand
Unverdientes Mitleid spenden,
Denn so groß wie eure Sünden
Also groß ist das Verblenden.

Kommen werden einst die Tage
Eines schrecklichen Gerichtes,
Die Geschichte wird mit Füßen
Eines ehernen Gewichtes

Euch zertreten. Sammt dem Volke,
Das ihr schwächt an allen Nerven,

Wird man euch in eine Grube
Wie ein Aas zum Aase werfen.

Nein, ihr seid nicht deutschen Blutes,
Ihr seid ächte Byzantiner,
In dem eignen Haus Tyrannen
Und im Ausland Kammerdiener. –

Oder es wird euer Thronstuhl
Eines Danton Rednerbühne,
Und ihr fallt dem langgetäuschten
Volke zur gerechten Sühne.

In den prächtigen Gemächern
Eurer königlichen Frauen
Wird die tagesscheue Eule
Ihre schmutz'gen Nester bauen.

Wo Musik zur Tafel schallet,
Wird ein armer Hirte blasen,
Wo man Trüffeln aufgetragen,
Werden einst die Ziegen grasen,

Brombeersträuche überranken
Eurer Säle Marmorboden,
Mückenschwamm und Schöllkraut wuchern
Auf den Gräbern eurer Todten.

Und kein andrer Schmerz der Wehmuth
Wird der Nachwelt Brust durchdringen,
Als daß großer Künstler Werke
Eurethalb zu Grunde gingen.

Aber Deutschlands Banner werden
Ueber Moskau's Zinnen wehen,
An dem Nordpol und am Südpol
Soll der Freiheit Grenze stehen!

Große Barrikade vor dem kölnischen Rathhause zu Berlin in der Nacht vom 18. zum 19. März 1848.

In seinen Gedichten feierte Konrad Krez den Barrikadenkampf der Revolutionäre und Aufständischen von 1848/49 als zukunftsweisende Freiheitstat. Wie überall wehten auch in Berlin anläßlich der Märzrevolution 1848 die schwarz-rot-goldenen Fahnen auf den Barrikaden, gegen die die Fürstenheere anstürmten.

Aufruf zum Kampf!

Zu den Waffen, zu den Fahnen,
Unser Banner sei entrollt,
Durch die freien Lüfte flatt're,
Freudig unser Schwarzrothgold!

Glück dem Guten, Krieg dem Schlechten
Und ein großes Vaterland!
Jedes Vorrecht sei zerrissen,
Jeder Königsthron verbrannt!

Kaiser sei der letzte Bettler,
Und ein Herr der letzte Knecht,
Und kein ander Recht soll gelten,
Als das ew'ge Menschenrecht!

Kommt ihr Armen, ihr Betrübten,
Kommt wir theilen Liebe aus,
Und es sei fortan die Erde
Ihrer Kinder wohnlich Haus!

Freut euch ihr gebund'nen Sklaven
Eure Fessel bricht entzwei,
Freue dich, gefang'ne Unschuld
Deines Kerkers wirst du frei.

Hört die Waisen, seht der Bräute,
Der verlass'nen Wittwen Gram,
Wie die Tyrannei den Vater,
Bräutigam und Gatten nahm.

Seht die Mutter schwarz gekleidet,
Die nicht laut mehr klagen darf,
Daß die Söhne man gemordet
Und in ew'ge Kerker warf.

Seht den Vater! Mit der Ohnmacht
Thränen netzet er sein Brod,
Seinen Sohn, der Gnade flehte,
Schlugen sie mit Kolben todt.

Seht doch die Verbannten! Einer
Gibt verzweifelnd sich den Tod,
Einer bettelt und der andre
Zehrt sich ab in Gram und Noth.

Seht doch die Gefang'nen! Ihre
Thräne höhlt den harten Stein,
Aber in das Herz der Fürsten
Frißt sich kein Erbarmen ein.

Seht die Galgen, unter denen
Oestreichs Helden ausgehaucht,
Seht nach Rastatt, das vom Blute
Der gefall'nen Freiheit raucht!

Frisch voran! Trompeter blase,
Trommler trommle, es ist Zeit.
Zu dem Kampfe Geißeln Gottes,
Krieger der Gerechtigkeit.

Dortüs, Trütschlers Schatten winken
Tiedemanns und Robert Blums:
Besser wie ein knechtisch Leben
Ist der Tod des ew'gen Ruhms.

Julisäulen machen unsre
Namen einst der Nachwelt kund,
Und uns singt in ferner Zukunft
Noch ein schöner Frauenmund.

Begnadet zu Pulver und Blei 1849.

„Er behauptete eine natürliche Gleichberechtigung aller Menschen, und sprach von Rechten, welche Jeder auf seines Leibes und Lebens Nothdurft habe. Durch solche verderbliche Lehren reizte er die niedern Stände, die Unglücklichen und Armen zur Unzufriedenheit mit der bestehenden Ordnung und zur Empörung gegen die von Gott eingesetzte Obrigkeit."

Fazit der Erhebung von 1849: Der tote Revolutionär nach der standrechtlichen Erschießung, ein Schicksal, das auch Konrad Krez zugedacht war. Der Bildtext gibt sich den Anschein, die obrigkeitliche Empörung gegen die Ideen der Freiheit zu vertreten. Aber nicht verboten war es, den Text auch kritisch und gegen den Strich zu lesen.

Es soll kein Loos verbittern
Mir heitere Gefühle,
Denn Freund! nach den Gewittern
Folgt angenehme Kühle.

Es wird der Tag noch scheinen,
Wo die Trojaner enden,
Dein Lachen und dein Weinen
Wird nicht das Schicksal wenden.

Wozu in süße Gaben
Die bitt're Thräne pressen?
Was wir verloren haben,
Das müssen wir vergessen.

So schön ist dieses Leben,
Daß wir es lieben müssen.
Noch winken uns die Reben
Und Lippen werth zu küssen.

Die faltenlosen Wangen
Sind frisch, wie junge Bäume,
Der Zukunft Zweige hangen
Noch voller süßer Träume.

Noch ist der Kelch nicht trocken,
Den uns die Freude reichet,
Und keine unsrer Locken
Hat noch die Zeit gebleichet.

Abschied

Noch einmal füllt die Schalen,
Mit Rheinwein anzustoßen,
Noch einmal schmückt die Schläfen
Mit heimathlichen Rosen;
Schon morgen werden tönen
Die Rufe der Matrosen.

Für eure Blumen dank' ich,
Ihr heimathlichen Matten,
O Strom, für deine Wellen
Die mich umflossen hatten,

Ich danke dir, o Heimath
Für deiner Ulmen Schatten!

O möge nie der Himmel
Mit seinen Gaben geizen,
Kraft geb' er deinen Söhnen
Und deinen Töchtern Reize,
Und Segen deinen Trauben
Und Fülle deinem Waizen.

Ihr Mädchen schmückt mit Kränzen
Die Gräber unsrer Braven,
Und pflanzt die Trauerweiden,
Wo unsre Helden schlafen,
Singt preisend: „Schöner unter
Den Todten wie den Sklaven."

Ihr Väter lehrt die Söhne
Die schmucke Flinte fassen,
Erzählt von schönen Thaten,
Vom Schlachtfeld in den Gassen,
Lehrt sie die Freiheit lieben
Und die Tyrannen hassen,

Bis wir einst wieder kommen,
Wenn, wie der Herbst die Schwalben
Die Freiheit ihr zerstreutes
Heer sammelt allenthalben,
Vom Ufer her des Meeres
Und von dem Kamm der Alpen.

Dies sollt ihr meinem Volke
Zu Haus, ihr Freunde sagen;
Wenn aber schöne Mädchen
Nach ihrem Dichter fragen
So sei euch, sie zu küssen
Statt meiner, aufgetragen.

Ach! tröstet meine Mutter
So lebt nun wohl! Jetzt spanne
Matrose deine Segel,
Denn leer ist meine Kanne,
Voll frischen Muths mein Busen:
Die Welt gehört dem Manne!

In den unruhigen Jahren 1848 und 1849 stand das Auswandern auf der Tagesordnung. Mit einem dieser Auswanderungsschiffe erreichte auch Konrad Krez in New York das Land seiner neuen „Hoffnung".

V
Die Emigration nach Amerika

Die Emigration in die Vereinigten Staaten von Amerika lag für die jungen Revolutionäre nahe, da die Vereinigten Staaten, im Namen Amerika auf den Begriff gebracht, das einzige Staatengebilde mit republikanischer Verfassung waren, die jeden Fremden aufnahmen und ihm die Chance eines Neubeginns boten. Dabei war gerade die Flucht nach Amerika eine schicksalshafte Entscheidung, die einer gänzlichen Lösung von der Heimat, Deutschland und Europa gleichkam. „Bis wir einst wiederkommen", heißt es im „Abschied", dem letzten Gedicht des „Gesangbuch". Nicht alle waren geneigt, sich in einer fremdsprachigen Welt, die selbst in einem Umbruch, einer ständigen Ausweitung und Veränderung begriffen war, eine neue Existenz zu erarbeiten. Viele der „Färschtekiller", (Fürstentöter), wie die Achtundvierziger (und Neunundvierziger) in Amerika scherzhaft genannt wurden, gaben sich auch dort lange der Illusion hin, eines Tages zurückzukehren – zumindest, wenn die Träume der Jugend daheim Wirklichkeit geworden sind. Andere emigrierten in die Schweiz, blieben in Frankreich oder gingen, wie Ferdinand Freiligrath, nach England.

Konrad Krez gelangte im Januar 1851 nach New York. Die Stimmung der Überfahrt beschrieb er in einem Gedicht „Der Traum" (für die „Schnellpost"), das in keinem der Gedichtbände erschien. In ihm zeichnet er das Bild eines Wunschtraums vom heimischen Paradies, den der Überfahrende auf seiner harten Schiffsmatratze träumte. Europa ist ein Bund freier Staaten mit prosperierender Wirtschaft. Der Dichter aber lebt mit seiner Gattin in einer Liebes-Idylle. Meint der Träumende nach dem Erwachen noch „Wär ich ertrunken, eh er geendet!"

Im Gedicht „Heimweh" wird die Stimmung des Emigranten überdeutlich – aber das heißt im Sinne von Konrad Krez in seiner Vermischung von Gefühl und Verstand, daß er eingangs meint: „Lust und Leben flieht, wenn ich deiner gedenke, Heimischer Boden!" Sein Schmerz wächst am Verlust der Freunde und seiner Lieben. Dann aber siegt der Lebensmut, das Selbstbewußtsein. Er spricht sich selbst im Heimweh und im Blick zurück Mut zu für die Zukunft: „Nein! Du verdirbst nicht, Saat vom Sturm verjagt; zu blühen und Frucht zu tragen, wird dir bestimmt sein." Später hat sich Krez in Gedichten in Landauer Mundart über die Überfahrt und die erste Zeit in New York lustig gemacht. Er schrieb „Pfälzische Briefe, die der Schakob nach seiner Ankunft in Neuyork an einen guten Freund heimschreibt – in Landauer Hochdeutsch". Erhalten ist nur ein Blatt mit einem ersten Teil eines Gedichts. Nach Krezens Tod hat seine Frau diese Gedichte an seinen Freund Cornelius David nach Frankenthal geschickt (siehe Brief von A. Krez vom 4. Mai 1899).

Krez setzte in New York seine rechtswissenschaftlichen Studien fort, die er offensichtlich bald beendete. Schon zuvor wird er wohl im Büro des aus Speyer stammenden Rechtsanwalts Johann Adam Stemmler wie ehemals in Landau als Gehilfe tätig gewesen sein. Schon 1852 heiratete Krez Adolphine, die Tochter seines Brotherren, seine geliebte Addie. In dem Poem „An Addie", dem Eingangsgedicht des zweiten Teils („Später" genannt) der Sammlung „Aus Wisconsin" gibt er seinem Glück Ausdruck. Vier Töchter und drei Söhne entsprossen dieser glücklichen Ehe. Aus einigen Aufzeichnungen aus dem Jahre 1853 läßt sich ein wenig über die Lebensumstände der jungen Familie sagen.

Krez erhielt von Stemmler, bei dem er als Anwalt angestellt war, zuerst rund 40 und dann rund 50 Dollar Gehalt. In den Anfangszeiten überstiegen die Ausgaben manchmal die Einnahmen. Über seine Ausgaben führte Krez minutiös Buch, seien es die Kosten für die (einmal im Monat durchgeführten) Spaziergänge größeren Stils, wir würden „Ausgehen" dazu sagen: 0,53 Dollar. 10 Dollar gab er seiner Frau im Juli 1853 für ihre Niederkunft mit dem ersten Kind. Im August traf er mit seinem Schwiegervater eine neue Übereinkunft, „eine neue Einrichtung, über das Hauswesen", welche darin bestand, daß ein jeder die Hälfte der Auslagen (Haushaltungskosten) von 6 Dollar pro Woche bestreitet. Das ergab bei Gehaltszahlung Auslagen von 24 Dollar für den kommenden Monat, also rund die Hälfte seines Einkommens. Bemerkenswert ist, daß sich der junge Anwalt auch in Amerika als lesewütig und politisch interessiert zeigte: Die Monatsrechnung für Januar 1854 wies 0,50 Dollar für Magazine, dann je 0,25 Dollar für „Scientific American", „Yankee Nations" und den „National Democrat" aus.

Daß er in Amerika, wo er selbst in bescheidenen Verhältnissen lebte und für seinen jungen Hausstand mit Frau und Kind sorgen mußte, auch an seine Mutter dachte, bewies die Eintragung, daß er im Oktober 1853 seiner Mutter zehn Dollar schickte.

1854 machte sich Krez selbständig und siedelte mit seiner Familie nach Sheboygan im Staat Wisconsin über, wo er sich als Anwalt schnell einen guten Ruf verschaffte und für die Erledigung von Zivilsachen eine Berühmtheit wurde. Bereits 1856 wurde er von der Stadt zu deren juristischem Berater und Rechtsvertreter gewählt, ein Amt, das er bis 1859 bekleidete, um im Anschluß daran von 1859 bis 1862 als gewählter Rechtsvertreter des Districts zu wirken. 1860 und 1861 betätigte sich der überbeschäftigte junge Rechtsanwalt auch als Herausgeber der deutschsprachigen „Sheboygan-Zeitung". (Heß S. 260/61)

Ivory Finish,
G. M. Groh & Bro., Sheboygan, Wis.

In kurzer Zeit wurde Konrad Krez in den Vereinigten Staaten ein angesehener Anwalt, der auch in seiner neuen Heimat für Demokratie und Gerechtigkeit stritt. Noch in New York heiratete er die Tochter seines aus Speyer stammenden Arbeitgebers, Rechtsanwalt Stemmler, Adolphine (Addi) Stemmler.

Über die deutschen Emigranten in den Vereinigten Staaten von Amerika und ihr Verhältnis zur amerikanischen Innenpolitik

Die politischen Interessen in den Vereinigten Staaten waren schon vor der Ankunft der „Achtundvierziger" in zwei Lager gespalten: in die konservativen Whigs und die liberalen Demokraten. Die Verhältnisse in Wisconsin waren für die Vereinigten Staaten, besonders für die Nordstaaten typisch und können als exemplarisch bezeichnet werden.

Die Whigs wehrten den deutschen und anderen Neusiedlern, die in Wisconsin mehr als die Hälfte der Bevölkerung ausmachten, das Wahlrecht. Der begüterten Klasse angehörend, begriffen sie sich in ihrer anglikanisch-puritanischen Tradition als die amerikanischen Repräsentanten schlechthin, deren Macht es in einer starken Machtkonzentration der Bundesregierung gegen die gleichmachenden Tendenzen der Demokraten zu stützen galt. Ebenso vertraten die Whigs die Forderung, alle Einwanderer von den öffentlichen Ämtern auszuschließen.

Die beiden Flügel der Demokraten traten den Einwanderern freundlich gegenüber. Die Anhänger der Jeffersonschen Prinzipien von Freiheit und Gleichheit der Menschen folgten diesen philosophischen Grundsätzen, während die breite Volksmasse der Demokraten ihrem menschlichen Gefühl folgte, daß die Armut stets mit den Unterdrückten zu sympathisieren habe. Vor allem die gebildeten Einwanderer fanden in Jeffersons Doktrinen jene Grundsätze wieder, für die sie in ihrer Heimat so tapfer aber erfolglos gekämpft hatten. Dabei war das Lager der deutschen Einwanderer keine geschlossene Formation, die es verstand, ihre zahlenmäßige Stärke politisch einzusetzen. Neben denen, die sich wie Konrad Krez schnell in die Gesellschaft integrieren ließen, gab es jene resignierenden Flüchtlinge, die sich als Märtyrer der deutschen Revolution betrachteten und ständig von der Rückkehr träumten. „Wann's wieder los geht!", war der Satz, der ihre Hoffnungen ausdrückte und ihre wahre Situation verschleierte. Für die besitzenden Flüchtlinge war der bescheidene Wohlstand in Amerika schnell aufgezehrt. Diese Lage oder gar schiere Armut verlangten eine grundsätzliche Hinwendung zur neuen Lebensform und Heimat, zu Beschäftigungen, die nur selten der Bildung und dem in Deutschland ausgeübten Beruf entsprachen. So erbrachte nur die Selbstüberwindung, sich über einen sozialen Abstieg die angestrebte Position zu erarbeiten, die eigentliche Bewährung. Dieser Lebenskampf ließ nicht wenige Emigranten scheitern. Dabei gab es unter den Deutschen anstelle der erhofften Einheit religiöse und weltanschauliche Zersplitterung, zumal die Alt-Einwanderer, die es schon zu einem gewissen Wohlstand gebracht hatten, den Emigranten von 1848/1849 nicht immer wohlwollend gegenüberstanden.

Eine strenge Spaltung in zwei Lager brachte die Auseinandersetzung über die Sklavenfrage, die 1854 zur Gründung der Republikanischen Partei führte, in die Gruppen aller vorherigen Richtungen integriert wurden. Das einigende Band ihrer Mitglieder war der Glaube an die unveräußerlichen Menschenrechte, die in der „Bill of Rights" niedergelegt worden waren. Nach ihnen war die Sklaverei moralisch ein Unrecht, politisch ein Irrtum und praktisch ein Unglück.

Viele der deutschen Amerikaner trennten sich nur ungern von den Demokraten, ihrer Traditionspartei. Aber annähernd geschlossen gingen die Achtundvierziger, die „Grünen" (Greenhorns), wie sie verächtlich von den Alteingesessenen genannt wurden, in das republikanische Lager über. Für die „Grauen", die zumeist aus unpolitischen Gründen in Amerika eine neue Heimat gesucht hatten, waren die Republikaner nur die Fortsetzung der alten Whigpartei mit ihrer dem nichtenglischen Element feindlichen Gesinnung, die den verhaßten Prohibitions- und Zwangsgesetzen zuneigte.

Eigentlich saßen die Achtundvierziger zwischen den Stühlen, denn so sehr sie sich mit aller Kraft auf die Seite der Republikaner stellten, so sehr tendierten sie zu den Jeffersonschen Ideen, deren liberale Grundsätze allerdings von den Demokraten selbst nicht immer eingehalten wurden. Die Demokraten wollten die Sklavenfrage im alten demokratischen Sinne als persönliche Angelegenheit behandelt wissen und nicht durch eine staatliche Intervention in die individuelle Handlungsfreiheit.

Das ursprüngliche gute Verhältnis der Achtundvierziger zu den Demokraten machte zudem die alten Whigs mißtrauisch gegen die neuen deutschen Gesinnungsfreunde in der Sklavenfrage – obwohl es gerade die deutsche Haltung war, die wesentlich zum Sieg der Republikaner beitrug. Das Wahlprogramm der Republikaner beinhaltete die Stärkung der Union gegenüber den Einzelstaaten und die Ablehnung der Sklaverei. Wie bereits im Wahlkampf für Abraham Lincoln, so trat nach dem Ausbruch des Bürgerkriegs (1861–65), der eigentlich ein Kampf gegen die Sezession (Abtrennung) der 11 Südstaaten von der Union war, der größere Teil des deutschen Elements in den USA für die intakte Erhaltung des neuen Vaterlands ein. Keine im Bereich der Union vertretene Nationalität verstand besser als die Deutschen, daß diese Abspaltung eine Fehlentscheidung war, die sich gegen die Einheit richtete. Die Sezession war eine Revolution, die nicht für Freiheit und Menschenrecht, sondern zugunsten von Unfreiheit und Unterdrückung unternommen wurde. Zudem war die Mehrzahl der Deutschen – und unter ihnen besonders die Achtundvierziger – in unseliger Erinnerung an den deutschen Fleckenteppich der Kleinstaaterei dem Grundsatz der absoluten Einzelstaatensouveränität der Unionspartner, der von den Demokraten des Südens vertreten wurde, abgeneigt.

Konrad Krez als „Vordenker" der Deutschen in den USA

Ein bislang nicht ausgewertetes Dokument über das politische Engagement von Konrad Krez in seiner Handschrift, das sich unter den Papieren des Nachlasses befindet und in englischer Sprache geschrieben ist, gibt Aufschluß über die politische Haltung der progressiven Wisconsin-Deutschen. Die Tatsache, daß diese ausführliche Grundsatzerklärung von Krez selbst geschrieben und damit wohl auch allein verfaßt wurde, beweist – ebenso wie wenig später die Aufstellung des Freiwilligenregiments und seine Ernennung zu dessen Befehlshaber und Oberst – daß Konrad Krez unter den politischen Wisconsin-Deutschen eine führende Rolle spielte. Es ist anzunehmen, daß dieses Schriftstück im Rahmen der politischen Auseinandersetzung über die Sklavenfrage und damit der Durchsetzung der republikanischen Partei entstanden ist. Das Papier wird zwischen 1855 und 1859 entstanden sein. Die Schrift ist zudem ein Dokument der politischen Sammlung der Deutschen, auch um die Interessen der deutschsprachigen Einwanderer in der neuen Heimat in die Waagschale der Politik werfen zu können. Für Krez versteht es sich sozusagen von selbst, daß er sich für eine radikale Verwirklichung der Grundrechte einsetzt, wie sie in der Verfassung niedergelegt waren, – auch wenn er es politisch nicht für opportun hält, die Sklavenfrage „mit einem Schlag" aufzuheben.

VERPFLICHTUNG (Sign)

Indem sie als wahre Freunde der republikanischen Freiheit und als besorgte Verteidiger der demokratischen Institutionen einen großen Teil des amerikanischen Volkes darstellen, werden die freien Deutschen ihre Pflicht gegenüber ihrem neuen Vaterlande erfüllen und sich deswegen vereinigen, um die großen Prinzipien der Unabhängigkeitserklärung sowie der Verfassung zu verwirklichen und alle ihre Feinde zu bekämpfen.

Sie beabsichtigen nicht, sich durch die Bildung einer ihnen nützlichen Organisation selbst von ihren angloamerikanischen Mitbürgern abzutrennen, im Gegenteil, es ist ihr besonderer Wunsch, sich auf eine wirksame Art und Weise mit allen wahren Amerikanern, d. h. allen wahren Anhängern der Republik, zu vereinigen. Diese vorbereitende (abtrennende) Organisation ist eine praktische Notwendigkeit, die aus der Verschiedenheit der Sprachen erwächst und ist prinzipiell für den Schutz der älteren deutschen Einwanderer (Einwanderung) gedacht, die Werkzeuge von Partei-Demagogen sind, und um ihnen einen angeseheneren Stand in der amerikanischen Politik zu verschaffen.

Unsere wichtigsten Ansichten sind in der folgenden Erklärung (platform) zum Ausdruck gebracht, die die Regel in der Ausübung unserer republikanischen Rechte sein soll. Wir erklären gleichermaßen, bei allen Gemeinde-, Staats- und Nationalwahlen nur solche Personen und Parteien zu unterstützen, die sich daran binden, unsere Prinzipien zu unterstützen oder die die beste Garantie ihrer Verwirklichung ohne Rücksicht auf andere Namen, Autoritäten und Übereinkünfte geben.

„PLATFORM OF THE GERMANS"
(Grundsatzerklärung der freien Deutschen)
1. Die Sklavenfrage

Obwohl wir übereinstimmen, daß Sklaverei einen politischen und moralischen Krebs darstellt, der durch alle republikanischen Kräfte zerstört werden muß, glauben wir nicht, daß es möglich oder ratsam ist, sie mit einem Schlag aufzuheben. Aber es ist unsere Pflicht als Menschen und Republikaner, die Ausdehnung der Grenzen der menschenquälenden Sklaverei zurückzudrängen, weil inzwischen keine Maßnahme ergriffen wurde, um ihre Abschaffung vorwärtszutreiben. Wir wollen wahre Zeugnisse des so oft versprochenen guten Willens sehen, um den Teufel auszutreiben, und wir wollen in besonderem Maße die ewiggültige Ausschließung der Sklaverei aus allen neuen Territorien [Gebiete, die sich den Vereinigten Staaten als neue Staaten anschließen W.D.] ohne irgendeinen Unterschied in der Behandlung der Territorien in dieser Frage. Diese Maßnahme unterstellen wir gänzlich der Macht des Kongresses. Wir sind umso mehr berechtigt, dies zu fordern, als eine republikanische Verfassung allen neuen Staaten garantiert wird und die Sklaverei tatsächlich weder ein republikanisches Element noch eine Notwendigkeit oder gar ein Bestandteil einer republikanischen Verfassung ist. Wir fordern weiterhin die Abschaffung aller Gesetze, die indirekt die Prinzipien und den Einfluß der Sklaverei in freie Staaten hineintragen, namentlich das Gesetz zur Wiedereinfangung von (entwichenen) Sklaven, das eindeutig im Gegensatz zu Recht, Verfassung, Ehre und Moral steht. Kurz gesagt fordern wir die strikte Einhaltung aller Freiheitsprinzipien in allen nationalen Fragen, und wir fordern ihre Verwirklichung in unseren Staatsangelegenheiten durch eine stufenweise Abschaffung der Sklaverei.

Religionsfragen

Wir denken, daß das Recht der freien Religionsausübung unverbrüchlich mit dem Recht der freien Meinung verbunden ist. Wir gestehen dem allereifrigsten Gläubigen (dem Bigottesten) die gleiche Freiheit zu, seine Überzeugung zu bekennen, wie dem allerungläubigsten Bürger, sofern die Rechte anderer nicht beeinträchtigt werden. Aber wir stehen im strikten Gegensatz zur (allmählichen) Lösung von den Prinzipien der Religionsfreiheit.

Religion ist eine private Angelegenheit und hat nichts mit Politik zu tun. Deswegen bedeutet es die Unterdrückung des freien Bürgers durch politische Meinungen, wenn religiöse Manifestationen oder Einmischungen im Gegensatz zu ihren (der freien Bürger) privaten Meinungen stehen. Deswegen vertreten wir die Meinung, daß (im Sinne öffentlicher Bekundungen) Sabath, Thanksgivingdays, die Gebete im Kongreß und in den gesetzgebenden Versammlungen, der Eid auf die Bibel, die Einführung der Bibel in den freien Schulen und die Ausschließung der sogenannten Atheisten von Justizverfahren öffentlich das Naturrecht und die verfassungsmäßigen Menschenrechte verletzten. Deswegen sind wir für die Abschaffung dieser Eingriffe der Religion in das öffentliche Leben.

Aber wenn es keine politische Einmischung in die religiöse Freiheit geben soll, umso weniger soll die Freiheit der Religion als Vorwand zur Bildung einer gefährlichen Organisation dienen, sozusagen einen Staat im Staat bilden. Dies darf besonders dann nicht gelten, wenn eine solche Organisation unter der Führung ausländischer Potentaten steht. Wir glauben, daß die Anerkennung der römischen Hierarchie in diesem Land antirepublikanisch ist. Ihre Standpunkte sind antidemokratisch und gefährlich.

Unsere katholischen Mitbürger besitzen so gut wie die Protestanten das Recht, ihre Religionslehrer auf demokratische Weise zu wählen, aber kein römischer Herrscher hat in diesem Land das Recht, sie (selbstherrlich) als seine Unterthanen und Werkzeuge einzusetzen. Die römischen Priester sind nicht in der Lage, ihre Pflichten, die ihnen aus ihrer Bürgerschaft erwachsen, zu erfüllen. Der Grund liegt in der Subordination (Gehorsams- und Unterordnungspflicht) unter ihren römischen Befehlshaber. Die gefährlichste Einschränkung ihrer Bürgerrechte ist die, daß sie unter ihrem Namen das Eigentum, das den Kirchen gehört, übertragen haben. Oft beläuft sich die Summe auf einige Millionen Dollars. Unterstützt durch solch wirksame Mittel haben sie ihren Einfluß durch das Geld zu einem höchst gefährlichen Grad der Macht verstärkt. Wenn wir annehmen, daß jeder katholische Priester ein Beauftragter ist, ist jeder gläubige Katholik ein Unterthan des Papstes.

*

(unveröffentlicht)

Aus dem amerikanischen Sezessionskrieg

VI
Konrad Krez im Bürgerkrieg

In einem Brief vom Juli 1862 schildert Krez seine Bemühungen, in seinem County Freiwillige für den Krieg gegen die Südstaaten zusammenzutrommeln. Er schreibt:

„Wir haben [seit Juni W.D.] für eine Zeitlang alles beiseite gelegt, um Truppen zusammenzubringen. In unserem County (haben wir) 800 Mann Freiwillige zusammengebracht aus einer Bevölkerung von 28 000 Seelen. Meine Freunde und ich sind von Ort zu Ort gegangen, um das Volk anzufeuern, seine Pflicht zu erfüllen, und ich glaube, daß, wenn es Noth thut, noch 500 Mann bereit sind, den Pflug und die Feder niederzulegen. Daß ich es bin, (davon) kannst Du überzeugt sein, denn lieber sterben als den Verrath siegen lassen, ist der Entschluß aller loyalen Herzen. Jetzt müssen wir bereits 400 000 Mann unter der Fahne haben, und die übrigen 100 000, die nöthig sind, um die Zahl, die der Präsident fordert, voll zu machen, werden bis Ende August auf den Beinen sein. Vielleicht bin ich dann unter denselben. Viele meiner alten Kameraden haben sich (gemeldet), Siegel ist bereits Generalmajor, ebenso Blenker, das will schon etwas heißen in einer Armee, wo der gemeine Soldat so viel Bezahlung hat als ein bairischer Lieutnant. Bis jetzt sind wir nicht so glücklich gewesen, als zu wünschen wäre, (denn) es hat an Offizieren gefehlt, die Erfahrung haben. Aber mit der Zeit wird unsere Armee so kriegstüchtig sein wie eine in der Welt, denn ich glaube nicht, daß es je eine Nation, Rom und Griechenland nicht ausgenommen, gegeben hat, die mehr kriegerischen Geist oder körperlich besser gebildete Männer gehabt hat. Wenn es die Franzosen und Engländer nicht glauben wollen, werden wir es denselben zeigen, sobald wir besser Zeit haben wie gegenwärtig und sogar die lausigen Spanier, die sich jetzt wieder batzig machen, weil sie sehen, daß wir zu Hause voll zu thun haben, werden (sich bescheiden), wenn wir die Rebellen nur erst gebändigt haben; und glaubt mir sicher, daß die Vereinigten Staaten zusammenbleiben. Wenn die Südlichen nicht unsere Mitbürger sein wollen, so müssen sie unsere Unterthanen werden. Die deutsche Misere der Zerstückelung, Ohnmacht und Armut des Volkes soll hier nicht wiederholt werden. Über die Ursache unserer Wirren will ich dir bloß weniges zum Verständnis (dessen), das du in der Zeitung finden magst, hinzufügen. Wie du weißt besteht unsere Nation aus bis zu einem gewissen Grade unabhängigen Gemeinwesen oder Staaten, die in allem souverän sind, was ihre eigenen Angelegenheiten betrifft, die aber weder das Recht haben, Krieg zu erklären noch Truppen zu halten oder noch das Münzrecht auszuüben das Recht haben, die keine Zölle erheben können ohne Erlaubnis der Vereinigten Staaten, weder Banknoten zwangsweise verkaufen noch verschiedenes Maß und Gewicht oder Bankrott und den allgemeinen Handel betreffende Gesetze machen oder einführen können. In allem, was das Allgemeine anlangt, die Vertheidigung nach außen, Verkehr und Verträge mit fremden Nationen, sind die Vereinigten Staaten ausschließlich souvrän, sie allein haben das Recht Eingangshäfen für Waaren vom Ausland zu bestimmen oder aufzuheben oder die Zölle zu kollectieren, alle Gesetze zu machen, die nöthig sind, die übertragene Gewalt auszuüben, ihre eigene Gerichte einzusetzen mit ausschließlicher Gerichtsbarkeit in allen Fällen, die unter (Bundes)-Gesetze fallen, und ihre eigenen Executivbeamte einzusetzen, die Urtheile zu vollstrecken. Die Post ist gleicherweise ein Vorrecht der Vereinigten Staaten."

Konrad Krez, der damit einen (noch weiter gehenden) Abriß der politisch-rechtlichen Verhältnisse der Vereinigten Staaten gibt, zu denen er sich bekennt, offenbart gleichzeitig damit den tieferen Grund für sein Engagement, da er als Achtundvierziger voll hinter der republikanischen Idee der starken Einheit steht.

Konrad Krez wurde in die Kompanie E des 27. Wisconsiner Freiwilligen-Infanterie-Regiments eingetragen und von Gouverneur Salomon zu dessen beauftragten Oberst (Colonel) ernannt. Am 16. März 1863 verließ das Regiment Wisconsin, um zur Westarmee zu stoßen, wobei es seine erste Erfahrung mit der Kriegswirklichkeit bei Satartia im Staate Mississippi erhielt. Dieser Kampf war von geringer Bedeutung, und das Regiment bewegte sich weiter auf Vicksburg zu, wo es General Kimballs Reserve-Division des 17. Korps zugeordnet war. Es erwarb sich große Verdienste, indem es die anfallenden Pflichten einer langen und mühseligen Belagerung bewältigte und war an der Kapitulation der Festung beteiligt. Danach wurde Oberst Krez' Regiment nach Helena befohlen und dem Kommando von General Steele unterstellt, unter dem es Anteil hatte an der Eroberung von Little Rock. Sie gelang gegen überlegene feindliche Kräfte durch einige sehr geschickte militärische Manöver und Schachzüge. Über einen dieser Schachzüge berichtete Krez in einem Brief an Cornelius David am 14. Oktober 1896:

„Den einen (Red River) im Süden hätte ich beinahe als Kriegsgefangener gesehen, als wir im Frühjahr 1864 ohne Lebensmittel zwischen zwei conföderierten Armeen eingeschlossen waren, wenn nicht unser trefflicher General Frederick Steele mit seiner Vorhut die Armeen, die uns den Weg verlegten, angegriffen hätte und während des Angriffs dann an denselben Armeen mit dem Gros seiner Truppen vorbei marschiert wäre und so aus der Vorhut die Nachhut gemacht hätte."

Der nächste Einsatz des Regiments galt der berühmten Red-River-Expedition, bei der die Truppen von General Steele sich bemühten, sich mit den Soldaten von General Banks zu vereinigen. Bei allen militärischen Aktionen und Unternehmungen leisteten die Männer von Colonel Krez wichtige Dienste. Nach der Red River-Expedition wurde sein Regiment dem Kommando von General Canby unterstellt. Mit drei anderen Regimentern war es ein Teil der Dritten Brigade der Dritten Division des 13. Armeekorps. Es war eine Auszeichnung für Oberst Krez, daß er dabei das Kommando über die gesamte Brigade erhielt. Eine neuerliche Bewährung stand seiner Truppe bei der Belagerung von Spanish Fort bevor. Sie mußte unter einem mörderischen Artilleriefeuer der Verteidiger vorgenommen werden, bis schließlich die Streitkräfte der Union am 9. April das Fort einnehmen konnten. Anschließend wurde Oberst Krez zu MacIntosh's Bluff befohlen. Dort eroberte er in bravouröser Art und Weise die conföderierte Marinewerft. Danach führte Krez seine Truppe wieder dem Kommando von General Steele zu, der nach Brazo Santiago im Staate Texas befohlen war. Von dort marschierte das Regiment nach Clarksville und anschließend nach Brownsville, wo es ehrenvoll ausgemustert und in die Heimat nach Wisconsin zurückgeschickt wurde. Am 29. August 1865 zog Krez vom Rio Grande in Texas wieder nach Norden. Schon am 26. März des Jahres war Krez für seine Verdienste in den Aktionen unter General Canby zum Titular-Brigadegeneral des Freiwilligenheeres ernannt worden (nach: Men of Progress, S. 489ff). In einer Würdigung seiner Tätigkeit und seiner Verdienste heißt es: „Die militärischen Dienste von Oberst Krez waren zu allen Zeiten von höchst rühmlicher Natur. Niemals drückte er sich vor irgendeiner Pflicht und war immer auf seinem Posten. In der Ausübung seiner militärischen Autorität verlangte er nie von seinen Männern dorthin zu gehen, wo er nicht selbst hingegangen wäre. Als Kommandeur war er diskret, energisch und immer tapfer."

(Men of Progress, S. 490)

Zur Erinnerung an die Belagerung von Vicksburg Miss. wurde ein Denkmal errichtet, auf dessen Namensplatte der Name von General Konrad Krez an der ersten Stelle steht.

Konrad Krez in den innenpolitischen Auseinandersetzungen nach dem Bürgerkrieg und als Führer der Deutschamerikaner

Sofort nach seiner Rückkehr nach Sheboygan wandte sich Krez wieder seiner Arbeit als Rechtsanwalt zu, dabei wurde er anschließend an die Vorkriegstätigkeit und seine Stellung im Bürgerkrieg als General, aber auch aufgrund seines politischen Wollens in der Verwirklichung der Freiheitsrechte der US-Verfassung, sozusagen gesetzmäßig, einer der profiliertesten Führer der Deutschamerikaner, der sowohl mit der politischen Argumentation als auch mit der kraftvollen Sprache des Dichters seine Landsleute anfeuern und vertreten konnte. Das lag auch darin begründet, daß in Wisconsin die Zahl der Bürger, die in Deutschland geboren waren oder in Amerika von rein deutschen Eltern abstammten, 69 Prozent betrug.

Während des Krieges stand Konrad Krez auf der Seite der liberalen Republikaner. Nach der Heimkehr bekämpfte er den konservativen Flügel

Konrad Krez verteidigte in Amerika neben den Institutionen der Demokratie seiner neuen Heimat auch die Interessen seiner Landsleute und deren kulturelles Bewußtsein. Schnell wurde er einer der Wortführer deutscher und skandinavischer Eltern für die Beibehaltung ihrer Muttersprache im Unterricht an Privatschulen. Für „Narrenlob" soll keiner die Muttersprache preisgeben, wie es Krez ausdrückte. (Faksimile „Gegen Kauderwelsch")

seiner eigenen Partei, die unter dem Präsidenten Ulysses S. Grant, einem Bürgerkriegsgeneral, die Hoffnungen der fortschrittlichen Kräfte nicht erfüllte. Die Grant-Verwaltung, die auch durch Ämterpatronage Staub aufwirbelte, versagte, und es setzte ein Wechsel von der republikanischen zur demokratischen Partei ein. Die abfällige Haltung der alten Whigs gegen die liberalen Republikaner und die schon zu den Demokraten übergeschwenkten Deutschamerikaner riefen eine antideutsche Stimmung hervor. Krezens Lösung von den Republikanern brachte das Graham-Liquor-Gesetz, das die persönliche Freiheit der Bürger und das Gewerbe der Brauer und Spirituosenhändler im puritanischen Geist einschränken wollte. Die Maßlosigkeit der Auswirkungen dieses Gesetzes rief den Widerstand der Demokraten auf den Plan. Konrad Krez war nicht gewillt, sich eine zweite Grant-Amtsperiode gefallen zu lassen und trat nach diesen Ereignissen aus der Republikanischen Partei aus. Mit Hilfe des starken deutschamerikanischen Kontingents konnte dann 1873 in Wisconsin ein demokratischer Gouverneur die Wahl gewinnen. Die Organisation, die zum eigentlichen Erfolg beigetragen hatte, war „The American Constitutional Union", die am 6. August 1873 in der „Academy of Musik" in Milwaukee gegründet worden war. Zu den Unterzeichnern der Resolution, in der die politischen Gedanken dieser Vereinigung niedergelegt waren, gehörten neben den Herausgebern der fünf deutschen Zeitungen auch drei Politiker, unter ihnen Conrad Krez, der im gleichen Jahr auch zum Vorsitzenden der „Vereinigten Deutschen von Milwaukee" gewählt wurde.

Als sich 1885 die Demokraten auch in der Union durchsetzen konnten, und Stephen Grover Cleveland den Präsidentenstuhl, nicht zuletzt mit Hilfe der ehemaligen republikanischen Deutsch-Amerikaner, eroberte, übertrug er Konrad Krez, sicherlich in Anerkennung seiner großen Verdienste, bei der Vergabe der lokalen Bundesämter die Stellung eines Zolldirektors im östlichen District von Wisconsin. Diese Position hatte er bis 1889 inne. 1886 wurde Krez, der inzwischen von Sheboygan nach Milwaukee übersiedelt war, als Anwalt zum Obersten Gerichtshof der Vereinigten Staaten von Amerika zugelassen.

Besondere Verdienste erwarb sich Krez in der Anti-Benett-Gesetz-Kampagne. Das Benett-Gesetz verlangte im alten republikanischen Whig-Geist, daß alle Kinder schulpflichtigen Alters im eng begrenzten District des Wohnorts der Eltern zur öffentlichen oder privaten Schule zu gehen hatten. Dabei wurde in der Verkennung der Verdienste nichtenglischer Kulturkreise und Traditionen gerade für die Kultur des jungen Amerika versucht, die freiheitliche Vielfalt des Erziehungswesens, das ja nicht amerikafeindlich, sondern nur nicht ausschließlich englisch-puritanisch ausgerichtet war, abzuwürgen. Im Sinne des Gesetzes sollte nicht als Schule gelten, wo nicht der Elementarunterricht in Lesen, Schreiben, Rechnen und Geschichte in englischer Sprache abgehalten wurde. Das Gesetz bedeutete einen Eingriff in die Elternrechte und einen Bruch der Verfassung, welche

Der Pfälzer in Amerika.

Fröhlich Pfalz Gott Erhalt's.

Wochenschrift: Den Interessen der Rhein-Pfälzer in den Vereinigten Staaten gewidmet.

ENTERED AT THE POST OFFICE AT NEW YORK CITY AS SECOND CLASS MAIL MATTER.

Nummer 20. **New-York, 12. Mai 1888.** **5. Jahrgang.**

Zur Beachtung!

In jeder Stadt der Union, wo wir noch keine Vertreter haben, suchen wir gewissenhafte, betriebsame und fähige Agenten unter günstigen Bedingungen. Lohnender, leichter Nebenverdienst ist Jedem, der auch nur die Abendstunden für die Thätigkeit verwenden will, bei einigem Bemühen sicher. Nur Pfälzer, die mit guten Referenzen ausgestattet sind, wollen sich melden. Bezüglich der näheren Bedingungen wende man sich an

Boelcker Brothers,
P. O. B. 3663, New-York.

Großes
Pic-Nic und Sommernachtsfest
— des —
Bayerischen
Central K. U. Vereins
— am —
Montag, 14. Mai '88,
— in —
SULZER's HARLEM RIVER PARK, N.Y.
Tickets 25 Cents a Person.
Anfang Nachm. 2 Uhr. Das Committee.

Ein Bierbrauer

18 Jahre alt, kräftig, von guter Familie, aus der Rheinpfalz, beabsichtigt nach Amerika auszuwandern. Die Eltern möchten ihm im Voraus ein Reiseziel sichern. Welcher Menschenfreund wollte ihm eine Stellung geben, oder ihm dazu verhelfen? Gefl. Adressen unter: „B. 30 an die Expedition des Landauer Anzeigers, Landau, Pfalz".

Telegramm.

Direkt vor Schluß der Presse ging uns folgende Privat-Depesche zu:

Edenkoben-Ludwigshöhe, 9. Mai. Die Rundreise des Prinzregenten Luitpold durch die Pfalz ist bis zum Herbst verschoben worden. Als Grund des Aufschubs wird der besorgnißerregende Zustand des deutschen Kaisers angegeben.

Allgemein Pfälzisches.

— Die protestantische Kirche der Pfalz zählte Ende 1887 in 16 Dekanatsbezirken 251 Pfarreien und 49 Vikariate mit 381,156 Seelen. Außer 9 als Religionslehrer verwendeten hat die Kirche der Pfalz 50 Pfarramtskandidaten im Dienst verwendet.

— Am 15. April fand im Schiffsaale zu Neustadt die 24. ordentliche Generalversammlung der Unterstützungskassen für Buchdrucker der Pfalz (Zuschuß-Kranken-, Wittwen- und Waisenkasse) statt. 28 Mitglieder nahmen an derselben Theil. Die Krankenkasse schließt mit einer Gesammteinnahme von 4000 Mark 62 Pfg. und einer Gesammtausgabe von 418 Mark 19 Pfg. ab, so daß ein Aktivkapital von 3582 Mk. 43 Pfg. verbleibt. Die Wittwen- und Waisenkasse hatte Gesammteinnahme von 9370 Mark 15 Pfg., entgegen einer Gesammtausgabe von 424 Mark 70 Pfg., so daß ein Aktivkapital von 8945 Mark verbleibt. Der Mitgliederstand am 31. Dezember 1887 betrug 101. Ein gemeinsames Mittagsmahl beschloß die Versammlung.

— Die Abgeordnetenkammer hat am 15. April den neuen Gesetzentwurf, betreffend die pfälzische Hypothekenordnung durchberathen. Der Einführungstermin des neuen Gesetzes ist der 1. Januar 1889.

— Die Domgemeinde zu Halle a. S. feierte am 16. April dſ. Jrs. den Tag, an welchem vor 200 Jahren, es war der Osterfeiertag, Johann Jakob Reich, ein Flüchtling aus der Pfalz, im Dom die erste reformirte Predigt hielt und damit die evangelisch-reformirte Domgemeinde gründete, die hauptsächlich aus versprengten Pfälzern bestand. Reich war in Billigheim, Steinweiler, Lambrecht und Frankenthal französisch-reformirter Pfarrer. Wiederholt wurde er von den Franzosen verjagt, bis er endlich auf Verwendung des Kurfürsten von Brandenburg als Domprediger in Halle einen allerdings nur kurzen, von 1688—90 währenden ruhigen Lebensabend fand.

— (Eine Pfälzerin in der Hohenzollerngruft zu Berlin.) In der Schilderung eines Ganges in die unter dem Dome zu Berlin befindliche Fürstengruft findet sich folgende Stelle: „Wir treten dann an den Sarg, der die Gebeine der kurfürstlichen Frau Elisabeth Charlotte von der Pfalz birgt, Gemahlin des Kurfürsten Georg Wilhelm und Mutter des Großen Kurfürsten, geboren am 7. Sept. 1587, gestorben am 16. April 1660. Dieser Frau zu Ehren liest man auf dem Sargdeckel ihren Namen und Titel, und zur Rechten den 10. Vers aus Offenbarung Johannis 2: „Sei getreu bis in den Tod" und „Ich aber will schauen Dein Antlitz"; zwischen beiden Versen mit darüberstehendem Kurhut „Christus ist mein Leben", und „Ich weiß, an wen ich glaube".

— In nächster Zeit sollen Münzen mit dem Kopf des Königs Otto erscheinen.

— Die Eröffnung der Königsschlösser zu Herrenchiemsee, Linderhof und Hohenschwangau findet heuer bereits am 15. Mai statt.

Pfälzer Lokal-Nachrichten.

Speyer, 13. April. Gestern Mittag während des Essens sank die Ehefrau des Buchbinders Kleeß plötzlich vom Stuhle zu Boden. Die auf eine so schreckliche und unerwartete Weise betroffenen Angehörigen bemühten sich, die Bewußtlose wieder zum Leben zu bringen, allein alle Mühe war vergebens.

— 14. April. Der hiesige Stadtrath bewilligte in seiner heute Nachmittag stattgehabten Sitzung den Betrag von 1000 Mark für die Ueberschwemmten in Norddeutschland.

— Der auf einem Bette aufgebahrten Leiche des gestern verstorbenen Gymnasiasten A. W. Dell kam ein Licht zu nahe, so daß das Bett mit der Matratze und der Kleidung gänzlich verbrannte. Die Leiche selbst soll nicht erheblich beschädigt worden sein, da das, durch das Feuer entstandene Geräusch bald wahrgenommen und jenes sofort gelöscht wurde.

— 15. April. Von gestern Nachmittag 4 Uhr bis heute Vormittag 9 Uhr hielt sich der Prinz Georg von Sachsen mit noch einigen hohen Persönlichkeiten und Dienerschaft in hiesiger Stadt auf. Nach der Ankunft besuchten die Gäste den Dom. Absteigequartier wurde im „Rheinischen Hofe" genommen, der den ganzen Nachmittag und heute Vormittag von neugierigen Alten und Jungen umstellt war. Es hatte sich nämlich allgemein die Ansicht verbreitet, der König von Sachsen befinde sich bei der Gesellschaft. Heute Vormittag 9 Uhr fuhren die Gäste, deren Incognito streng gewahrt wird, nach Köln. Die Fremdenliste des Hotels verzeichnete zwei Grafen von Weesenstein, der eine mit Sohn, eine Comtesse von Weesenstein, eine Gräfin Vitzthum und den Rittmeister Freiherrn von Reitzenstein.

— 16. April. Heute hat die hiesige Volksbank die ihr gehörige ehemalige Flory'sche Mühle, welche bisher Müller Eitel in Pacht hatte, an diesen verkauft. Der Kaufpreis beträgt dem Vernehmen nach 40,000 Mark. Die Volksbank mußte die Mühle seiner Zeit für etwa 70,000 Mk. in Eigenthum übernehmen.

— In der Generalversammlung des Central-Vereins für Hebung der deutschen Fluß-Kanalschifffahrt am 11. April dſ. Jrs in Berlin wurde als Mitglied des Ausschusses Christian Roesinger hier gewählt.

— Die Sanitäts-Kolonne Speyer hat am gestrigen Nachmittage den ersten diesjährigen Reisemarsch unter militärischem Kommando (Vize-Feldwebel Rienecker) ausgeführt. Der Abmarsch erfolgte um 2 Uhr, der Weg ging über Dudenhofen, Hanhofen, Harthausen, Heiligenstein und Bergzabern nach hier zurück. Unterwegs fanden verschiedene Exerzitien statt, wie Gefechts- und Marschformation ꝛc. Der genannte Weg wurde, einschließlich einer halbstündigen Rast, in der Zeit von 4 Stunden zurückgelegt. Um 7 Uhr rückte die stattliche Truppe frisch und munter, mit strammen Tritt wieder in die Stadt ein.

— 18. April. Henry Villard, welcher sich zur Zeit in Berlin aufhält, beabsichtigt Anfangs Mai die Pfalz zu besuchen.

— Die „Liedertafel" hielt gestern Abend ihre jährliche Hauptversammlung ab. In derselben wurde der Jahresbericht, der musikalische Bericht, die Abhör der Rechnung entgegengenommen und die Neuwahl des Ausschusses vorgenommen. Als Vorstand wurde der seitherige langjährige Tafelmeister, Buchdruckereibesitzer H. Gilardone, gewählt, an dessen Stelle tritt Kaufmann Adolf Gerard als neues Mitglied in den Ausschuß. Die übrigen Ausschußmitglieder, 2 Heydenreich, Fabrikant E. Holtzmann, Lehrer Betsch, Reg.-Assessor Conrad und Einnehmer Krömer verbleiben in ihren bisherigen Eigenschaften. Als Vorstand der „Liedertafel" wird Gilardone auch die Leitung des „Pfälzischen Sängerbundes" übernehmen.

— Die von den Mitgliedern der hiesigen Feuerwehr gewählten 9 Vertrauensmänner haben in gestriger Sitzung ernannt, als Kommandant: Friedrich Völcker; Hauptleute: Philipp Bechtluft, Adolf Gerard, Ernst Knabe; Adjutanten: Heinrich Cron, Zeugmeister, Hermann Eberhardt, Schriftführer; Obmänner: Karl Betsch, Friedrich Bernatz, Georg Häußler, Theodor Kemm, Friedrich Lang, Karl Leschmann, Heinrich Nasor, Jean Schirmer, Konrad Spieß.

— Studienlehrer Dr. Thielmann dahier wurde zum Gymnasialprofessor an der Studienanstalt Landau befördert; an dessen Stelle tritt Studienlehrer Jungwirth in Dürkheim.

— Der wegen Diebstahls wiederholt rückfällige 68 Jahre alte Tagner Johann Adam Hoffmann von hier stahl an drei verschiedenen Tagen im Monat Januar jüngst zum Nachtheil eines hiesigen Einwohners kleinere Quantitäten Kohlen und Kartoffeln. Mit Rücksicht auf die sehr ärmlichen Verhältnisse des Angeklagten und den geringen Werth der gestohlenen Objekte wurden gestern von der Frankenthaler Strafkammer nochmals mildernde Umstände gegen ihn angenommen und derselbe zu 6 Monaten Gesammtgefängniß verurtheilt.

— 19. April. Gestern Mittag wurde der „Peterskeller" nebst der Brauerei und Hauswirthschaft zur „Stadt Nürnberg" ausschließlich Brauerei-Einrichtung um die Summe von 80,800 Mark an Brauerei-Direktor Christian Sick verkauft. Der seitherige Inhaber des Anwesens, A. Deutsch, wird die Wirthschaft als Zäpfler weiterführen und soll der Tanzsaal nebst Wirthschaftsräumen von dem Keller selbst in die Stadt an Stelle der Brauerei verlegt werden.

— Die Brauerei zum „Landauer Thor," Besitzer A. Wirsing, wurde von der Brauereigesellschaft zum Storchen um den jährlichen Preis von 6600 Mk. gepachtet. Wirsing verbleibt als Zäpfler in der Wirthschaft.

— Gestern wurden die zwei letzten Figuren der Leidensgeschichte Christi auf dem Oelberg im Domgarten durch Bildhauer Renn aufgestellt. Es sind dies zwei römische Soldaten, die am Fuße des Oelberg gleichsam als Wache erscheinen.

Albersweiler, 18. April. Bei der gestern dahier stattgehabten Holzversteigerung, betrug die Taxe: 10,065 Mark 70 Pfg. Erlöst wurden: 10,844 Mark 50 Pfg. Mithin Uebererlös: 778 Mk. 80 Pfg.

Alsweiler, 16 April. Das hiesige Hofhaus ging durch Kauf in den Besitz des Einnehmers Kamper um den Preis von 800 Mark über.

Bellheim, 15. April. Bischof Dr. von Ehrler hat heute die Firmung dahier vorgenommen. Derselbe traf um 8 Uhr hier mittelst Wagen ein. Die Eingangspforte seines Weges war auf's köstlichste geschmückt. Die Firmung empfingen etwa 600 von den 4 Gemeinden Bellheim, Ottersheim, Knittelsheim, Rülzheim.

Berghausen, 16. April. Der hiesige Gemeinderath bewilligte auf Antrag des Bürgermeisters für die Wasserbeschädigten in Norddeutschland aus der Gemeindekasse den Betrag von 75 Mark aus Dankbarkeit für die ihm aus Anlaß des im Jahre 1882—'83 erfolgten Rheindammbruches gewordene Unterstützung.

Bergzabern, 16. April. Der hiesige Stadtrath bewilligte für die Ueberschwemmten Norddeutschlands 300 Mk. aus der Stadtkasse.

— 17. April. Gestern Abend fand im „wilden Mann" die sehr besuchte Hauptversammlung des Feuerwehrcorps statt. Der Stand des Corps ist zur Zeit 267 Mann, der Unterstützungskasse 1000 Mark, der Uniformskasse 393 Mk. 52 Pfg., der Musikkasse 48 Mk. 65 Pfg.

— Dem Dekan und 1. protestantischen Pfarrer dahier, Karl Konrad Ludwig Maurer, wurde der Titel und Rang eines protestantischen Kirchenrathes verliehen.

Börrstadt, 20. April. Gestern und vorgestern kam das schöne Anwesen des Oekonomen Frenzel von hier, Landrath und früherer Bürgermeister, unter den Hammer. Versteigerungsart a.: Das ganze Gut kam zum Ausgebot, worauf Rörig-Wiesbaden ein Gebot von 80,000 Mark that, jedoch dem Vorschuß-Verein Winnweiler für 81,000 Mark zugeschlagen wurde. — Versteigerungsart b.: Einige größere Wiesencomplexe, das kleinere Wohnhaus, dann das größere Wohnhaus sammt dem Rest der Güter wurden ausgeboten und folgende Preise erzielt: 1. Jägerwiese, 17 Tagwerk groß, ersteigert von Rörig um 20,000 Mark, 2. 6 Tagwerk 22 Dez. Wiese in der Kiffelsheck, ersteigert vom Vorschußverein Winnweiler für 5000 Mark. 3. für die Worgwiese, 2 Tagwerk 85 Dez., 2610 Mark, ersteigert von A. Frenzel aus Roxheim. 4. Erlös für 98 Dez. Wiese in der Kiffelsheck 1030 Mark, Steigerer: Strauß-Steinbach. 5. für 3 Tagwerk Wiese in der Gemarkung von Langmeil 2460 Mark, ersteigert für Regierungsbaumeister Lipps in Kolmar. 6. 1 Tagwerk 85 Dez. Scheuer, Hofraum, Baumgarten 1930 Mark, Steigerer: J. Weiler. 7. kleines Wohnhaus, Scheuer, Stall und Garten, 37 Dez., ersteigert von Fabricius & Co. um 1720 Mark, das große Wohnhaus, Scheuer, Stall, Brennerei, Backhaus, Garten, sammt 39 Hektar Feld und Wiesen wurden vom Vorschußverein Winnweiler um 45,500 Mark gesteigert. Gesammterlös 80,050 Mark.

Breitfurth, 20. April. Johann Jakob Kremp, 61 Jahre alt, Ackerer von hier, hatte bislang das Vermögen des nach Amerika ausgewanderten August Knerr von hier zu verwalten und mußte gelegentlich einer von ihm im Juni 1887 bethätigten Rechnungsausstellung zugeben, daß er zum Nachtheil Knerr's von dem Gelde desselben 169 Mark für sich verwendet habe und außer Stande sei, diesen Betrag rückzuersetzen. Er wurde deshalb gestern von der Zweibrückener Strafkammer wegen Untreue zu 1 Monat Gefängniß verurtheilt.

Bruchmühlbach, 15. April. Das Wild'sche Gerbereianwesen ging gestern mittelst notariellen Aktes kaufweise in das Eigenthum von Ernst Güttel, Gerber von Reichenbach, um den Preis von 13,500 Mark über.

Burgalben, siehe Waldfischbach.

Bubenhausen-Ernstweiler, 16. April. Für zurückgelegten 15jährigen treuen Dienst bei der Feuerwehr wurden Sonntag Nachmittag den nachgenannten Feuerwehrmännern von Ernstweiler und Bubenhausen die nach Beschluß des Bezirksverbandsausschusses ausgestellten Ehrendiplome durch Bezirksvorstand Bachmann von Zweibrücken unter passender Ansprache überreicht. Ernstweiler (16): Georg Blank, Georg Leicht, Hch. Roth, Karl Zutter, Franz Pick, Friedrich Leibrock, Peter Stauter, Joseph Brügelmayer, Adam Bieber, Christian Breunemann, Ludwig Straß, Georg Leibrock, Peter Zutter, Karl Albrecht, Karl Klein und Friedrich Schaff; Bubenhausen (9): Georg Baumann, Karl Carius, Joseph Gebhard, Heinrich Kennerknecht, Ludw. Kennerknecht, Ludwig Kreitmeyer, Jakob Schwarz, Martin Wittenmayer und Philipp Emrich.

Clausen, siehe Dudenhofen.

Dahn, 17. April. Für die Wasserbeschädigten in Norddeutschland wurden bis heute hier 212 Mark gesammelt.

— 19. April. Bei der heute dahier stattgehabten Stamm- und Brennholzversteigerung aus dem Gemeindewalde Dahn wurden 5411 Mark 80 Pfg. erlöst; die Forsttaxe war 5504 Mark 39 Pfennig.

Dannstadt, 17. April. Der Ackerer Georg Sauter von hier wollte heute früh eine Fuhre Dung auf das Feld verbringen. Unterwegs wurden die Pferde scheu und Sauter kam dadurch unter sein Fuhrwerk und erlitt solch' schwere Verletzungen, daß er schon nach wenigen Stunden starb.

Deidesheim, 16. April. Georg Adam Metzger, Hufschmied dahier, und Geschwister ließen als Erben von Joseph

Der Austausch zwischen der alten und der neuen Heimat war rege, wie die Wochenschrift „Der Pfälzer in Amerika" beweist. In solchen Zeitungen fand Krez mit seinen Dichtungen ein dankbares Publikum.

uneingeschränkte Lehr- und Gewissensfreiheit garantierte. Gegen dieses Gesetz vereinigten sich erstmals Katholiken und die zuvor politisch nicht engagierten Lutheraner, um die kirchlich geleiteten Privatschulen zu erhalten, in denen die alte Muttersprache und das Englische gleichzeitig gelehrt wurden. In diesem Kampf wurde Konrad Krez der eifrigste und kampfesfreudigste Führer der Deutschen und Skandinavier, die mit den Demokraten das Gesetz zu Fall bringen wollten.

Ganz massiv hat sich der Dichter Krez in diesen Streit eingeschaltet und mit kriegerischem Zorn hat der alte General die Amerikaner zur Einsicht aufgerufen:

Der Staat Wisconsin gab dem Deutschen nichts,
Als er im Schweiße seines Angesichts
Den Urwald klärte; nichts als das Versprechen
Der Freiheit; und er darf sein Wort nicht brechen!

Wo bleibt die Freiheit, wenn man einem Mann
Sein Teuerstes, sein Kind entreißen kann?
Denn wer ein Kind mir rauben will, der stehle
Mit seiner Muttersprache seine Seele!

Ist denn der Deutsche wirklich nur ein Knecht?
Gibt es für ihn kein elterliches Recht?
Ist er nur gut zum Stimmvieh für die Wahlen
Und den Gehalt für seinen Herrn zu zahlen?

Ein ähnlicher Geist spricht aus den Gedichten „Seid einig" und in etwas verklausuliertem Sinne aus der Fabel „Der Wolf und die Gans".

Es ging Krez wohlgemerkt nicht um die Erweckung eines amerikanischen Partikularismus oder um die Ablehnung der Assimilation der fremdsprachigen Völker in Amerika. Sein Ideal war die Prägung des neuen Vaterlandes auch durch die Traditionen und Ideen der nichtenglischen Siedler und Emigranten in Amerika. Dies mag ein wenig weltfremd klingen, hatte aber angesichts des Gewichts beispielsweise der deutschstämmigen Amerikaner in Wisconsin einen realistischen Hintergrund.

Es gelang den demokratisch gesinnten Kräften nach der Benett-Law-Kampagne die privat unterhaltenen Schulen zu erhalten und nach 1888 in Wisconsin Gouverneur und Regierung zu stellen.

Zu allen Zeiten war Krez in Amerika in öffentlichen Ämtern als Jurist und Advokat, sowohl in seiner Zeit in Sheboygan als auch später in Milwaukee. Für einige Perioden war er Mitglied der Staatsversammlung. Von 1890–92 war er Rechtsbevollmächtigter des Districts und von 1892 bis 94 city attorny, was vielleicht am besten als Stadtrechtsrat unserer Kommunalverfassung zu verstehen ist. Dabei hat er die Geschicke der Stadt prägend mitbestimmt. Seine Amtszeit wurde als einer der wichtigsten Abschnitte der Stadtgeschichte herausgestellt. Während der Dauer seiner Amtszeit wurden große Errungenschaften verwirklicht oder eingeleitet: der Viadukt der 16. Straße, das Rathaus, der Wasser-Tunnel, die Bücherei und das Museums-Gebäude.

„Im Hinblick auf alle diese Unternehmungen waren seine Meinungen und Ratschläge ebenso gefragt wie seine Hilfe beim Entwurf der dafür notwendigen Gesetzesvorlagen und Papiere, und sie alle wurden von den Gerichtshöfen anerkannt, wenn ihre Rechtmäßigkeit in Frage gestellt worden war." (Siehe: Men in Progress S. 481)

Auch als Mitglied des Vorstands der Staatsuniversität von Wisconsin hat Krez seine Bürgerpflicht mit seinem Engagement verbunden. Wie aus den Briefköpfen seiner Briefe hervorgeht, hatte Krez mit seinem Sohn Albert C. Krez und einem Kollegen H. L. Kellogg eine Anwaltskanzlei in der Suite 19 des Metropolitan Building an der Ecke der Staats- und der 3. Straße in Milwaukee, der Stadt, die im 19. Jahrhundert den Amerikadeutschen als Deutsch-Athen galt, als Kulturzentrum der Deutschen in Amerika.

Der Wohnsitz eines anerkannten Rechtsanwalts. Das Wohnhaus der Familie Krez in Sheboygan/Wisconsin.

In einem erfüllten Leben als Rechtsanwalt, Politiker und Dichter sah Konrad Krez immer auch und besonders seine Familie als Zentrum seines individuellen Glücks. Konrad Krez hatte sieben Kinder, von denen ihn sechs überlebten. Dieses Familienbild aus Sheboygan, das nicht näher bezeichnet ist, zeigt offensichtlich sechs seiner damals bereits erwachsenen Kinder. Bei den Töchtern ist eine auffallende Ähnlichkeit mit der Mutter hervorstechend.

VII
Der Dichter Konrad Krez in Amerika

Im Vorwort des „Gesangbuchs" spricht Konrad Krez noch davon, daß er ein größeres Gedicht mit in die Fremde nehme, das dort vollendet werde. Das spricht davon, daß er daran dachte, seine „Karriere" als Dichter weiterzuführen. Aber wir wissen auch, daß er sich mit dem Gedanken getragen hatte, als Soldat sein Glück zu versuchen. Wie immer siegte bei Krez schnell der Verstand. Er lenkte seine Lebenslaufbahn auf sozusagen „bürgerliche Ziele", studierte und wurde schnell ein bekannter Rechtsanwalt. Krez hat dabei nie seinen Idealismus aufgegeben, nie seine früheren Ziele und Ideen verraten. Sein öffentliches Engagement galt der Politik, sein Einsatz im Bürgerkrieg war freiwillig, er setzte sein Leben und das Glück seiner Familie aufs Spiel, um für seine Ideale zu kämpfen, wie er zuvor in der Pfalz für Freiheit und Verfassungsrechte gekämpft hatte. In dem Gedicht „Ungegründeter Vorwurf" rechtfertigt er sich gegenüber dem Vorwurf, daß er zu wenig gedichtet habe.

Ungegründeter Vorwurf

Man warf mir vor, ich schriebe nicht genug,
Doch dieser Vorwurf trifft mich nicht mit Fug;
Denn wer mich kennt, der weiß, wie selten mir
Zum Dichten eine freie Stunde schlug.

Für die geringe Muße, die mir blieb,
Verdien ich Lob, daß ich so manches schrieb;
Wer mit der Menge nicht zufrieden ist,
Der nehme mit der Güte halt vorlieb.

So wie der Vogel, der sehr gern sonst singt,
Den Schnabel zuhält, wann er Futter bringt,
Halt ich den Mund, da mich mein junges Volk
Zu dem, was besser lohnt, als dichten, zwingt.

Ein deutscher Dichter ist ein armer Tropf;
Den, der um Verse für den Suppentopf
Nur einen Knochen wollte, hielte man
Gewiß für nicht ganz richtig in dem Kopf.

Auch drüben, wo man mehr nach Dichtern fragt,
Doch ihnen oft das trock'ne Brod versagt,
Da hätte ohne Weimars Herzog selbst
Ein Schiller an dem Hungertuch genagt.

Ein weißer Rabe ist nicht halb so rar,
Wie so ein Deutscher, wie Karl August war,
Ein Mann, an Macht zwar klein, doch groß an Geist,
Der würdig seiner edlen Mutter war.

Notwendigkeit, die alles zwingt, bezwang
Auch mich und meinen dichterischen Hang,
Nur dann und wann bekam die Oberhand
Der träumerische, schöpferische Drang;

Wenn ich für andre zum Geschenke dann,
Was ich erlebte, fühlte oder sann,
Anschaulich machte, trifft ein Tadel mich,
Daß ich nicht mehr Geschenke machen kann?

Die Einsicht in die Notwendigkeit ist eine rationale Tugend, und in ihr liegt einerseits die Tatsache begründet, daß er als Dichter nur ein schmales Werk hinterließ, das auch von Träumen und Versuchen kündet, die nie zur Reife gelangten, andererseits ist gerade die Konzentration auf die Notwendigkeit Garantie dafür, daß er in tiefer Betroffenheit, selten zwar, sich Ausdruck in der Dichtung suchen mußte. Dichtung war so für den Rationalisten eine Art höhere Diskussionsebene von Einsichten, Erfahrungen, Weisheit und Schmerz. In seinen Jugendgedichten ließ er sich von allen möglichen Autoren, Traditionen und Stilen inspirieren und gefiel sich als der Beherrscher vielfältigster Formen. In seinen Übersetzungen und Nachdichtungen zeigte er sich ebenso wie im eigenen Ton inhaltlich stark geprägt von seinen Vorbildern, so daß die Wein, Weib und Gesang-Verherrlichung des Jünglings, wie in den Gesängen von Anakreon und Hafis, an denen er sich orientierte, nicht Ausdruck individueller poetischer Gestaltungskraft war. Es waren Fingerübungen. Erst wo die Interpretation des eigenen Schicksals und der eigenen politischen Überzeugung zum Ausdruck kommt, ist er er selbst, ein schwungvoller Schwärmer, ein zorniger Rebell.

In seinen beiden in Amerika herausgegebenen Gedichtbänden veröffentlichte er jeweils als ersten Teil übereinstimmend 60 Seiten Gedichte „Aus der Jugend", die einen Querschnitt durch sein Jugendschaffen gaben. Die Texte, die in Amerika entstanden, waren 31 Gedichte unter dem Titel „Später", sie bilden den zweiten Teil seines 1875 erschienenen Bändchens „Aus Wisconsin". Für rund 25 Jahre in Amerika ist dies ein recht schmales Ergebnis, auch wenn wir annehmen können, daß einiges aus seinen Schubladen nicht aufgenommen wurde. Zwanzig Jahre später, 1895, gab Krez seine Gedichte „Aus Wisconsin" in zweiter und erweiterter Auflage heraus, jetzt mit 66 Texten, die in Amerika entstanden sind. Es waren vor allem diejenigen seiner Gedichte, deren Parabelcharakter auf die Belehrung der Deutschen in Amerika hinzielt, er setzte sich für die deutsche Sprache ein und zog dabei sozusagen eine Summe seiner politischen Erfahrung.

In einem Sonett (unveröffentlicht) zog er seine „Bilanz" des Dichtens:

Ein Sonett

Den Dichtern sollte man den Kümmel reiben,
Die sich durch neue Wörter und verdrehn
Von alten an des Kaisers Deutsch vergehn
Und reimend ungereimten Unfug treiben.
Die Regel: wie man spricht, so soll man schreiben
Hat guten Grund, deswegen soll man sehn,
Daß, was man schreibt, die Leute leicht verstehn.
Wer das nicht kann, der laß das Dichten bleiben
Die Schwierigkeit der Form entschuldigt nicht;
Es steht dem Dichter frei, für sein Gedicht
Die Form, die ihm beliebt, zu wählen,
Und ist ein Unglückskind darauf erpicht,
Sich mit Sonnettemachen abzuquälen,
Hält über ihn mit Recht der Spott Gericht.
(unveröffentlicht)

In ein Schlagwort gebracht lautet seine Poetik: Poesie ist Verständlichmachen. Daran hat er sich vor allem in Amerika zeitlebens gehalten. Seine Dichtung ist persönliche Bekenntnis- und Erfahrungsdichtung oder Lehrpoesie, Belehrungspoesie, die er ausfeilt und glättet, so daß sie formalen Maßstäben gerecht wird. Ihr eigentlicher Wert liegt in der unprätentiösen und ehrlichen Mitteilung von Lebensinhalten, die durch die Verarbeitung durch den Dichter zu allgemeingültigen Aussagen werden, weil die Inhalte subjektiv erfahren, aber nicht subjektivistisch verarbeitet werden, sondern sozusagen in objektivierter Form auf den Leser einwirken. Krez vermeidet jetzt die lauten Töne ebenso wie das ganz große Gefühl. Natürlich ist seine Sprache die Sprache seiner „Lehrzeit" in Deutschland. Aber ihr „Stoff" ist jetzt die Wirklichkeit, und wer den Versuch unternimmt, die Poesie seiner deutschen Zeitgenossen mit Krezens Dichtung zu vergleichen, wird erstaunt feststellen, wie unkonkret, unwirklich und verstandesfeindlich viele der mit gängigen Klischees, Volksliedton und abgedroschenen Liebesbildern vollgepfropften Gedichte der Autoren in der deutschen Heimat waren. Hunderte von Autoren dieser Zeit (vor allem auch Goethe-Epigonen) sind heute vergessen, ihre germanisch-deutschen Heldenbeschwörungen und nationalistischen Übertreibungen sind kaum noch genießbar. Bei Krez lohnt es, sich in ihn hineinzulesen. Man erwarte kein Feuerwerk – aber solide Gedankenlyrik, die in einigem schon den Ton des naturalistischen Gedichts vorwegnimmt. Seine Dichtungen sind nur zu einem sehr geringen Teil Emigrantendichtungen, Heimwehpoesie. Sie sind zum größeren Teil Lebensbewältigungslyrik, Sichtbarmachung, Selbstbewußtmachung von Denk-, Fühl- und Leidensprozessen, die das Leben schlechthin ausmachen, die aber dem Dichter immer wieder die Punkte diktieren, an denen er anhalten muß, um sich seiner zu vergewissern. Das ist keine Frage oberflächlichen Erlebens. Der Bürgerkrieg hat sich so in seinem Werk nicht gespiegelt, allerdings haben sich die Landschaften, die er kennenlernte, in Texten niedergeschlagen, allerdings erinnert ihn das Heimchen auf Brazos Santiago an die heimatliche Pfalz. Krez versichert sich in seinen Gedichten immer wieder seiner Widerstandskraft, seines Umschwungdenkens, der Fähigkeit, aus Enttäuschung ins Glück hinüberzufinden, aus Entsagung in Trost. Das Geheimnis seines Lebenserfolgs ist neben seiner außergewöhnlichen Begabung sicher diese Fähigkeit, allen Widrigkeiten die Elemente des Lebens entgegensetzen zu können, die das Negative in seiner ganzen Vielschichtigkeit überwinden können, wie „Wein, Kunst und Liebe" in dem gleichnamigen Gedicht über alle Schlechtigkeiten triumphieren. In „Entsagung und Trost" ist ihm ein klassisches Gedicht dieser Geisteshaltung gelungen.

Im Konkreten ist die Dichtung von Krez auch ein Bekenntnis zu seiner neuen Heimat, zu Wisconsin, zu Amerika schlechthin, dessen Schönheit er preist und um dessen Demokratie er rastlos kämpft. Amerika ist das Land, wo der Boden die menschliche Arbeit lohnt, allerdings nicht ohne die Mühsal der Pioniere, die die Urwälder urbar machten und sich so Bürgerrecht und politisches Selbstbewußtsein erarbeiteten. Umso mehr ist es ein Zeichen von Qualität, daß er sich nicht scheut, die mit der Erschließung Hand in Hand gehende Zerstörung zu benennen wie im Gedicht „An einen Bläuling", in dem der Autor angesichts der Umweltzerstörung zu resignieren scheint, weil er nicht wie der ausbleibende Vogel in reinerer Luft seine Ruhe finden kann. Ebenso hat Krez, ohne große Worte zu machen, die Partei der Indianer ergriffen und ihnen in seinem Werk einige Denkmäler gesetzt, vor allem auch in seinem Versuch, eine Geschichte der Vereinigten Staaten zu schreiben. Zwar blieb es beim Versuch, aber einige Teile des Manuskripts wurden von Krez ausgeführt. Ein Teil, der sich mit den Indianern und der frühen Besiedlung Nordamerikas und speziell des Gebiets Neu-Amsterdam beschäftigt, ist im Anhang dieses Buches erstmals aus der Handschrift übertragen und abgedruckt.

Nur ein Teil der Dichtung von Konrad Krez ist Emigrantendichtung, aber nur sie wurde berühmt und beliebt unter seinen deutschen Zeitgenossen in Deutschland wie etwa sein Gedicht „An mein Vaterland", das in stimmigen Bildern und Formeln das Gefühl der „Achtundvierziger" wiedergibt, die uneingeschränkt von einem geeinten Deutschland träumten, für das sie bereit gewesen waren, ihr Leben zu opfern.

In „Entsagung und Trost" beschreibt Krez sein Leben mit drei Tätigkeiten, die seinem Leben Sinn gaben: träumen, streiten, sorgen. Es waren der Traum von politischer Freiheit und Einheit, der Streit um die erträumten Ziele (in Deutschland und in Amerika) und das Sorgen für die große Fami-

Krez war auch in Amerika ein geachteter Dichter. Das unterstreicht die Hervorhebung im Kreise der „Dichter der Heimats Klänge“.

lie als Familienvater. Ein Teil des Traums blieb immer lebendig, so wie die Heimat und die Freunde immer lebendig blieben. Krez machte die „klassische" Erfahrung des Menschen, daß die Vergangenheit im zunehmenden Alter immer plastischer wird, was bei seinen Jugenderinnerungen sicher noch verstärkt war. Im Alter kam bei Krez gewiß auch das Gefühl des Innehaltens auf, nachdem die wichtigsten Schlachten des Lebens geschlagen waren. In einem Brief an seinen Jugendfreund Cornelius David, später Justizrat in Frankenthal, beschreibt er dies:

„Milwaukee, 17. Februar 1897

Du scheinst Dich zu wundern, daß mein Herz noch immer an der alten Heimat hängt, aber glaube mir, je älter der Mensch wird, um so lebhafter kehren die Erinnerungen an die Zeiten der Jugend zurück und keine Freundschaft des späteren Lebens ist so nachhaltig wie die, welche wir auf der Schulbank geschlossen haben. In meinen jungen Jahren hatte ich keine Zeit zurückzudenken, [Ich war] gezwungen, in der englischen Sprache zu denken, zu schreiben und zu reden ... dann im Krieg die Kriegskunst zu lernen, war ich lange Zeit so beschäftigt, daß ich mich selbst vergaß. Aber dieses Sich-selbst-vergessen hat sich gerächt, indem mein altes Selbst nur um so lebhafter von mir Besitz ergriffen (hat), als ich einigermaßen wieder zur Ruhe gekommen war. Du scheinst Heimweh nach der Fremde zu haben, ich finde das erklärlich, denn dein Vaterland war nie ganz dein Vaterland gewesen. Aber preise dich glücklich, daß Du daheim im Lande Deiner Geburt, einem schönen Lande, unter Jugendfreunden in geachteter Stellung alt geworden bist und daß es Dir vergönnt ist, mitzuhelfen, Deutschland groß und mächtig zu Land und zu Wasser zu machen ..."

Krez macht deutlich, daß der Verlust an Heimat nicht aufgewogen werden kann. Heimat und Jugend sind deutliche Quellen der Zurückerinnerung. Krez hat seinen Jubel über die deutsche Einigung von Bismarcks Gnaden zu unterdrücken gewußt, auch wenn es einige Texte von ihm gibt, die auf Deutschlands Einheit Bezug nehmen. In seiner unbestechlichen Art hat Krez auf der einen Seite die Einigung Deutschlands gutgeheißen und der Gedanke, daß sein Vaterland politisch mächtig war, tat ihm gut, aber er ist immer seiner alten revolutionären Ideenwelt treu geblieben. Dies wird ganz deutlich an einem Text, den er auf eine Nachricht hin verfaßte, daß der in Landau standrechtlich erschossene Graf Fugger, der sich 1849 den Rebellen angeschlossen hatte, in das Familiengrab überführt worden sei. Krez reagiert damit auf einen Anstoß von außen und gibt, indem er auf Fugger Bezug nimmt, nochmals einen kurzen Abriß der Legitimation seines und ihres Handelns.

„Die vorstehende Nachricht wurde mir als Ausschnitt einer Zeitung von einem alten Schulfreunde geschickt, den auch der Sturm von 1849 über das Meer gejagt hat. Es sind jetzt nicht mehr ganz vier Jahre zu einem halben Jahrhundert, seit der junge Anton Graf von Fugger früher Unterleutnant in der bayrischen Artillerie wegen seiner Theilnahme an der pfälzischen Erhebung für die Reichsverfassung kriegsgerichtlich erschossen wurde, und viel wird nicht mehr von seinen Gebeinen übrig gewesen sein, als sie vom Landauer Kirchhof nach Dillingen überführt wurden. Es muß eine große Änderung in den Ansichten seiner Familie stattgefunden haben, die so lange den einzigen Fugger, der in der Begeisterung für eine große Sache sein Leben opferte, der gräflichen Familiengruft fernhielt. Vieles ist anders geworden, seit die Pfalz sich erhob, um die zu Recht bestehende, von ihren Gerichten anerkannte Reichsverfassung einzuführen, nachdem Deutschland von Österreich verrathen und von Preußen im Stich gelassen war (und es in seine alte Ohnmacht zurückfiel). Es muß sich die Ansicht in der gräflichen Familie Bahn gebrochen haben, daß die pfälzer Erhebung für die Reichsverfassung keine Revolution war, sondern ein Versuch ehrlicher aber unpraktischer Leute, den König von Bayern zu zwingen, den von Preußen als deutschen Kaiser anzuerkennen [der sich vor der Krone Karls des Großen fürchtete und sie ausgeschlagen hatte], nachdem derselbe, für dessen schwaches Haupt die Krone Karls des Großen zu schwer war, sie ausgeschlagen hatte. Der junge Fugger war kein treubrüchiger Überläufer, sondern ein Mann von Ehre, der dem Gesetz, dem Recht und seinem großen Vaterland treu blieb, nachdem dessen Wiedergeburt durch die Selbstsucht der Fürsten und die politische Unsicherheit des Volkes längst gescheitert war."

Krez stellt ja die ungefragte Frage zwischen den Zeilen: Was muß das für ein Land sein, in dem eine Familie 46 Jahre braucht, um die Überreste eines „schwarzen Schafs" heimzuholen.

Krezens „Jubelbeitrag" zur Reichsgründung, der Einheit, die er und seine Freunde erkämpfen wollten, erinnert mehr an das eigene Wollen und Schicksal als an die große Stunde in Versailles. In seinem Gedicht „Bei Wiederherstellung des Reichs", das in „Aus Wisconsin" „An K. D." (Kornelius David?) heißt, spricht Krez ja in drei von vier Strophen von der Niederlage der Neunundvierziger und der Flucht. Das war natürlich kein Gedicht, das in die großen Lobeshymnen und in das martialische Schwertgerassel einstimmte, obwohl er in seinem Gedicht „Kaiser Wilhelm I" diesem – offensichtlich in Anerkennung von dessen Liberalität und persönlicher Integrität – überschwänglich Lob zollte. Der Ruhm lag aber nur darin begründet, daß Wilhelm I. lediglich auf äußeren Druck hin das Schwert erhob, daß der französische Feind ihn zwang, Schlachten zu schlagen. Deutschlands Glück und Größe lagen Krez am Herzen, weil Deutschlands Leid in der Vergangenheit durch seine Schwäche bedingt war. Er litt an der Geschichte, so daß es nicht verwunderlich ist, daß er die fürchterliche Zer-

Aus Wisconsin.

Gedichte

von

Konrad Krez.

Zweite vermehrte und veränderte Auflage.

Milwaukee, Wis.

George Brumder.

1895.

Titelseite der 1895 erschienenen zweiten Auflage der Gedichte von Konrad Krez „Aus Wisconsin“. In diesem Band vereinigte er die ihm wichtig erscheinenden Gedichte aus allen Lebensphasen. Obwohl er nur ein einigermaßen schmales Gesamtwerk verfaßte, gelangen ihm einige große Würfe wie „An mein Vaterland“ und „Entsagung und Trost“.

störung der Pfalz durch die Franzosen 1689 und 1693 als Mahnmal in seinem Herzen bewahrte. Nur ein starkes Reich konnte sich ähnliche Schicksale ersparen.

Im übrigen, auch wenn für Krez in Amerika die alten Probleme Europas weniger aktuell und dringlich waren, er blieb ein bewußter Liberaler. Als am 1. 11. 1894 der russische Zar Alexander III. verstarb, ein erklärter antiliberaler Monarch, widmete er ihm ein Gedicht, das an Deutlichkeit nichts zu wünschen übrig läßt, das allerdings nicht in den starken Worten der Jugendzeit gehalten, sondern mit Ironie gewürzt ist.

Die aktuellen Probleme Deutschlands waren eher Randerscheinungen für den deutschamerikanischen Dichter. Mit den Lösungen der amerikanischen Fragen setzte er sich mit dem alten Schwung und mit der gebührenden Deutlichkeit auseinander, vor allem, als die englisch-sprechenden Landsleute mit gesetzlichen Tricks die deutsche Sprache ein- und zurückdämmen wollten. Krez verbindet in diesen eigentlichen Kampfgedichten oft Beispiele, Geschichten, Fabeln, an denen er seine Aussage sozusagen als Quintessenz festmacht, weil er nicht nur mit eigenen Argumenten, sondern mit stärkerer Beweiskraft überzeugen will. Dabei entstanden köstliche humorvolle Texte und gefühlsstarke Bilder.

Fabeln hatten es ihm angetan, wenn er nicht nur politisch, sondern darüber hinaus erzieherisch wirken wollte. Lebenserfahrungen und Lebenseinsichten brachte er in diesen Fabeln in einen traditionellen Zusammenhang, indem er Beispiel und Lehre gleichermaßen verband, damit sowohl unterhielt und Spaß bereitete als auch den Geist der Freiheit oder die Verführbarkeit der Menschen beschwor oder ihnen auch schlicht vernünftiges Verhalten ans Herz legte, wenn es z. B. im „Streit der Glieder" zum Schluß heißt:

„Geht Kapital und Arbeit Hand in Hand,
Blüht Glück und Wohlstand in dem ganzen Land."

Das ist gewiß keine großartige Dichtung, aber es ist doch faszinierend zu sehen, wie hier sozusagen Gebrauchslyrik von hohem Rang und handwerklich sauber zum Teil eines humanen Bemühens wird. Sicher ist auch ein kleines Gedicht so zu verstehen, das sich handschriftlich zwischen seinen Aufzeichnungen fand und in seiner Bescheidenheit – gerade in seiner Zeit, die sich gerne martialisch gab – den Autor so sympathisch erscheinen läßt.

Menschen, die den Krieg nicht kennen,
Mögen Krieg und Schlachten loben,
Die ihr heißes Blut der Jugend
Und dem Alter Thränen kosten,
Die den Eltern ihre Söhne,
Kindern ihre Väter nehmen.
Mir gefällt das Glück des Friedens
Besser als der Ruhm des Krieges.

So ist es nicht verwunderlich, daß die bürgerliche Mäßigung auch seinen Streit mit einigen Vertretern der Kirche in die Ferne rückt und seine Gedankenlyrik philosophisch-religiösen Inhalts in durchaus rationalistischer Überlegung zu einem tief verstandenen Gottesbild gelangt.

Auch politische Gedanken münden für Krez in die Idylle des Friedens. Melancholie einer vielleicht letztlich verratenen Generation mischt sich mit dem Stolz, das Notwendige gewagt zu haben. Ausdruck dieser moderaten Haltung, wie sie in seine amerikanischen Gedichte einfloß, offenbart uns Krez im Schlußteil des Gedichts „Landau und das Elsässer Mädchen", einer Geschichte aus der Revolutionszeit, als Eulogius Schneider mit der „Kopfabschneidemaschine" durchs Elsaß und nach Landau zog. Es ist bezeichnend, daß Krez über dem öffentlichen Schicksal auf sein eigenes zu sprechen kommt und zum Schluß hin eine Art Geschichtsabriß von der Franzosenzeit bis zur Reichseinigung zieht. Schmerzlich ist die Erinnerung, daß die vorwärtsgewandte Jugend schwer für ihre Liebe zu Deutschland büßen mußte und aus der Heimat vertrieben wurde, aber der Trost findet sich in der liebevollen Hochachtung der Landauer Frauen für ihre Helden, denn sie schmückten den Schandpfahl mit dem Todesurteil zur Ehrensäule. Und die Geschichte erfüllte die Hoffnung auf ein einiges Deutschland. Das Pathos mündet in der Idylle der geschleiften Wälle, das Heroische in das Liebliche des Ruhms tapferer und treuer Frauen, deren Mut das Böse zu verwandeln vermag.

Aus: Landau und das Elsässer Mädchen

Längst ist die Zeit vorbei, da Landau für die Franzosen
Schildwacht stand an der Grenze, und seine Söhne für Frankreich
Mit nach Italien zogen und in die syrische Wüste,
In den Pässen der Schweiz sich schlugen, in Spaniens Schluchten
Unbegraben verfaulten als Fraß für Geier und Wölfe,
Oder ein deutsches Feld mit verwandtem Blut rot färbten,
Oder in Rußland fochten und nach dem Brande von Moskau
Unter dem brechenden Eis der Beresina versanken.
Weiter wurde die Grenze nach Westen gerückt, und der Baier
setzte sein blau-weiß Wappen über die Thore der Festung.
Nicht wie ein Kind, das zu seiner verlorenen Mutter zurückkehrt,
Kehrte die Stadt zurück zu Deutschland, nein! wie ein Findling,
Den die Mutter zurückverlangt, nachdem sie ihn preis gab.
Mürrisch ertrugen die Alten den milden Wechsel der Herschaft,
Und sie erzählten der Jugend vom Glanz der französischen Tage.
Aber die Jungen wandten ihr Herz zu den Rednern und Dichtern,
Die von Deutschlands Einheit und Freiheit sprachen und sangen,
Und sie vergaßen über der Hoffnung auf künftige Größe
Ihre erbärmliche Zeit und vertrauten dem Sterne der Deutschen.

Schwer zwar büßten dieselben für ihre Liebe zu Deutschland.
Als sich die Pfalz und Baden erhob, das verachtete Deutschland
Einig, glücklich und groß vor allen Völkern zu machen,
Trieb man uns fort aus dem Heimatland, und ein deutsches Gericht ließ
Uns austrommeln für Hochverrat und das Todesurtheil
Schlug es am Schandpfahl an, dem Volke zur Kenntniß und Warnung;
Aber es machten bei Nacht die Mädchen und Frauen von Landau
Eine Ehrensäule daraus, indem sie mit Blumen
Und mit Kränzen aus Immergrün denselben bedeckten.

Doch es erschien der Tag, der unsere Hoffnung erfüllte.
Einig, glücklich und groß steht Deutschland da, und es netzt nicht
Länger der Rhein französischen Grund, und weit von der Grenze
Liegt jetzt Landau. Bald wird das Pferd den Pflug und die Egge
Ueber die Außenwerke der Festung ziehen, bald werden
Ihre Wälle geschleift und ihre Gräben gefüllt sein;
Aber möge der Ruhm der Mädchen und Frauen von Landau
Nie aussterben, und wie der Ruhm des Mädchens von Steinbach
Unter dem Volk fortleben, so lang als die Queich in den Rhein fließt.

PERSÖNLICHES SCHICKSAL
LIEBE – GLÜCK – NEUE HEIMAT

An Addie

Unstäten Schritts hab ich die Welt durchschweift,
Gefesselt hat mich weder Stadt noch Land,
Kam ich, wann wo ein Baum in Blüte stand,
So war ich fort, wann seine Frucht gereift,
Und wann ein Herz in Liebe für mich schlug,
War es mir leid, ich wollte Niemand kennen;
Denn ruht ich Abends aus von meinem Flug,
So mußt ich mich beim Frühlicht wieder trennen.

Wenn ich erwachte, war der Postillion
Schon ungeduldig, und es kam der Wirt
Und sprach: Mein Herr, die Pferde sind geschirrt!
Es rief kein Mund mir nach in jenem Ton,
In dem ihr Lebewohl die Liebe spricht.
Mein Wagen rollte grußlos durch den Flecken,
Der Himmel wußte, welch ein fremd Gesicht
Des andern Tags mich wieder sollte wecken.

Vergänglich war der Eindruck, alles flog
Vorüber als ein träumerischer Wahn,
Verwischbar wie die Furche, die der Kahn
Leicht hin ins fährtelose Wasser zog.
Nur manchmal dacht ich an entschwundnes Glück,
An Stunden, die zu schnell für mich verflossen,
Der Schwalbe gleich, die nach dem Nest zurück
Zu flattern pflegt, das man ihr ausgestoßen.

Da fand ich dich, geendet ist der Flug,
Und liebend ruht an seiner Irrfahrt Ziel
Der Wandrer aus. Gesegnet sei der Kiel,
Der mich zu dir an diese Küste trug.
Von Neuem fand ich hier ein Vaterland,
Du lehrtest mich an einem Ort zu weilen,
Und schenktest mir dein Herz und deine Hand,
Bereit, mein Loos, was es auch sei, zu theilen.

Nicht länger ist das Leben mir zur Last,
Das Silber in den Bergen Mexikos
Und alles Gold in Kaliforniens Schoos
Mit allen Schätzen, die die Erde faßt,
Sie wären, sollten sie Zufriedenheit
Mir mehren oder Glück, umsonst verschwendet,
Da meine Addie jetzt für alle Zeit
Mit ihrer Hand ihr Herz mir zugewendet.

An dieselbe

Wie auf dem Meer ein Schiffer in einem entmasteten Fahrzeug,
  Kämpfe ich rastlos mit Schiffbrüchen und widrigem Strom,
Ungewiß, ob mein Wrack die Felsen am Ufer zerschmettern,
  Oder ein gnädiger Wind sicher zum Hafen mich bringt.
Könnt ich doch steuern mit dir zu der fernsten Insel der Südsee,
  Wo noch kein menschlicher Fuß jemals das Ufer betrat,
Wo noch nie mit der Luft sich ein menschlicher Seufzer vermischte,
  Wo sich noch niemals ein Grab über den Rasen erhob,
Wo der nächtliche Himmel von andern Gestirnen erhellt wird,
  Und der Wechsel der Jahrzeiten ein anderer ist.
Nicht mehr riefe die Trommel und nicht das schmetternde Horn mich
  Von der Geliebten hinweg unter die Fahnen des Kriegs,
Gerne wollte ich bei dir den Ruhm und den Lorbeer verträumen
  Und beim Plätschern des Herbstregens am trauten Kamin
Dir die Märchen erzählen vom weisen Kalifen zu Badgad,

Oder die Sagen der Vorwelt von der goldenen Zeit.
Niemals dürfte ein Wort die Glätte der Stirne dir rauben,
Nur von Thränen der Lust wäre die Wimper beschwert.
Aber wohin doch führt mich die Glut der träumenden Liebe!
Wie die tantalische Frucht flieht mich ein friedliches Glück.
Für den Kampf ist geboren der Mann mit der Welt und sich selber,
Und kein Schiff ist gebaut, das ihn den Sorgen entführt.

WEIN, KUNST UND LIEBE

Ernst und finster ist das Leben,
wolkenschwer und regnerisch,
Und die stirnumwölkte Sorge
sitzt als Gast bei ihm zu Tisch.
Diese Erde ist ein Wohnhaus,
voll von Jammer und von Schmutz,
Neid und Hader wohnt darin bei
Heuchelei und Eigennutz.
Mit gedankenvoller Stirne
ist ein jeder drauf bedacht,
Wie er durch das Unglück eines
andern selbst sich glücklich macht.
Das Geschick verflucht der Blinde,
daß nicht alle Menschen blind,
Und der Lahme, daß nicht alle
Krüppel wie er selber sind.
Wenn die Augen Thränen heucheln,
reißt die Seele Freude fort,
Auf den Lippen sitzt der Honig,
und im Herzen Meuchelmord.
Der Betrug, die Arglist borgt sich
der verstellten Freundschaft Schein,
Bosheit hüllt sich in den Mantel
eines guten Rathes ein.
Neid und Falschheit nehmen täuschend
die Gestalt des Mitleids an,
Mit der Miene des Bedauerns
bricht sich die Verläumdung Bahn.
Herschsucht, Haß und Habsucht steckt sich
hinter unser Seelenheil,
Und wovon der Glaube predigt,
thut er selbst das Gegentheil.
Aus den Löchern ihres Mantels

schaut die Eitelkeit hervor,
Und die aufgeblasne Dummheit
trägt die Feder hinterm Ohr.
Vor den Mächtigen des Landes
kriecht im Staub die Niedertracht.
Und entehrt die Menschenwürde
in dem Götzendienst der Macht.
Ueber das Verdienst erhebt sich
jeder unverschämte Tropf,
Und im Rat der Menge herschen
Zungen ohne Herz und Kopf.
Dem bethörten Volke schmeichelt
der verschmitzte Demagog,
Sein Altar des Vaterlandes
ist ein umgestürzter Trog.

Bliebe uns noch eine Würze
zu des Lebens schaler Kost,
Hätte Gott uns nicht gegeben
Liebe, Kunst und süßen Most?
Aus den Bildern der Gedanken
schafft die Kunst ein neues Reich,
Auf den Schmutz des nackten Lebens
wirft sie einen grünen Zweig.
Seine Rohheit und Gemeinheit,
seine Mühsal, seine Qual
Lernen wir mit Mut ertragen
über einem Ideal.

Wenn beim Druck des Schicksals manchmal
unsre Schwungkraft unterliegt,
Wie bei einem Vogel, der durch
Regen oder Nebel fliegt,
Gibt der goldne Saft der Trauben
unsrem Geiste neuen Schwung
Und erwärmt uns wieder mit dem
Feuer der Begeisterung.

Wenn wir uns vereinsamt fühlen
mitten im Geräusch der Welt,
Und kein Band mit der Gesellschaft
länger uns zusammenhält,
gibt die Liebe unsrem Leben,
frischen Halt und neuen Wert,
Vaterland und Freundschaft finden
wir an einem eignen Herd.

Glücklich, wer ein Herz gefunden,
das an ihm mit Liebe hängt,
Und woraus kein widrig Schicksal
und kein Unglück ihn verdrängt!
Hätt er eine Welt verloren,
er verschmerzte den Verlust,
Denn der größte Reichtum liegt in
eines treuen Weibes Brust.

Glück der Vögel
1854

Was hat ein Vogel nicht vor uns voraus!
Frei aller Sorgen fliegt er durch das Leben,
Kein Hausherr kommt, um für sein luftig Haus
Die Miete schon im Voraus zu erheben.

Mit seinem Weibchen sucht er Halmen Strohs
Und flicht sein Bett, kein Dreher kann so drechseln,
Wollflocken sind sein Weißzeug oder Moos,
Das braucht er nicht zu waschen und zu wechseln.

Wie sorglos sieht er in der jungen Brut
Sein zwitscherndes Familienglück sich mehren,
Denn ihm gehört als erblich Heiratsgut
Die Welt mit allen Körnern, allen Beeren.

Wie muß ein Mensch, wenn ihn die Sonne weckt,
Im Schweiße seines Angesichts sich plagen,
Für einen Vogel ist der Tisch gedeckt,
Sobald er nur die Augen aufgeschlagen.

Aus Not und Stolz durchstöbern wir das Thier-
Und Pflanzenreich in aller Länder Breiten,
Bis in den Kreis des Pols verfolgen wir
Den Hermelin und Zobel, uns zu kleiden.

Und doch ist keine Fürstin so geputzt
Wie so ein Specht! Kann man ein Kleid so sticken,
Wie das des Kolibris, das weder schmutzt
Noch fleckt, an dem die Löcher selbst sich flicken?

Und wenn der Pabst im vollesten Ornat
Das Hochamt hält im Dome zu Sankt Peter,

So ist doch nichts so schön an seinem Staat,
Als wie das Aug an einer Pfauenfeder.

So glücklich schläft bei weitem nicht der Czar
Auf seinem Schloß, bewacht von seiner Garde,
Als wie der Buchfink, der zum Nest das Haar
Sich aus dem Kehricht seines Marstalls scharrte.

Nicht halb so leicht kann Frankreichs Herr dem Tod,
Wenn Aufruhr in den Straßen tobt, entfliehen,
Als wie die Schwalbe, die ihr Nest von Kot
Gebaut hat unterm Dach der Tuilerien.

Zwar, sagt man, hätten wir Vernunft voraus;
Um die braucht uns kein Vogel zu beneiden,
Denn schlimm sieht es mit unsrer Weisheit aus,
Und dumm sind unsre Klugen und Gescheiten.

Die meisten sehen nur im Geld ihr Glück,
Und suchen früh und spät sich zu bereichern,
Und schleppen hamsterartig jedes Stück
Nach ihren Kammern, um es aufzuspeichern,

Und sehen nicht die Thorheit ihrer Qual,
Mit der sie sich ihr bischen Sommer mindern
Für einen Winter, den sie nicht einmal
Erwarten können, halb zu überwintern.

Wozu wird uns das Herz um Gut und Geld
So viel bekümmert und so oft beklommen,
Geht doch der Ärmste nicht aus dieser Welt
So nackt hinaus, wie er herein gekommen?

ENTSAGUNG UND TROST

Es träumte mir in meiner jungen Zeit
Von Trommelwirbeln und Trompetenschall
Von Schwerterklirren und von Büchsenknall,
Von Heldenthum und von Unsterblichkeit,
Und fieberkrank erhob ich meine Hand,
Um Kränze von dem Baum des Ruhms zu pflücken,
Nach Thaten brannte ich, um in den Sand
Der Zeit für ewig meine Spur zu drücken.

Nach fremden Zonen trieb es mich zu gehn,
Die Berge waren mir zu Haus zu flach,
Zu eng die Thäler, und der Rhein ein Bach,
Ich wollte Alpen, Meer und Wellen sehen.
Trotz bieten wollt ich Sturmwind und Orkan,
Der Tropen Pracht mit eignen Augen schauen,
Gen Westen ziehn, ins neue Kanaan,
Und am Ohio Mais und Waizen bauen.

Und überall, wohin ich ging und kam,
Fand ich ein Weh, so einsam lag kein Land,
Daß nicht zu ihm den Weg die Sorge fand,
Und wo kein Baum gedieh, gedieh noch Gram.
Und magst du ziehn nach Süden oder Nord,
Gen Osten oder West, nach allen Winden,
So wirst du stets dasselbe Losungswort,
Die Arbeit und des Lebens Mühsal, finden.

Dasselbe Kämpfen um dein täglich Brod,
Das sich nicht lohnt, so schwer verdient zu sein,
Erwartet dich am Hudson wie am Rhein,
Ihr Bürgerrecht hat überall die Not.
Und häufst du auch durch langer Jahre Fleiß
Reichthümer auf, wo ist für ganze Haufen
Von Gold ein Arzt, der dir ein Mittel weiß,
Nur einen Jugendtag zurückzukaufen?

Zwar darf's dich reizen, auf dem rauhen Pfad
Des Ruhms zu wandeln, der Vergessenheit
Ein Denkmal und ein ewig Lob dem Neid
Abzuertrotzen durch berühmte That;
Doch deinem Ehrgeiz, deiner Ruhmbegier
Wird bald aus Ueberdruß der Flügel sinken,
Wenn du die Thoren anblickst, die mit dir
Sich bücken, um Unsterblichkeit zu trinken.

Und war dir sonst ein Königreich zu klein,
So reicht gar bald ein Acker Landes hin,
Ein schützend Dach, ein Scheit in dem Kamin,
Bei Weib und Kind, um glücklicher zu sein,
Als ein Tyrann, deß Launen über Draht
Bis an die Grenzen eines Erdtheils eilen,
Dem doch zuletzt kein dienender Senat
Beschließen kann, ihn von dem Tod zu heilen.

Drückt dich auch oft und beugt dich deine Last,
Und wird es dir ums Herz verzagt und bang,
So tröste dich, das Leben ist nicht lang,
Und kurz der Pfad, den du zu wandeln hast.
Dann kommt der Tod und klopft an deinem Thor,
Wie er gethan am Thore deiner Väter,
Er kommt dir wie ein alter Hausfreund vor,
Besuchen wird er deine Kinder später.

Er spricht zu dir: Mein Freund! du hast geträumt,
Gestritten und gesorgt, es ist jetzt Zeit,
Um auszuruhn, dein Ruhbett ist bereit,
Ein einsam Haus hab ich dir eingeräumt.
Du horchst und hauchst den Athem in den Wind.
Ob Gras dein Grab bedeckt, ob Marmorplatten,
Es steht darauf geschrieben: Eitel sind
Die Dinge, und das Leben bloß ein Schatten.

Das erste graue Haar

Erster silberner Faden im Haar, Vorbote des Alters,
   Erste Blume am Weg, der nach dem Kirchhof führt!
Mitten in meinen Entwürfen und Hoffnungen, die nicht erfüllt sind,
   Hast du mich überrascht und an die Stunde gemahnt,
Welcher Niemand entflieht, die Ruhe dem rastlosen, immer
   Zwischen Hoffnung und Furcht schwebenden Herzen gewährt.
Kurz ist die Zeit und unter die wenigen Jahre der Sorgen
   Sind die Tage des Glücks spärlich dazwischen gestreut.
Langsam kommt der Erfolg und wir sind wie glühendes Eisen,
   Das auf dem Ambos erstarrt, während der Hammer es formt.
Kaum ein Ruck am Zeiger der Zeit ist ein menschliches Leben,
   Blos ein einziger Schritt trennt von der Wiege den Sarg,
Und das Glück ist wie Wasser, das man mit dem Sieb aus dem Bach schöpft;
   Ebenso schnell, wie man schöpft, rinnt es zum Boden hinaus.

AMERIKA-ERFAHRUNGEN

Frühling bei New York
1854

Lachend hat sich der Himmel gelagert über das Eiland,
Um das in Liebe vereint Hudson und Meer sich geschmiegt,
Schöner kann nicht der Aether gewölbt sein über Neapel,
Sonniger legt sich kein Strahl über das goldene Horn.
Frisch sind mit Gräsern bedeckt die Hügel am Ufer der Inseln,
Und es schmückt sich die Salzwiese mit saftigem Grün.
Zwischen dem Hickorylaub und Gewind wildwachsender Reben
Blicken die schimmernden Landhäuser am Ufer hervor.
Da ist ein Busch, so laubig und kühl, und dort eine Hecke,
Heimlich und blütenbedeckt, aber die Nachtigall fehlt,
Um Gefühl in das Herz des lauschenden Horchers zu flöten,
Aber alles ist stumm, stumm wie das schweigende Grab.
Lerche, wo bist du? Hast du dein Lied hier verlernet? Vergebens
Seh ich zum Himmel hinauf! Hat dein melodisch Geschlecht
Keinen Verwandten herüber gesandt, um singend zu flattern
Ueber Amerikas hochstenglichten Fluren von Mais?
auf der Wiese vermiß ich den klappernden Boten des Frühlings,
Den gravitätisch einherschreitenden traulichen Storch.
Ach! ihr wandert nicht aus, ihr gefiederten Kinder Europas,
Euch treibt noch nicht die Not über das traurige Meer,
Dessen bewegliche Hügel sich über die endlosen Wasser
Nackt hinrollen, durch unfruchtbare Thäler getrennt,
Bis sie die Wüste von Wasser verschlingt, die nur manchmal die Heerde
Schnell hinschießender unheimlicher Fische durchfurcht.
Aber horch! hat auf dem benachbarten Hofe der Hahn nicht
Lustig gekräht wie daheim? Klingt es mir nicht in dem Ohr,
Als ob mit Namen ein alter Bekannter mich hätte gerufen?
Alter Türke! Dein Schrei hat mich so heimisch gestimmt,
Daß ich vergesse, daß ich zu Haus kein Negergesicht sah,
Daß der Kolibri nicht Mischigänrosen umflog.

Little Rock

Wo, wie aus einem Thore von Smaragd,
Ein Strom von Silber, der Arkansas aus
Waldreichen Hügeln in das flache Land
Hinunterströmt, krönst du den Schieferstein,
Der von den Felsen seines langen Laufs
Der letzte ist, den seine Flut bespült.

Dich liebt der Süden, und der Norden küßt
Den Schweiß von deiner Stirne. Nie versiegt
Dein Wasser, das die kühlen Brunnen füllt.

Dir bringt der Februar die Knospen mit,
Im vollen Schmuck des Laubes prangt dein März,
Und mit der Blumen Wohlgeruch erfüllt
Die Luft dein Blüten bringender April.

Auf fernen Bergen schmelzt der Mai den Schnee,
Und schickt erfrischendes Gewässer dir
Zu Füßen, das die Sommernächte kühlt.
Gewitter dämpfen deinen heißen Herbst,
Und im November kommt der erste Frost,
Der deine letzten Rosen tödtet und
Die Blätter deiner Bäume bunter färbt.

Auf deine Dächer schüttelt weichen Schnee
Der Januar, und deckt mit dünnem Eis
Das Wasser oft, und öfter überzieht
Er mit der Pracht von Glatteis Busch und Baum,
Und hängt den Glanz des Regenbogens an
Die Nadeln deiner Fichten, und umhüllt
Mit funkelnden Juwelen jeden Zweig.

Mild ist dein Winter, und doch kalt genug,
Daß am behaglichen Kamine man
Die Wohltat eines guten Feuers fühlt.

Wie glücklich mischt dein Himmel Warm und Kalt!
Woher ein Fremder immer kommen mag,
Aus heißen oder kalten Ländern, trifft
Er alte Freunde. Für den Deutschen sind
Dein wilder Wein und deine Eichen, die
So schön und groß als die des Spessarts sind,
Wie Stücke seines alten Vaterlands.

In deinen Gärten stehn der Apfelbaum,
Der Birnbaum, Quittenstrauch und Feigenbusch
Und unsre heimatlichen Blumen, die
Mit unserem Geschlechte wandern gehn.

Ein Fels, der, wie die Lorlei an dem Rhein,
Dir gegenüber in die Höhe ragt,
Blickt auf ein Land herab, in dem der Mais
Mit vollen Kolben steht, und höher, als
Ein Mann zu Pferd, wenn er im Bügel steht,
Mit ausgestrecktem Arme reichen kann.

Dort wächst die Gerste, und der Waizen bringt
In schweren Körnern reichlichen Ertrag.
Dort fließen die geborstnen Kapseln von
Baumwolle über, deren weißes Vließ
Wie Ballen Schnee an grünen Stauden hängt.

Freigebig, wie dein fruchtbar Land, ist auch
Dein gastfrei Volk, es kennt die Armut nicht,
Die Sparsamkeit zu einer Tugend macht.
Willkommen ist der Fremde, und es steht
Für ihn ein Stuhl an jedem Tisch bereit.

New Orleans
Februar 1865

Herrliche Stadt, du Tochter der See und des Vaters der Wasser,
Wie die Göttin der Liebe, so spülen die Wellen ans Land dich,
Wo du gebettet liegst im Schoose des ewigen Frühlings,
Wie ein Mährchen erscheinst du dem nördlichen Fremdling der eben
Aus den blätterberaubten und schneeigen Ländern herabkommt,
Wo ein düsterer Himmel auf rauchichten Städten sich lagert,
Wie verzaubert blickt er hinauf zu den silbernen Wolken,
Die in der Bläue des Himmels dahinziehn, blickt er zur Erde,
Wo die Strahlen der Sonne das Land und das Wasser vergolden.
Mitten im Winter begrüßt er das dunkle Laub der Orangen,
Und bewundert den herrlichen Baum mit den goldenen Aepfeln,
Den die duftende Blüte, die reife und reifende Frucht schmückt.
Staunend betrachtet er den vor den Häusern zur Zierde gepflanzten,
Aus den Stielen des Laubes gebildeten Stamm der Banane,
Deren Blätter wie flatternde Fahnen im Winde sich wiegen.
Fröhlich und heiter genießt hier das Volk in glücklichem Leichtsinn,
Wie die Vögel im Wind, freiwillige Gaben des Himmels.
Lieblich ist es hier wohnen, und knüpften nicht Bande, die stärker
Sind als die Gürtel der Erde, mich an das kalte Wisconsin,
Wo die Ceder wächst und der Zucker träufelnde Ahorn,
Möchte ich gern in den sonnigen Fluren von Luisiana
Eine Hütte mir baun, in dem Lande, wo niemals die Rosen
Müde werden zu blühn, wo die Feige wächst und die Myrte,
Und der spottende Vogel sein Nest ins Granatengebüsch baut.

Reichlich belohnt hier ein fruchtbarer Boden die menschliche Arbeit;
Wenige Händevoll Mais, mit geringer Mühe im Frühjahr
Zwischen im Sommer vorher geringelte Bäume geworfen,
Gäben mir Brod genug, der Flug der Bienen des Waldes

Führte mich leicht zu dem Stamm, worin ihr Honig geheimst liegt;
Meine Küche versorgte die Jagd, ein einziger Schrotschuß
In die rauschenden Wolken die Sonne verfinsternder Tauben
Legte mir reichliche Nahrung zu Füßen, von Wild und Geflügel
Wimmelt der Wald, der schnell wie ein Schatten enteilende Truthahn
Folgte dem lockenden Ruf, an die schwarzgewässerte Bayou
Führte der Durst am Abend den lechzenden Hirsch, das Opossum
Suchte umsonst durch den Schein des Todes den Verfolger zu täuschen.
Fern von den Sorgen des Lebens und fern von quälender Arbeit
Wandelte ich in dem Schatten von immer grünenden Eichen,
Hohen Cypressen und schön belaubten Magnolien, deren
Blüten an Farbe den Schnee, an Duft die Linde beschämen;
Während im Norden der Mensch die eine Hälfte des Jahres sich
Abmüht, um in der andern vor Not sich und Kälte zu schützen.

An einen Bläuling

Hüttensänger nennt man dich, blauer Vogel!
Weil du, großer Städte Gebäude meidend,
Vor den kleinen Häusern des Landmanns gern dein
Einfaches Lied singst.

Zwanzig Sommer warst du mein trauter Nachbar.
Wann der Schnee zu schmelzen begann, dann kamst du
Mit dem Thauwind, einer der Herolde des
Nahenden Frühlings.

Wann ich dann dich hörte bei Tagesanbruch,
Hauchte ich ein Loch in den Frost am Fenster,
Und ergötzte mich an dem Anblick deines
Schönen Gefieders.

Aber heuer bist du hier ausgeblieben,
Du und alle deines Geschlechts. Vergeblich
Hab ich dich erwartet, dein Weibchen oder
Eines der Deinen.

Haben Vogelschinder euch aufgelauert
Und euch umgebracht, um mit euren Bälgen
Roher und geschmackloser Frauenzimmer
Hüte zu schmücken?

Oder ist die Stadt euch zu groß geworden?
Hat die schrille Pfeife der Dampfmaschine,
Hat der Rauch und Lärm der Fabriken euch das
Nisten verleidet?

Viel ist freilich anders geworden, seit ich
Einen blauen Vogel zum ersten Male
In Wisconsin locken und singen hörte,
    Als ich noch jung war.

Auf den sonst mit Waldung gekrönten Hügeln
Überzieht den Grund nun ein Steinkleeteppich,
Der mit weißen Blüten getupft ist, die von
    Bienen umschwärmt sind.

Wo im Sumpf wohlriechende weiße Cedern,
Oder schwarze Eichen gestanden waren,
Weiden wiederkäuende Rinder oder
    Tummeln sich Fohlen.

Aus den glatt gewalzten und saubern Feldern
Sind die alten Stumpfen schon längst verschwunden;
Schnelle Rosse ziehn den Pflug anstatt der
    Langsamen Ochsen.

Spurlos, wie die Schatten der Wolken, sind des
Landes Ureinwohner dahin geschwunden,
Nicht einmal ein Kreis in dem Rasen zeugt vom
    Einstigen Wigwam.

Nicht mehr fallen Schwärme von wilden Tauben
In die Weizenfelder, die Saat verwüstend;
Korn ist sicher vor dem Rackuhn, vor Bären
    Sicher das Ferkel.

In ein Gartenfeld ist der Wald verwandelt,
Dörfer sind zu Städten herangewachsen,
Bäche sind vertrocknet und Flüsse sind zu
    Bächen geworden.

Rings um mich herum ist die Welt verändert,
Kenne doch ich selber den Grund nicht länger,
Wo ich früher jagte, warum denn sollte
    Man sich da wundern,

Wenn die Wandervögel den Weg verfehlen,
Oder wenn mein Nachbar, der Hüttensänger,
Einen stillen Platz für die Brut sich auf dem
    Lande gesucht hat,

Wo die Luft noch rein ist, wo Flocken Ruß noch
Nicht sein himmelblaues Gewand beschmutzen,
Wo die Nacht noch Nacht ist und müden Wesen
    Heilsamen Schlaf bringt.

Wer hat Amerika erobert?

Ein Englischer und Deutscher zankten sich,
Ob durch die Deutschen oder Englischen
Amerika mehr unter die Gewalt
Und Macht des weißen Volks gekommen sei.
Da sie darüber sich nicht einigten,
So gingen sie zu einer Rothaut hin,
Und jeder trug ihr seine Sache vor.
Der kupferfarbene Schiedsrichter ließ
Den einen nach dem andern reden und
Nachdem er alles reiflich überlegt
Und in dem Sinn erwogen hatte, kam
Er dann zu diesem Spruch: „Ich selber bin
Nicht klug genug, um einen Unterschied
Zu sehen zwischen euch. Ihr Beide baut
Dasselbe Gras, von dessen Samen ihr
Das Mehl zum Brot bereitet, das ihr backt.
Ihr Beide melkt die Kuh und trinkt die Milch.
Die Farbe eurer Haut ist einerlei;
Zum großen Geiste sagt ihr Beide Gott,
Ihr Beide schlaft im Bett, den Wigwam nennt
Ihr Beide Haus; zu euren Eltern sagt
Ihr Vater, Mutter, eure Kinder nennt
Ihr Tochter oder Sohn.
So lang ich mich
Erinnern kann, so war es so wie jetzt.
Wald, Wild und Fische werden weniger
Und Weiße immer mehr; und doch ist es
Noch nicht so lange her, daß in das Land
Der erste weiße Mann als Fremdling kam.
Ich stamme von Oneidas, und es hat
Der Vater meines Vaters manchen Baum
Noch in den Wäldern von Neuyork gesehn,
An dem ein Stück der Rinde abgeschält
Und ein Oneidasieg gezeichnet war.
Die Zeit ist nicht so fern, als unser Volk
Noch groß und mächtig und gefürchtet war.
Jetzt sind wir arm und nur gering an Zahl.
Das weite Land, das einmal unser war,
Gehört den Weißen und ist zugesperrt.

Nur hier und da blieb uns ein Stück vom Rest
Zum Wohnsitz und Gefängnis zugeteilt.
Wir sind wie Fische, die im Pferchnetz sind:

Sie schwimmen unaufhörlich Tag und Nacht
In dem vom Garn umstellten Kreis herum.
Sie schwimmen fort und fort, das Netz entlang
Vergeblich einen Eingang suchend in
Den großen See, der neben ihnen liegt,
Wo sie die Freiheit ihrer Heimat lockt.
Sie schwimmen unaufhörlich Tag und Nacht
In einem Kreis herum, ein Netz entlang,
Das endlos ist für sie, bis man sie holt.

Um mich zu lehren, wie das Elend kam,
Sang oft mein Vater mir ein Sterbelied,
Das einst ein Mohakkrieger sang, als ihn
Im Krieg mit den Franzosen Canadas
Die Ottawas zu Tode marterten.
Das Sterbelied des Mohaks lautete:

„Fünf Völker sind die Tapfersten der Welt:
Die Mohaks, Onondägas, Senekas,
Cayukas und Oneidas. Ihnen gleich
An Ehre, Mut und an Standhaftigkeit
Kann niemand kommen. Ueberlegen sind
Sie allen roten Eingeborenen
Und weißen Fremdlingen an Körperkraft
Gelenkigkeit und Sicherheit der Hand.

Kein Thier erträgt des Wetters Ungemach,
Den Hunger oder Durst so lang wie sie,
Und besser sind sie als ein Hirsch zu Fuß.
Ich bin ein Mohak und die Mohaks sind
Das erste der fünf Völker, ihm gebührt
Der Vorrang, den ihm alle zugestehn.
Bei unsern Feinden ruft dem Kind, das schreit,
Die Mutter zu: Sei still, der Mohak kommt!
Die Furcht vor uns ist unsrer Freunde Schutz,
Und unauslöschlich brennt in uns der Haß.
Wir halten unverbrüchlich jeden Bund,
Wie wir unfehlbar in der Rache sind.
Das merkt euch, Ottawas! und ihr
Franzosen, Herrn der Ottawas, und lernt
Von einem Mohak, wie man sterben soll,
Damit ihr nicht wie Hunde heult, wenn ihr
Für meinen Tod mit eurem Leben büßt.
Ihr, weißes Volk, die ihr die Hirschkuh jagt,
Die trägt, die ihr vom Nest das Rebhuhn schießt,
Und ihr, ein Hundevolk, ihr Ottawas!

Ihr machtet mich nicht zum Gefangnen! Nein!
Die Kugel, die mein Bein zerschmetterte,
Das Pulver, das die Kugel schleuderte,
Die nahmen mich gefangen und nicht ihr!
O hättet ihr kein Pulver, weißes Volk!
Dann könnten wir Mann gegen Mann mit euch
Zum Kampfe gehen und dann drückten wir
Mit bloßem Daumen euch die Schädel ein.
Dann wagte niemals sich ein Weißer weit
Von seinem Schiff hinweg in unser Land;
Er setzte nie sich an der Küste fest,
Wo neuer Nachschub leicht ihm folgt und er
Mit jeder Pflanzung eine Masche strickt
Am Netz, in dem er alle fangen wird."

So lautete, fuhr der Oneida fort,
Das Lied des Mohaks, das er sang, als ihn
Die Ottawas zu Tode marterten.
Er war ein kluger Mann. Durchsichtig war
Für ihn die Zukunft, wie ein klarer Bach,
Auf desse Grund man jeden Kiesel sieht.
Er hatte Recht. Das Pulver brachte uns
In die Gewalt der Weißen und um's Land.
Nachdem die Rothaut fertig war, da sprach
Der Englische: So ist's! Amerikas
Besitz verdanken wir dem Mann, der fand,
daß Pulver sich zum Schießen brauchen ließ.
Der Deutsche sagte dann: Da dieser Mann
Ein Deutscher war mit Namen Berthold Schwarz,
So war's ein Deutscher, der Amerika
Von dem in Eis begrabnen Norden bis
Zum eisbedeckten Süden unterwarf.

Was wurde denn aus den Normannen, die
In alter Zeit in Harnischen aus Stahl,
Mit Pfeil und Bogen, Schwert und Schild bewehrt,
Einst landeten und Niederlassungen
Hier gründeten? Ein tapferer Geschlecht
Als sie beschien Europas Sonne nie.
Trotz Tapferkeit und Rüstungen aus Stahl,
Trotz besserm Pfeil und Bogen, Schwert und Schild,
Erlagen sie dem Tomahak aus Stein,
Verschwanden sie, wie Schatten an der Wand,
Wie Spuren an dem Meer im Ufersand.

„UND DENNOCH LIEB ICH DICH, MEIN VATERLAND!"
HEIMWEH UND RÜCKERINNERUNG IN DIE PFALZ

An mein Vaterland
1869

Kein Baum gehörte mir von deinen Wäldern,
Mein war kein Halm auf deinen Roggenfeldern,
Und schutzlos hast du mich hinausgetrieben,
Weil ich in meiner Jugend nicht verstand
Dich weniger und mehr mich selbst zu lieben,
Und dennoch lieb ich dich, mein Vaterland!

Wo ist ein Herz, in dem nicht dauernd bliebe
Der süße Traum der ersten Jugendliebe?
Und heiliger als Liebe war das Feuer,
Das einst für dich in meiner Brust gebrannt,
Nie war die Braut dem Bräutigam so theuer,
Wie du mir warst, geliebtes Vaterland!

Hat es auch Manna nicht auf dich geregnet,
Hat doch dein Himmel reichlich dich gesegnet.
Ich sah die Wunder südlicherer Zonen,
Seit ich zuletzt auf deinem Boden stand;
Doch schöner ist als Palmen und Citronen
Der Apfelbaum in meinem Vaterland.

Land meiner Väter! länger nicht das meine,
So heilig ist kein Boden wie der deine,
Nie wird dein Bild aus meiner Seele schwinden,
Und knüpfte mich an dich kein lebend Band,
Es würden mich die Todten an dich binden,
Die deine Erde deckt, mein Vaterland!

O würden jene, die zu Hause blieben,
Wie deine Fortgewanderten dich lieben,
Bald würdest du zu einem Reiche werden,
Und deine Kinder gingen Hand in Hand,
Und machten dich zum größten Land auf Erden,
Wie du das beste bist, o Vaterland!

Auf die Rheinpfalz

Mit allem, was der Erde Reiz verleiht,
Bist du, o Pfalz am Rhein! gebenedeit,
Und deine Lieblichkeit kann keine Schrift
Darstellen und kein Pinsel und kein Stift.

Kein Land ist dir vergleichbar weit und breit,
Wenn man die Welt durchwandert und durchschifft,
Trifft man nicht ein's, das dich an Fruchtbarkeit,
Gesundheit oder Schönheit übertrifft.

Und hätte dich der erste Mensch gekannt,
Als Gott aus seinem Garten ihn verstieß,
Er hätte nicht bereut, daß Evas Hand

Den Apfel brach, den sie ihn kosten hieß;
Denn dann hätt er gewußt von einem Land,
Das schöner ist, als je das Paradies.

Heimweh

Meiner Seele Feuer erlischt, der Tränen
Strom versiegt, es glüht das Gedächtnis, und die
Lust am Leben flieht, wenn ich deiner denke,
Heimischer Boden!

O! bei dir, da würde ich blühn und grünen,
Aber hier bin ich, wie die Frühlingsrose,
Fortverpflanzet, da sie schon Knospen treibt, in
Schlechteres Erdreich.

Wie die Blume, welke ich hin, in dürrer
Wüste, wo kein Freund sie begießt mit Labsal,
Wo kein Gärtner liebend sie pflegt, kein Tau die
Blätter befeuchtet.

Sollte ich hier sterben in fremdem Lande,
Unbekannt und ohne beweint zu werden,
Denen fern, die wissen, wofür einst meine
Pulse geschlagen?

Sollte dieser Drang nach dem Edeln fruchtlos
In mir ruhen? Nein! Du verdirbst nicht, Saat vom
Sturm verjagt; zu blühen und Frucht zu tragen
Wird dir bestimmt sein.

106.

An die Rheinpfalz.

Mit allem, was der Erde Reiz verleihet,
bist du, o Pfalz am Rhein, gebenedeit,
Und deine Lieblichkeit kann keine Schrift
darstellen und kein Pinsel und kein Stift.

Kein Land ist dir vergleichbar weit und breit,
Wenn man die Welt durchwandert und durchschifft,
Trifft man nicht eins, das dich an Fruchtbarkeit
Gesundheit oder Schönheit übertrifft.

Und hätte dich der erste Mensch gekannt,
Als Gott aus seinem Garten ihn verstieß,
Er hätte nicht bereut, daß Evas Hand

den Apfel brach, den sie ihn kosten hieß;
denn dann hätt' er gewußt gewonnen Land,
das schöner ist, als je das Paradies.

Faksimile des Gedichts „An die Rheinpfalz".

Auf ein Heimchen auf Brazos Santiago

Komm in mein Zelt, du ungefiederter Sänger der Wüste,
  Hüpfe furchtlos herein! Gerne gewähr' ich dir Schutz
Vor der versengenden Glut der mexikanischen Sonne.
  Wenn dann am Abend die Golfbrise den brennenden Sand
Endlich gekühlt hat, und in der See die Gestirne sich spiegeln,
  Und sich die baumlose Einöde mit Dunkel verhüllt,
Wirst du mit deinem bescheidenen Lied mir den Schatten vergüten,
  Den ich gerne mit dir während des Tages getheilt.
Deinem Gezirp zuhorchend, will ich des Heimchens gedenken,
  Das ich als Knabe daheim Abends am Herde vernahm;
Und ich höre dann wieder das Sprudeln und Gurgeln des Wassers,
  Das aus den Röhren der Springbrunnen, wie flüssiges Eis,
Unerschöpflich in immer gefüllte Tröge herabschießt,
  Und das besser den Durst löscht als der köstlichste Wein.
Unvergeßliche Pfalz! die von Schönheit trieft und von Fülle,
  Von der südlichen Glut und von den Schrecken des Nords
Gleich entfernt! wo der Aermste umsonst geniest, was der Reichste
  Anderswo nicht für Gold sich zu verschaffen vermag.
Dein will ich dann gedenken in diesem Meere von Flugsand,
  Deiner blumigen Thalgründe, von Bächen durchfurcht,
Deiner Kastanienwälder am Fuß des Gebirges und deiner
  Traubenbeladenen Weinberge, worin im April
Blühend der Mandelbaum, wie ein Blumenstrauß, sich emporhebt,
  Deiner prangenden Baumgärten mit saftigem Obst,
Voll von Kirschen und Aprikosen, von Aepfeln und Birnen,
  Wo der zwitschernde Buchfink in den Gipfeln sich wiegt.
All dies wirst du, o Heimchen, vor meine Seele mir rufen,
  Wie die Sonne das Trugbild von Gewässer und Seen
Nachmittags in den Sand hier zaubert. Dann will ich vergessen,
  Daß nur spärliche Grasbüschel im Sand hier gedeihn,
Daß die einzige Frucht, die Birne des dornichten Kaktus,
  Unbarmherzig mit durchdringenden Stacheln sich wehrt,
Daß nicht ein einziger Tropfen von trinkbarem Wasser dem Schoose
  Dieser Insel entquillt, die fast im Wasser versinkt.
Und dein schlichter Gesang wird die Stille des Abends beleben
  Und mit den nördlichen Sternbildern, die über mir sind,
Heimisch mich stimmen auf diesem nackten Winkel der Erde,
  Den der Schöpfer zwar schuf, aber zu kleiden vergaß.

PARTEINAHME FÜR DIE DEUTSCHE EINHEIT

Eintracht macht stark

Ein Knabe suchte einen Bündel Reiser
Auf seinem Knie entzwei zu brechen; aber
Er brachte nicht mit aller Macht es fertig.
Da ließ sein Vater sich den Bündel geben,
Und zog daraus das eine nach dem andern.
Und reichte jedes Reis dem Knaben einzeln,
Und hieß ihn jedes, das er reichte, brechen.
So brach der Knabe spielend alle Reiser,
Die kurz vorher, vereint in einem Bündel,
Trotz seiner ganzen Kraft geboten hatten.

Die alte Wahrheit, daß die Eintracht stark macht,
Läßt sich aus dieser Fabel leicht erkennen.
Sie ist so selbstverständlich, daß ein Schulkind
Sich schämen müsste, sie nicht einzusehen:
Und dennoch nahm es bei dem Volk der Denker,
Den Deutschen, lange Zeit, bis sie begriffen,
Daß es doch besser sei und angenehmer,
Zu siegen und dafür bezahlt zu werden,
Als Prügel kriegen und dafür noch zahlen.

An K.D.
Zur Erinnerung unseres Wiedersehen nach ein und vierzig Jahren.

Im Juni war's; mit ihrem Hochzeitskleid
War die Natur, wie eine Braut, bekleidet,
Des jungen Sommers ganze Herrlichkeit
Lag über unsrer Heimat ausgebreitet;

Da kehrten wir, zehntausend junge Leute,
Der Pfalz den Rücken. Wie viel Hoffnung war
Dem Vaterland verloren mit der Schaar,
Die damals Gott in alle Welt zerstreute.

Seitdem ist eine lange Zeit verflossen,
Tot sind die meisten unserer Genossen;
Wir aber, die den großen Tag erlebten,

An dem sich das vollzog, was wir erstrebten,
Frohlocken laut im Ausland, daß der Kaiser
Jetzt in Berlin ist und nicht im Kyffhäuser.

K.D: ist der Jugendfreund von Krez, Kornelius David, Frankenthal.

Kaiser Wilhelm I.

Dein Ruhm ist unvergleichlich: nur gezwungen
Zogst du das Schwert in deinen alten Tagen;
Durch Schlachten, die der Feind dich zwang zu schlagen,
Hat er Unsterblichkeit dir aufgedrungen.

Für dich hat die Gerechtigkeit gefochten,
Sie, die allein des Helden Waffen weiht,
Und seinem Namen Ewigkeit verleiht,
Hat um dein Haupt den Lorbeerkranz geflochten,

Der mehr, als Karl dem Großen, dem gebührte,
Der immer siegreich Deutschlands Heere führte,
Der Frankreichs ganze Macht gefangen nahm,

Als König fortzog, heim als Kaiser kam,
Und leben wird, so lang es jemand giebt,
Der Deutschlands Glück und dessen Größe liebt.

Der Speyerer Dom

Zum Deutschen machte mich der Speyrer Dom
Wo durch den Bann des Papstes Jahr und Tag
Der vierte Heinrich unbegraben lag:
Ein Deutscher ohne Grab aus Furcht vor Rom!
Als dann zwei Thürme, die am Dome fehlten
Vom grausamen Mordbrennerkrieg erzählten,
Als der Franzose, wie bei Nacht ein Dieb,
Ins Land kam und ein wehrlos Volk vertrieb
Die Dörfer und die Städte niederbrannte
Zum Fluch für Frankreich und zu Deutschlands Schande
Da kochte mir die deutsche Galle über
Und jeder Straßenräuber war mir lieber
Als einer, der nicht zu dem Reiche hielt,
Das Reich allein ist Deutschlands Schwert und Schild.
(unveröffentlicht)

Bei der Nachricht von dem Tode Alexanders III.

Der Zar ist tot, der arme Schelm, der Zar,
hat endlich Ruh! Im Land, wohin er reist,
platzt keine Bombe, und kein Zug entgleist,
kein Meuchelmörder krümmt ihm dort ein Haar.

Bedauern darf man ihn, daß ihn der Haß
der Feinde hetzte wie ein wildes Thier, –
War er doch eigentlich ein Mensch wie wir;
Wird auch um ihn kein deutsches Auge naß.

Die Sprache haßte er, worin der Namen
der Freiheit schöner, als in andern klingt,
In der des Sängers Fluch ein Uhland singt

Und Lessing seinen Nathan schrieb, und Dramen,
Wie Schillers Tell der Menschen Herzen rühren
Und sie zum Glauben an das Recht verführen

(unveröffentlicht)

KAMPF FÜR DIE DEUTSCHE SPRACHE UND KULTUR IN AMERIKA

Da waren Deutsche auch dabei

Als Bettler sind wir nicht gekommen
Aus unserem deutschen Vaterland.
Wir hatten manches mitgenommen,
Was hier noch fremd und unbekannt.
Und als man schuf aus dichten Wäldern,
Aus öder, düstrer Wüstenei
Den [weiten] Kranz von reichen Feldern,
Da waren Deutsche auch dabei.

Gar vieles, was in früheren Zeiten
Ihr kaufen mußtet überm Meer,
Das lehrten wir auch selbst bereiten,
Wir stellten manche Werkstatt her.
Oh, wagt es nicht, dies zu vergessen,
Sagt nicht, als ob das nicht so sei,
Es künden's tausend Feueressen,
Da waren Deutsche auch dabei.

Und was die Kunst und Wissenschaften
Euch hier verlieh'n an Kraft und Stärk',
Es bleibt der Ruhm am Deutschen haften,
Das meiste war der Deutschen Werk.
Und wenn aus vollen Tönen klinget
Ans Herz des Liedes Melodei,
Ich glaub' von dem, was ihr da singet,
Ist vieles Deutsche auch dabei.

Drum steh'n wir stolz auf festem Grunde,
Den unsere Kraft der Wildnis nahm,
Wie wär's mit eurem Staatenbunde,
Wenn nie zu euch ein Deutscher kam?
Und wie im Bürgerkriegestagen,
Ja schon beim ersten Freiheitsschrei:
Wie dürfen unbestritten sagen,
Da waren Deutsche auch dabei

Seid einig

Ihr, die ihr Deutsch als Muttersprache sprecht,
Seid einig und behauptet euer Recht;
Steht treu zusammen gegen eure Hasser,
All ihre Pläne werden dann zu Wasser.

Landsleute! seht euch nur bei Zeiten vor,
Sonst nagelt man die Warnung euch an's Thor:
„Bei zwanzig Thaler Strafe für's Verbrechen
Ist hier vom Staat verboten Deutsch zu sprechen."

Als in das Land der Deutsche kam, da stand
Der Wald noch unberührt von Menschenhand,
Und da, wo er sein Blockhaus bauen wollte,
Kauft' er sein Stück des Staats mit deutschem Golde.

Wie Roggen vor der Sense, fiel alsbald
Vor seiner Art der jungfräuliche Wald –
Wie mühsam häufte er das Holz zusammen,
Das Feuer schürend für die trägen Flammen

Und war ein Haus gebaut, das Dach gedeckt,
Für's erste Brot die Saatfrucht eingeeggt:
Da half er Straßen durch die Wildnis bauen,
Und über Bach und Fluß die Brücken bauen.

Bei seinem Fleiß kam bald genug heraus
Zu einem Beitrag für ein Gotteshaus
Worin auf deutsch ein Pfarrer oder Lehrer
Erbaute die Gemüther seiner Hörer.

Von solcher Kirche steht nicht weit entfernt
Die Schule, wo der kleine Flachskopf lernt,
Was er im Leben braucht und sie ihn lehren:
„Du sollst den Vater und die Mutter ehren."

Gesund und kräfig, wenn auch nicht gelehrt,
Wächst er heran. Von Ehrgeiz nicht bethört,
Wird er sich mit dem schlichten Glück begnügen,
Die väterliche Farm auf deutsch zu pflügen.

Und wenn das Alter seiner Eltern naht,
So wird er thun, so wie sein Vater that,
Er wird ihr Stab sein, bis sie ihm zum Segen
Die Hand auf's Haupt vom Sterbebett aus legen.

Mit einer deutschen Inschrift wird ein Stein
Auf ihrem Grab ihr einzig Denkmal sein,
Es soll, um dieser Inschrift Sinn zu wissen
Kein Enkel einen Dolmetsch suchen müssen.

Der Staat Wisconsin gab dem Deutschen nichts,
Als er im Schweiße seines Angesichts
Den Urwald klärte, nichts, als das Versprechen
Der Freiheit und er darf sein Wort nicht brechen.

Wo bleibt die Freiheit, wenn man einem Mann
Sein Theuerstes, sein Kind entreißen kann?
Denn wer ein Kind mir rauben will, der stehle
Mit seiner Muttersprache seine Seele!

Deutschthum in Amerika

In Städten sieht man oft vor Speisehallen
Schildkröten hilflos auf dem Rücken liegen
Mit einer Aufschrift auf der platten Seite,
Die den Vorübergehenden verkündet,
An welchem Tag als Braten oder Suppe
Das arme Vieh den Gästen aufgetischt wird.
Das Thier ist wirklich arm. Sein Todesurtheil
Ist eine Einladung, es zu verzehren.
Lebendig wird es schon sein eigner Grabstein,
Und sein Grabschrift ist ein Küchenzettel.

Den so daliegenden Schildkröten gleichen
Die deutschen Zeitungen, sobald sie schreiben,
Daß Deutsch, wenn auch nicht heute oder morgen,
Doch übermorgen sicherlich hier ausstirbt.

Ich habe mehr Vertrauen zu dem Deutschthum.
Nicht wird es, wie die dumme Schildkrot, warten,
Bis es dem Feind bequem ist, es zu schlachten.
Es wird nicht in dem Schlamm der Zeit versinken,
Nur durch verhunzte Namen fortzuleben
In der Verachtung kommender Geschlechter.

Was aber für ein Loos auch in dem Schoose
Der Zukunft seiner warte, wir nur haben
Allein das Recht, die Sprache zu bestimmen,
Die wir und unsre Kinder reden sollen.
Wir stammen ab von freigebornen Männern,
Wir sind nicht unterjocht und nicht erobert.
Gleich freie Bürger sind wir dieses Landes,
Und Gott gab uns das Recht zu unsrer Sprache.

Gutenberg.

In Straßburg, in der wunderschönen Stadt
Mit ihrem Münster und der Wunderuhr,
Steht ein aus Erz gegossner Gutenberg,
Den Mann zu ehren, der den Druck erfand.

Seit ein erfinderischer, uns nicht mehr
Bekannter Mann im grauen Alterthum
Vor Moses Zeit das Alphabet erfand,
Ward nichts erfunden, das an Wichtigkeit
Sich mit dem Druck auch nur vergleichen läßt.
Deswegen schuf in Anerkennung des
Unsterblichen Verdienstes Gutenbergs
Auch ein Franzose jenes Meisterwerk.

In Lebensgröße steht sein Bildnis da
Mit aufgeschlagner Bibel in der Hand,
Und auf Französisch steht im Buch der Vers
Der heiligen Schrift: Gott sprach, es werde Licht!

Ja! Licht ist es geworden, seit in Mainz
Ein deutscher Kopf den Geist erlöste, der
In altem Pergament vergraben war,

Und göttlichen Gedanken Flügel gab,
Und in die Welt sie sandte, um die Nacht
Des Wahns zu lichten und die Menschheit von
Den Uebeln zu erlösen, welche sie
Durch eigne Thorheit über sich verhängt.

Wenn einer, der in Englisch Zeitung schreibt,
Aus Unverstand und Aufgeblasenheit
Herab auf Deutsch und deutsche Leute sieht,
Die deutsche Sprache unterdrücken und
Uns selbst zu Unterthanen machen will;
So soll er erst sich fragen, ob er denn
Den Bissen, den zum Mund er führt, das Haus,
Worin er wohnt, die Kleidung, die er trägt,
Nicht jenem deutschen Mann aus Mainz verdankt,
Deß Bild zu Straßburg steht und dessen Kunst
Erst seiner Zeitung Druck ermöglichte.

Wenn so ein dummer Lümmel, der mit Not
Und mit der Hilfe eines Wörterbuchs
Sein Englisch leidlich orthographisch schreibt,
Der, hätte nicht ein Gutenberg gelebt,
Jetzt in Europa Schweine hütete,
Wenn so ein maßlos unverschämter Kerl
Mit einem Fingerhutvoll Hirn, des Herz
Nicht größer ist, als eine Haselnuß,
Der Galle hat statt Blut, wenn so ein Kerl
Die deutschen Kinder fangen lassen will
Wie Hunde ohne Maulkorb im August,
Und deutsche Eltern zu behandeln denkt,
Als wären sie Leibeigene des Staats,
Den sie erhalten, aber er nicht sie;
Muß man auf Deutsch ihn lehren, wenn er es
Auf Englisch schon vergaß, daß Jedermann
Gleich frei und unabhängig ist, von Gott begabt
Mit Rechten, die der Staat ihm nur
Zur Strafe von Verbrechen nehmen kann;
So hat ein Kind das Recht auf Unterricht
In einer Sprache, die das Kind versteht.
Es ist doch kein Verbrechen, Deutsch zu sein,
Daß man den deutschen Vater um sein schwer
Mit seinem Schweiß erworben Hab und Gut
Durch Strafen bringen will, und kann er nicht
Das Blutgeld zahlen, reißt man ihn von Frau
Und Kind und schleppt ihn in's Gefängnis fort.

Und alles dies in einem freien Land!
Weil er die Sprache seines Volkes liebt
Und er sein Kind in eine Schule schickt,
Wo es auf Deutsch die zehn Gebote lernt.

Um ihrer Sprache willen wanderten
Die Pilgrimväter einst aus England fort.
Vom eignen Vaterlande waren sie
Verfolgt, hinausgestoßen und verbannt;
Doch hing mit unzerreißbarer Gewalt
Ihr Herz an ihrer Muttersprache fest,
Und keiner ihrer Abkömmlinge darf
Böswillig jetzt uns das verargen, was
Er an den Gründern von Neuengland lobt.

Als wir den Eid der Treue leisteten,
Da schwuren wir nicht unsrer Sprache ab.
Wie könnt auch einer treu dem Staate sein,
Der an sich selber zum Verräter wird.
Ein Deutscher, der nicht seine Sprache ehrt,
Der seinem eignen Volk den Rücken kehrt,
Der ist ein Wechselbalg und nicht ein Sproß
Des Bluts, das Körner, noch so jung, vergoß,
Und das aus Schills und Hofers Wunden floß,
Er ist kein guter Zuwachs für den Staat,
Denn seine Muttermilch war Hochverrat.

Das Grünhorn und der Skunk

Ein grüner Deutscher, der noch nicht sehr lang
Im Land war und das hießige Methier
Nicht kannte, hing Gewehr und Pulverhorn,
Jagdtasche samt Schrotbeutel um und ging
An einem schönen Morgen auf die Jagd.

Kein andres Wild, als zahme Schweine, kam
Ihm zu Gesicht. Doch auf dem Heimweg traf
Zu guter Letzt er noch ein Thier, das er
für ein amerikanisch Eichhorn hielt.
Sein glänzend schwarzes Fell war weiß gestreift
Es floh nicht vor dem Jäger, sondern blieb
Und machte Augen, wie ein Kanonier,
Der die Entfernung nimmt, bevor er schießt.

Behutsam näherte der Landsmann sich
Dem Thier, das sich so sonderbar betrug.

Da machte mit dem Wedel seines Schweifs
Dasselbe plötlich aber eine Art
strategische Bewegung, und es flog
Ihm ein Geruch entgegen, wider den
Sein Schnupfen nur ein schwaches Bollwerk war.

Durch diesen Kniff erbost, trat er dem Biest
Noch näher, legte an und schoß es tot;
Jedoch nicht ohne daß es noch vorher
Ihm eine volle Ladung Gegentheil
Von Wohlgeruch mit auf den Heimweg gab.

Erwartend, daß der brenzliche Geruch
Verfliegen würde in der frischen Luft,
Nahm er das unbekannte Wildpret mit.

Der Duft war aber echt; denn jeder wich
Ihm aus und hielt die Nase schmunzelnd zu.
Die Meldung seines Glückes auf der Jagd
Traf noch vor ihm in seinem Gasthaus ein,
Und bei der Jugend war der Jubel groß.

Als englische Zeitungen rücksichtslos
Mich lästerten, weil ich das gute Recht
Der Deutschen dieses Lands vertheidigte,
Und sich ein Freund verwunderte, daß ich
den Ehrabschneidern nicht zu Leibe ging;
Rechtfertigte ich mich, indem ich ihm
Erzählte, wie es jenem Grünhorn ging,
Als er in seiner Unerfahrenheit
Den Skunk zu schießen sich verleiten ließ.

An die von Herrn Wilhelm Schulz 1876 aus Breslau
nach Sheboygan gebrachten Spatzen

Seid zu Sheboygan willkommen, ihr eingewanderten Spatzen!
Alt und Jung sind erfreut, euch in Wisconsin zu sehn.
An die Tage der Kindheit in Deutschland mahnt ihr die Alten,
Und der Jugend seid ihr längst aus den Büchern bekannt.
Paart euch, baut euch Nester, denn hier bekommt ihr kein Heimweh:
Besser ist alles bereit heute für euren Empfang,
Als es war für die ersten von uns, die ihr Land mit dem Compaß
Suchen mußten im Wald, welchen kein Pfad noch durchschnitt.
Bäume fällten sie, hieben die Stämme zurecht und wie Knaben
Meisenkare sich baun, bauten sie Häuser damit.
Durch das Dach, das mit Schindeln, so groß wie Dauben, gedeckt war,
Schienen die Sterne bei Nacht, drangen der Regen und Schnee.
Damals krähte noch Morgens kein Hahn, das Verstummen der Wölfe
Zeigte das Nahen des Tags über den Mischigän an
Als wir zuerst herkamen, war alles noch heulende Wildniß,
Zwischen den Stumpfen wuchs kaum erst das nötige Brot.
Mühsam zogen den Pflug durch Wurzeln die mageren Ochsen,
Barfuß färbte mit Blut öfter der Pflüger den Grund;
Aber neben ihm her schritt, Balsam reichend, die Hoffnung,
Sie, die Freundin in Noth, sie, die Gefährtin in Leid!
In dem Dunkel der Nacht verspricht sie den rosigen Morgen,
Und dem sinkenden Muth zeigt sie das krönende Glück.
Was sie verhieß, das hat sie gehalten. Es leerte sein Füllhorn
Reichthum und Ueberfluß auf das gesegnete Land.
Jetzt gibt's Weizen genug zu stibitzen, wir brauchen, wie drüben,
Hier dem Spatz so genau nicht auf den Schnabel zu sehn.
Laßt euch nieder bei uns, ihr vaterländischen Vögel,
Richtet euch häuslich ein! Alles ist da, was ihr braucht,
Futter, Federn und Stroh, und Platz in Scheunen für Nester:
Macht euch verdient und freßt Käfer und Raupen auch auf!
Wenn vielleicht auch einer der eingeborenen Vögel
Scheel euch ansieht, weil euer bescheidenes Kleid
Nicht so bunt ist, wie seines, so kehrt euch nicht an den Dummkopf,
Vögel mit prächtigem Kleid findet gewöhnlich der Habs.
Mancher denkt auch vielleicht, sein Piepen sei schöner als eures,
Tröstet euch! mancher auch denkt, Englisch sei schöner als Deutsch.
Freilich, Englisch ist schön und ist blos ein verdorbenes Plattdeutsch.
Wie viel schöner ist Deutsch, das noch so rein ist wie Gold.
Piept und zwitschert drauf los, wie ihr in der Heimath gelernt habt,
Daß nicht die kommende Brut piepen und zwitschern verlernt.
Macht euch so breit, wie die andren, wo alle Vögel sich gleich sind,
Keiner der hiesigen ist von so berühmtem Geschlecht.

Euere Ahnen pickten schon Korn vor Abrahams Zelten;
  Hätte man euch nicht gebracht, kännten die hießigen Herrn
Gottesgelehrten den Vogel nicht, der mit dem Texte gemeint ist:
  Ohne den Willen des Herrn fällt kein Sperling vom Dach.

Gegen Kauderwälsch

Ein Mensch, der Deutsch mit fremden Wörtern spickt,
Ist ebenso, wie so ein Thor verrückt,
Der seinen Tuchrock mutwillig zerreißt
Und dann mit buntem Baumwollzeuge flickt.

Die deutsche Sprache ist unendlich reich,
Kein Englisch, kein Französisch kommt ihr gleich,
Und wer mit Deutsch sich nicht zu helfen weiß,
Dem spielte die Erziehung einen Streich.

Gar mancher ochst und schwächt sich das Gesicht
Bei schlechtem Druck und trübem Lampenlicht,
Und lernt fast aller Völker Sprachen, nur
Die allerschönste, seine eig'ne nicht.

Und hat er sich mit Müh und großem Fleiß
So dumm studiert, daß er kein Deutsch mehr weiß,
Wird er zum sprachlichen Hanswurst und gibt
Für Narrenlob die Muttersprache preiß.

Die Krähe und die Pfauen

Von dummem Dünkel aufgeblasen, schmückte
Einst eine Krähe sich mit Pfauenfedern.
Sie sah mit Stolz herab auf ihres Gleichen
Und suchte Pfau zu spielen bei den Pfauen.
Doch als sie sich zu diesen mengte, hackten
Sie mit den Schnäbeln auf sie los, und rupften
Ihr den geborgten Federschmuck vom Rücken,
Und bissen den Eindringling aus dem Hofe.
Fast nackt und kaum mehr kenntlich kam die Krähe
In's alte Heim zurück zu den Verwandten,
Viel reicher an Erfahrung als an Federn;
Die wollten aber auch nichts von ihr wissen
Und stießen sie mit Hohn aus ihrer Mitte.

Zwar will ich nicht die Deutschen mit der Krähe,
Doch mit den Pfauen andere vergleichen,
Weil es kein besser Volk gibt als das deutsche;
Doch könnte mancher Deutsche, der den Affen
Für andre macht, sich diese Fabel merken,
Damit er lernte: Wer sein Volk verachtet,
Verachtet sich, und wer sich selbst nicht achtet,
Verdient auch, daß ihn Freund und Feind verachte,
Und er im Unglück nirgends Zuflucht finde.

Der Wolf und die Gans

In einer Brombeerhecke lag ein Wolf
Und stöhnte jämmerlich. Im Halse stak
Ein Knochen ihm von seinem letzten Raub,
Und brachte dem Erstickungstod ihm nah.
Da kam durch Zufall eine Gans des Wegs
Daher gewatschelt. Als der Wolf sie sah,
Ging ihm ein neues Licht der Hoffnung auf.
In einem Tone, der geeignet war,
Das Herz der Gans zu rühren, rief er ihr
Von weitem schon aus seinem Dickicht zu:

„Frau Base! haltet doch! erschreckt euch nicht!
Ich bin es, euer Vetter Wolf, an dem
Ihr jetzt ein gutes Werk verrichten könnt.
Ein Knochen steckt in meinem Hals; der will
Nicht vor noch rückwärts rutschen; zieht
Ihr ihn mit eurem Schnabel nicht heraus,

So bin unrettbar ich verloren. Drum,
Geliebte Base! zeigt euch jetzt an mir
Erkenntlich für das Gute, welches ich

Und mein Geschlecht an euch gethan und thun;
Denn säuberten wir von der Überzahl
Der Pferde, Rinder, Schafe, Hasen und
Kaninchen nicht die Weiden, bliebe nicht
Ein Grashalm für das Futter einer Gans.“

Als sie ihn reden hörte, stand sie still.
Sie fühlte sich geschmeichelt, daß ein so
Vornehmer Herr so ein gewöhnliches
Stück Federvieh, wie sie, anredete,
Als wär sie seines Gleichen; war ihr auch
Bisher verborgen, daß ihr bißchen Gras
Der Wölfe zärtlicher Besorgnis um
Das Wohl der Gänse zu verdanken war.

Sie sprach: „Der Schrecken macht mich flügellahm;
Verzeiht, Herr Vetter! meine Mutter hat
Von der Verwandtschaft nie etwas erwähnt.
Die Ähnlichkeit ist jedenfalls nicht groß.“
„Die Art, wie ich in eure Freundschaft kam,
Ist sonderbar“, entgegnete der Wolf.
„Ich ging einmal an eurem Dorf vorbei,
Die Zunge hing mir auf den Grund vor Durst,
Da lief ein Ganter spöttisch auf mich los
Und zische mich in meinem Elend aus.
Jähzornig, wie ich in der Jugend war,
Biß ich den Kopf ihm ab. Die Reue kam
Sogleich und doch zu spät. Ich that für ihn,
Was noch in meiner Macht war, und ich gab
In meinem Magen ihm ein ehrlich Grab.
O glaubt es mir, der alte Herr war zäh.

So wurde denn sein Fleisch zu meinem Fleisch,
Sein Blut zu meinem Blut, und da sein Leib
Ein Theil nun meines Leibes ist, so bin
Ich euer leiblicher Verwandter. Da
Der Ganter eurer Mutter Bruder war,
So bin ich euer Oheim eigentlich,
Und ihr seid meine Nichte. – Nichte helft!
Der Athem geht mir aus.“ Er öffnete
Den Rachen weit. Die Gans war dumm genug,
Den Kopf hinein zu stecken, und sie zog

den Knochen aus dem Schlund. Wahrscheinlich weil
Sie sich zu lang besann, biß ihr der Wolf
Zum Dank den Kopf ab; denn man fand ihn mit
Dem Knochen noch im Schnabel im Gestrüpp. –

Dem Deutschen, welcher Deutschenfeinden hilft,
Wird, wie der Gans, es gehn, die ihren Kopf
Aus Dummheit, wie die Fabel zeigt, verlor.

Die deutsche Muse in Amerika

Das deutsche Lied in diesem fremden Land
Ist gleich der Palme, die im dürren Sand
Der Wüste wächst. Dem Platz nicht, wo sie steht,
Verdankt sie's, daß sie nicht zu Grunde geht.
Was sie in Säften und am Leben hält,
Das ist der Thau, der von dem Himmel fällt.
Den fängt sie auf, er sammelt sich und steigt
Am Stamm herab und hält die Wurzel feucht,
Er löst den Grund, aus dem sie in sich saugt,
Was sie für Stamm, Blatt, Frucht und Blüte braucht.

Je einsamer, um so willkomner steht
Sie da für den, der dort vorübergeht;
Und wenn vielleicht mühselig und beschwert
Ein armer Deutscher kommt, der Rast begehrt,
Setzt er sich in den Schatten, den sie beut,
Und ruht sich aus von seiner Müdigkeit;
Und fallen ihm die tausend Stellen ein,
Wo er am Weg auf bleichendes Gebein
Von Pilgern stieß, die vor ihm früher her
Gekommen waren, hoffnungsvoll wie er,
Und die, von heißen Winden übermannt,
Verschmachtet und verschollen sind im Sand,
Dann fühlt er erst dankbaren Sinns wie gut
Ein wenig Schatten in der Wüste thut.

Deiner Herkunft nie vergiß

Als Knabe kletterte ich tagelang
Wie eine Gemse im Gebirg herum,
Und war zuhaus auf jeder alten Burg.

Auf einer dieser Burgen war am Thor
Ein Wappen und im Wappen war ein Rad.

Als bei der Mutter meiner Mutter ich
Darüber mich befragte, sagte sie:
Das Rad im Wappen an dem Burgthor ist
Das Mainzer Rad, und eine eigene
Bewandtnis hat es, wie man sagt, damit.
Der Erzbischof von Mainz war früher auch
ein Kurfürst und der höchste Adel war
Ihm unterthan. Da trug es einst sich zu,
Daß eines Wagners Sohn zum Erzbischof
Von Mainz gewählt ward, Namens Willegis.
Die Höflinge von Adel rümpften oft
Die Nasen über seines Vaters Stand;
Wer wirklich ihm ergeben war am Hof,
Vermied mit Ängstlichkeit ein jedes Wort,
Das an des Fürsten niedrige Geburt
Erinnern konnte. Willegis jedoch,
Darüber aufgebracht, gab den Befehl,
Unwiderruflich sollt' ein Wagenrad
Zum ewigen Gedächtnis an die Wahl
Des Wagnersohns zum Fürstbischof von Mainz
Im Mainzer Wappen stehn. Und so geschah's,
Wie du am Thor der Burgruine sahst.

Der Kurfürst Willegis ließ außerdem
An seinem Schloßthor, wo das Wappen war,
Darunter schreiben, groß, mit goldner Schrift,
Für jeden ohne Brille leserlich,
Den folgenden von ihm verfassten Reim:
Willegis! o Willegis!
Deiner Herkunft nie vergiß.

Das alte Essigfaß

Ich war einmal im Busch zu einer Zeit,
Die einer Wahl vorausging. Wo ein Weg
Den andern kreuzte, war an einem Stamm
Ein Zettel angeheftet, der dem Volk
In fetter Schrift anzeigte, wann und wo
Der Richter Soundso die nächste Wahl
Besprechen würde. Die Partei, für die
Er reden wollte, war dort nicht beliebt,
Und auch der Redner gänzlich unbekannt.
Des Abends zur bestimmten Stunde ging
Ich an den angezeigten Platz. Es war
Ein Schulhaus. Da dasselbe viel zu eng
Für die Versammlung war, so wurde sie
In's Freie auf ein nahes Feld verlegt.
Man schleppte Holz herbei und zündete
Ein großes Feuer an. Der Redner stieg
Auf einen Fichtenstumpf und er begann:
Mitbürger! sprach er, fremd bin ich bei euch;
Ihr kennt mich nicht, und mancher denkt vielleicht,
Der wird bezahlt, um für ein X ein U
Uns vorzumachen. Meinetwegen kann
Ein jeder von mir denken, was er will;
Denn zweimal zwei ist vier, ob nun
Ein guter oder schlechter Mensch es sagt.
Fast Alle, welche hier mich hören, sind
Mitglieder einer anderen Partei,
Und zweifellos war sie die rechte einst.

Sie heißt zwar noch wie sonst, doch wenn ihr sie
Beim rechten Licht betrachtet, wird es euch
Wie jenem Manne gehn, von dem ich hier,
Wenn ihr's nicht übel nehmt, erzählen will.

Es war einmal in Pennsylvanien
Ein Farmer, der ein altes Faß besaß.
Der Vater seines Vaters, welcher mit
Pastorius in's Land gekommen war,
Der hatte es aus Deutschland mitgebracht.
So lang derselbe lebte, hatte er
Darin sich seinen Essig angesetzt;
Und da er steinalt wurde, war zuletzt

Das Faß das einz'ge Ding, das ihm noch blieb
Von Allem, was er einstens mitgebracht.
Im Scherze pflegte oft der alte Mann
Zu sagen, daß von allem deutschen Gut,
Mit dem er landete, nichts übrig war,
Als seine Knochen und das alte Faß.
Nachdem der Greis gestorben war, bekam
Sein Sohn das Faß, und er benutzte es,
So lang er lebte, auch als Essigfaß;
Er und sein ganzes Haus betrachteten
Es wie ein Heiligthum, und als er starb,
Vermachte er es seinem Lieblingssohn,
Dem Mann, von dem ich euch erzählen will.
Auch er benutzte es als Essigfaß,
Ihm schien etwas Geheimnisvolles in
Dem Faß zu stecken; denn kein Essig hielt
Nach seiner Meinung den Vergleich aus mit
Dem Essig, der aus diesem Fasse kam.

Oft dachte er: Was für ein Wunderland
Muß Deutschland sein, in dem die Eiche wuchs,
Von der das Holz zu diesem Fasse kam.
Nun traf es einstens sich, als er ein Stück,
Das schadhaft war, ersetzen wollte durch
Ein neues, daß er auf den Einfall kam,
Das Faß einmal zu untersuchen, wie
Viel alte Stücke nach einander schon
Daran ersetzt durch neue waren. Er
Besichtigte nun jedes Stück genau.
Da fand er, daß er selbst so oft das Faß
Schon ausgebessert hatte, schon so oft
Statt alter Stücke neue eingefügt,
Daß von dem Holz, aus dem das Faß bestand,
Als er es erbte, nicht ein einzig Stück
Mehr da war; daß schon jedes Bodenstück,
Schon jede Daube, jeder Reif daran
Von ihm mit eigner Hand erneuert war.
Was, denkt ihr! fuhr der Redner weiter fort,
War von dem Faß noch übrig, welches sein
Großvater mit aus Deutschland brachte? – Nichts!
Nichts weiter als das Spundloch und sonst nichts! –

Was weiter vorfiel, will ich übergehn.
Das Gleichnis aber war so treffend, daß
Es mir wohl wert der Aufbewahrung schien.

Wie viel im Staat und in der Kirche däucht
Ehrwürdig uns durch Alter, das doch nichts
Von dem, was einst es war, mehr an sich hat,
Als bloß den Namen und die leere Form.

Der Streik der Glieder

„Wir stehen aus! Das ist nicht auszustehn
Mit diesem Faulpelz, der sich gütlich thut,
Indem er nichts thut, diesem Nimmersatt,
Der sich nur stopft, und sich jahrein jahraus
Von uns bedienen lässt. Wir sind so gut,
Wie so ein Wanst. Was will der Magen thun,
Wenn wir nicht länger seine Sklaven sind?
Folgt meinem Rat und stellt die Arbeit ein,
Dann mag er zusehn, wer ihn füttern will."

So sagte zu den Händen und den Füßen
So wie zu den gesammten andern Gliedern
Der mit dem Magen unzufriedene Mund,
Der Rädelsführer war. Darauf beschlossen
Die Glieder einen allgemeinen Streik.

Da hatten nun die Zähne Feiertag,
Die Hände lagen müßig in dem Schoos,
Und führten keinen Bissen an den Mund;
Nicht einen Tropfen schluckte mehr der Schlund;
Es weigerten die Füße sich, den Magen
Für nichts und wieder nichts herum zu tragen.

Als Speis und Trank nicht mehr hinunter kam,
Da fing der Magen erst zu knurren an,
Dann wurden Gaumen, Mund und Gurgel trocken:
Die Augendeckel fielen schläfrig zu,
Dem Kopfe ward es schwindlich und er dachte
An nichts mehr als an Essen und an Trinken.
Es lag wie Blei den Füßen in den Sohlen,
Die Arme waren schlaff, die Hände hatten
Kaum Kraft mehr, einen Finger krumm zu biegen.
Kurzum! ein jedes Glied am ganzen Leib
War abgezehrt und mit dem Leib am Sterben.

Da gaben sie zu rechter Zeit noch nach,
Und kehrten zum gewohnten Dienst zurück,

Wodurch der Magen von der Fastenzeit
Sich schnell erholte, jedem Gliede Kraft
Und dem gesammten Leib Gesundheit gab.

Die hier erzählte Fabel ist schon alt,
Alt, wie der Kampf ist zwischen Arm und Reich.
Ein Staatsmann war es, welcher sie erfand.
Er zeigte seinem Volk durch den Vergleich,
Wie Arm und Reich einander immer braucht
Und zwischen ihnen Haß und Streit nichts taugt.

Geht Kapital und Arbeit Hand in Hand,
Blüht Glück und Wohlstand in dem ganzen Land.

Der Wolf und der Hund

Ein magrer Wolf traf einen fetten Hund.
Nach gegenseitiger Begrüßung frug
Der Wolf: Womit bist du so gut genährt,
Daß dich das Fell vor Wohlbeleibtheit spannt,
Wogegen ich trotz meiner Kraft so dünn
Vor Hunger und so abgemagert bin,
Daß man an mir die Rippen zählen kann?
Da sprach der Hund: Von dir nur hängt es ab,
So feist, wie ich, zu werden. Gehe mit
Zu meinem Herrn. Besorge sein Geschäft
Wie ich, so geht es dir so gut wie mir.
Was musst du thun? entgegnete der Wolf.
Die Thür bewachen und bei Nacht das Haus
Vor Einbruch hüten, sprach darauf der Hund.
Ich gehe mit, antwortete der Wolf,
Das Hungern und das Frieren in dem Wald
Bei Schnee und Regen hab ich herzlich satt.
Er schickte sich bereits zum Mitgang an,
Da nahm er plötzlich einen kahlen Streif
Am Halse seines neuen Freundes wahr.
Was ist denn das da? frug er ihn. O nichts!
Nichts von Bedeutung, sprach der Hund, es rührt
Blos von der Kette her, woran bei Tag
Ich liege, weil ich manchmal bissig bin.
Ich lebe von der besten Kost, mein Herr
Schickt mir von seiner Tafel die mit Mark
Gefüllten Knochen und die Dienerschaft.

Hält meine Schüssel bis zum Rande voll
Mit allem, was vom Essen übrig bleibt.
Bin ich mit Braten, mit geschmortem Fleisch
Und andern Leckerbissen voll gepfropft,
Lässt man mich los, sobald es dunkel wird;
Dann kann ich gehn, wohin ich immer will.
So kannst du also nicht zu jeder Zeit
Hingehen, wo du willst? frug da der Wolf.
Wenn ich tagüber angekettet bin,
Dann allerdings nicht! sagte dann der Hund.
Dann lebe wohl, erwiderte der Wolf,
Mich lüstet nicht dein Glück. Ich will zurück
Zu Frost und Hunger in den freien Wald
Und ziehe vor, mein eigner Herr zu sein.

*

Menschen, die den Krieg nicht kennen,
Mögen Krieg und Schlachten loben,
die ihr heißes Blut der Jugend
und dem Alter Thränen kosten
Die den Eltern ihre Söhne,
Kindern ihre Väter nehmen
Und in Schmerz die Frauen kleiden.
Mir gefällt das Glück des Friedens
besser als der Ruhm des Krieges

(unveröffentlicht)

Es spricht der Thor: Es ist kein Gott

Wenn jemand eine Taschenuhr dir zeigte,
Und hättest du nicht eine je gesehen,
Und sähest du der Zeiger Lauf, du würdest
Auf etwas schließen, das die Zeiger dreht;
Und wenn du dann das Werk betrachtetest,
Du wüßtest, daß kein blindes Ungefähr
Die Räder sinnreich in einander fügte,
Und mit der Feder in Verbindung setzte.
Den hieltest du gewiß für einen Thoren,
Der sagen würde, eine solche Uhr
Sei bloß des Zufalls, keines Menschen Werk.

Wenn nun ein Künstler eine Uhr erfände,
Die, einmal aufgezogen, immer ginge,
Und wunderbar so eingerichtet wäre,
Daß jährlich eine Kapsel an ihr wüchse,
Die viele Hunderte von Körnern trüge,
Aus deren jedem eine Uhr entstände,
Vollkommen gleich der ersten, wäre es
Nicht mehr, als was der menschliche Verstand
Je auszudenken sich erkühnen kann?

Nun aber ist selbst das geringste Blatt,
Ein jedes Fäserchen an einer Wurzel
Kunstvoller und den Zweck entsprechender
Beschaffen, als das künstlichste Gebilde
Von Menschenhänden, und dieselbe Weisheit,
Die jeder Gattung Erstlinge geschaffen,
Schloß in ein unscheinbares Samenkorn
Die Absicht einer Weiterschöpfung ein.

Er legte in der Eichel Keim die Eiche,
In eine Handvoll Samen drückte Er
Die Wälder einer künftgen Zeit zusammen,
Und seinen Willen, für die Ewigkeit
Das Reich der Luft mit Vögeln zu bevölkern,
Hat Er in dünne Schalen eingehüllt.

Und dennoch spricht der Thor: Es ist kein Gott!
Wenn ihm ein Blick in seine Eingeweide
Ein Uhrwerk zeigen würde, dessen Kunst
Jahrhundertlange Forschung zu begreifen

Kaum angefangen hat, wo jede Faser
In seinem Innern, jeder Tropfen Blut
Die weise Absicht dessen offenbarte,
Der seiner Lunge Flügel athmen hieß,
Und seinem Herzen anbefahl zu schlagen.

Es ist ein Gott! So steht mit Feuerschrift
Geschrieben am gestirnten Firmamente,
Dem Zifferblatt der großen Uhr der Welt,
Wo jedermann die Zeiger sehen kann;
Doch nur der Weise sieht die nächsten Räder.
Wo in der Tiefe der Geheimnisse
Die Feder aber liegt, die diesen Rädern
Zu gehn gebietet, wer das Wesen ist,
Deß Hand im Anfange die Schöpfung aufwand,
Wird ewig unserm Blick verschleiert bleiben.
Genug, wir wissen daß es Weisheit ist.

Wenn manchmal auch der menschliche Verstand,
Der doch nichts weiter ist, als wie im Wasser
Ein Widerschein des Uferrands der Schöpfung,
Uns Zweifel macht, ob wir nicht zu gering
Für die Beachtung jenes Wesens sind,
Das auf das Nichts des leeren Raums den Grundstein
Des Weltalls für die Ewigkeiten legte,
So ruft doch aus der Tiefe unsrer Seele
Uns Etwas zu, daß wir nicht Waisen sind,
Daß unser Vater lebt, in dessen Haus
Der Obdachlose eine Wohnung hat.

Ermunterung

Wenn man im Feld die Blume sieht,
Wie ihre Krone sorglos blüht,
Erhebt sich unser klein Gemüt,
Sie blüht ja nicht für Schätze.

Sind wir geringer auf der Welt,
Als eine Blume auf dem Feld,
Daß wir für nichts als für das Geld
Die Zeit verschwenden sollten?

Ihr Thoren, die ihr den verlacht,
Der lieber Andre glücklich macht,
Als reich wird, eure Niedertracht
Beschämt die Wiesenblume.

Du Selbstsucht, die an sich bloß denkt,
Sich! wie sie Wohlgeruch verschenkt,
Mit ihrem Honig Bienen tränkt,
Laß dich von ihr belehren!

Ihr aber, die ihr höher strebt,
Und für die Mit- und Nachwelt lebt,
Wenn bang der Zweifel sich erhebt,
Und eure Zukunft trübet,

Verzaget nicht, und unverrückt
Verfolgt das Ziel; wer Blumen schmückt,
Und ihnen Thau und Regen schickt,
Der wird auch euch versorgen.

Der letzte Grund

Die Dampfmaschine sprach: Ich bin die Kraft,
Die Rad und Schraube bei dem Dampfer treibt.
Es sprach der Dampf: Die Kraft, die treibt, bin ich.
Das Wasser sagte: Ohne mich kein Dampf.
Der Kessel sagte: Kochte man in mir
Das Wasser nicht, es würde nicht zu Dampf.
Das Feuer sprach: Ich muß das Kochen thun.
Die Kohle sprach: Das Feuer mache ich.

Der Heizer, der die Kohlen schaufelte,
Vernahm den Wortstreit und gebot: Seid still!
Ich hätte mehr zum Anspruche das Recht,
Daß ich es bin, der alles gehen macht;
Doch dürfte dies nicht allzulaut geschehn,
Sonst könnte meine Schaufel Einspruch thun,
Und mit ihr käme noch ihr Stiel in Streit,
Und mit dem Stiel am Ende noch der Baum,
Aus dessen Holz der Stiel geschnitten ist.
Und wollte gar ich alles nennen, was
Geschehen musste, bis ein Eisenstein
In eine Schaufel umzuwandeln war,
So ginge mir dabei der Athem aus.

Nichts steht für sich allein, unendlich ist
Der Dinge ewiger Zusammenhang,
Und alles, was geschieht und da ist, hängt
Am selben Seil, woran das Weltall hängt.

Betrieben wird das, was zu treiben scheint.
Und wer da glaubt, daß er die Treibkraft sei,
Ist meistens kaum ein Zahn an einem Rad
In dem Getriebe eines Räderwerks,
Wovon kein Mensch die wahre Triebkraft kennt.

Sonette
von
Konrad Krez
Zuversicht auf die Genesung
meiner Tochter Gertrude

Zuversicht (bei drohendem Unglück)

Der Gott, der mir zu Wasser und zu Land
So oft in Not und tödlicher Gefahr
In Krieg und Frieden eine Schutzwehr war,
An dem ich meinen Schild und Panzer fand
Wenn ich im Hagel der Kartätschen stand
Der mich im Nachen durch die Brandung brachte,
Der oft mein Zelt zu bombenfester Wand
Vor Splitter regnenden Granaten machte
Der abseits hält die Hufe meiner Rosse
Vom Zünder der vergrabnen Sprenggeschosse
Und der das Steuer meines Schiffes führte
(Und der als Lootse so das Steuer führte)
Daß das Torpedo nicht mein Schiff berührte
Er rettete mir nicht so oft das Leben,
Um mich zuletzt dem Unglück preiszugeben.

(unveröffentlicht)

II
Als sie starb

Das Unglück ist doch über mich gekommen
Und mancher spricht zu mir: Der Gott, du Thor!
An den du glaubst, hat weder Herz noch Ohr,
Sonst hätt' er nicht die Tochter dir genommen.
Ach, aus dem Abgrund der Verzweiflung flehten
Wir um das Kind und wurden nicht erhört,
Gott, der erschafft, erhält und der zerstört,
Lenkt alles nach Gesetz, nicht nach Gebeten

Zu leiden und zu sehn, wie andre leiden
Und von dem Liebsten, das man hat, zu scheiden
Ist Menschenloos, und was in seinem Rat
Uns Gott bestimmt hat, muß zum Besten sein;
Ermessen aber kann nur er allein,
Wie weh er uns in seiner Weisheit that.

(unveröffentlicht)

Auf Sophiens Tod

Liegt die Lilie schon entblättert vom Brausen des Nordwinds?
Hatte der Frühling doch kaum sie aus der Knospe gelockt!
Was für ein Kranz ist's, womit die bräutlichen Locken geschmückt sind?
Was für ein schmales Bett ward für die Hochzeit bestellt?
Was für ein Bräutigam kam, die blasse Braut sich zu holen,
Eine Blume, die kaum sich zu entfalten begann?
Noch so jung und so zart und schon lassen die Eltern sie ziehen
Aus der Wohnung des Lichts in die Behausung der Nacht.
Wenn du frägst, o Tod, kann niemand die Tochter versagen,
Bettler und Könige sind ebengeboren bei dir.
Unerbittlicher Tod, du allesbezwingender Herrscher.
Schönheit, Jugend und Kraft fallen vor dir in den Staub.
Reichtum besticht dich nicht, die Gewalt kann dich nicht besiegen.
Deine knöcherne Brust wird nicht von Mitleid bewegt.
Fürst der Verwesung! Aus Locken zu früh verstorbener Jugend
Ist dein Mantel gewirkt! In dem Palast, wo du thronst
Stehen Königsgerippe als kerzentragende Leuchter,
König der Kaiser du! Über die Könige Herr!
Ach, daß mit deiner Krone nicht auch die Gnade verknüpft ist.
Ihr jungfräuliches Haupt hättest du sicher verschont,
Und du hättest gerührt von Sophiens Jugend und Unschuld
Deinen tödlichen Pfeil nicht in die Brust ihr gesandt.
Nie ist ein kränkendes Wort von ihren Lippen gefallen,
Worte der Güte blos kannte ihr lieblicher Mund!
Überirdisch war ihre die Herzen treffende Schönheit,
Heimliche Anmut umgab ihre verklärte Gestalt.
Früh ist sie fortgegangen und leer ist ein Platz in dem Kreise
Ihrer Geschwister. Ein Glied fehlt in der Kette des Glücks.
Welken werden die Rosen, die sie zu begrüßen gewohnt war,
Und es trauert der Schwan, der an dem Teich sie vermißt.
Alles ist traurig, der Garten, der Hof und das Haus sind verödet,
Wer sie am besten gekannt, trauert am meisten um sie.
Möge der Epheu die Gruft mit ewigem Grün ihr umranken.
Frisch wie sein dauerndes Laub bleibt ihr Gedächtnis bei uns.
(unveröffentlicht)

Im Jahrgang 1868, S. 116, veröffentlichte die „Gartenlaube", damals noch durchaus liberal und besonders die Beziehungen zu den Ausgewanderten und deutschen Flüchtlingen pflegend, unter der Überschrift „Welchem der beiden Gedichte gebührt der Preis? von Konrad Krez „Entsagung und Trost" und von Robert Prutz „Ein Menschenherz". Die Redaktion teilte dazu mit, daß die Gedichte dem von Christian Schad und Ignaz Hub herausgegebenen „Album für Ferdinand Freiligrath" entnommen wurden. Dieses Krezgedicht in der Gartenlaube hatte bei der Leserschaft eine sehr große Resonanz. Aber auch Krez selbst erhielt viel Lob und Anerkennung. Er schrieb an die Gartenlaube: „Seitdem (seit der Publikation von „Entsagung und Trost") habe ich so viele Beweise von Anerkennung, die ich Ihrem Blatt verdanke, aus Europa, Amerika und sogar aus Australien erhalten, daß ich vielleicht nicht ohne Grund glaube, die Veröffentlichung des beiliegenden Gedichtes würde den Lesern der Gartenlaube nicht unangenehm sein. Es ist der Ausdruck des Gefühls eines alten Achtundvierzigers." Die Gartenlaube druckte Brief und Gedicht „An mein Vaterland" im Jahrgang 1870, S. 4 ab.

In der Frankfurter Zeitung erschien dann am 19. März 1897, nachdem, wie sein Sohn Paul mitteilte, Krez am 10. März (richtig am 9. März!) verstorben war, eine längere Würdigung von Konrad Krez. Als Dr. Albert Becker (Zweibrücken) in der Zeitschrift „Pfälzerwald" des Pfälzerwald-Vereins (nachdem er durch die Jugenderinnerungen von Martin Greif auf Krez aufmerksam geworden war) sein Wissen über Krez ausbreitete, meldete sich Dr. Maximilian Pfeiffer und bekundete, daß er jahrelang persönlich Briefe mit Krez gewechselt habe. In der „Pfälzischen Heimatkunde" veröffentlichte Dr. Philipp Keiper (Regensburg) am 15. Mai 1913 das Gedicht „An mein Vaterland" und forderte, wie noch viele später, daß das Gedicht in die deutschen Lesebücher aufgenommen werden soll. Im „Pfälzerwald" vom 15. Mai 1914 schrieb Dr. Eugen Fried (Landau), daß er sich mit Nachforschungen über Krez beschäftigte und einige interessante biografische Aspekte über die Familie gefunden habe. Inzwischen kam es zu einem Briefwechsel (seit Februar 1914) zwischen Reverend Otto Engel aus Norwalk, Wisconsin, mit Kommerzienrat Heinrich Kohl, dem gebürtigen Landauer, Bankier, Sammler und Vorstandsmitglied des Pfälzerwaldvereins, aus dem hervorgeht, daß Heinrich Kohl schon länger auf der Fährte Krez war und daß er Dr. Fried zu seinen Nachforschungen angeregt hatte. Er wandte sich auch im Mai 1914 an Krezens Sohn Paul, der in Sheboygan Richter war. In einem Brief vom 30. Mai 1914 schreibt Kohl:

u.a.: „Ihr Herr Vater ist wie ich in Landau geboren und verbrachte dortselbst seine Jugend, daher stelle ich es mir zur Aufgabe, den großen Sohn

Landaus in unserer gemeinsamen Vaterstadt mehr bekanntzumachen und sein Name durch irgend ein öffentliches Denkzeichen für alle Zeiten in Erinnerung zu halten. (Ich denke hier an eine Gedenktafel mit Portraitrelief des Dichters an seinem Geburtshaus ...)" Im „Pfälzerwald" Nr. 7/8 1915 veröffentlichte dann Studienrat Karl Reisert (Würzburg) einen größeren Artikel über Krez. Reisert kam über Studien und Forschungen für das Deutsche Kommersbuch zu Krez. Auf Veranlassung von Dr. Maximilian Pfeiffer wurden Krez-Gedichte dort aufgenommen. Über den Komponisten Otto Lob kam Reisert mit Krez in Kontakt. 1905 und 1910 veröffentlichte er seine Fakten in den „Akademischen Monatsblättern". Er stand mit Paul Krez in Verbindung, der ihm wertvolle Materialien und Nachrichten übermittelte. Auch der Neffe des Dichters (Hofrat L. Krez, Badearzt in Reichenhall-Gardone) sammelte Unterlagen über seinen Onkel und konnte Reisert den Band „Deutsch in Amerika" von Dr. G.A. Zimmermann geben.

Nach dem Ersten Weltkrieg, der viele Aktionen lähmte, war Krez wiederum nicht vergessen. Dr. Albert Becker schrieb einen Artikel zu seinem 100. Geburtstag im „Pfälzer Land", der Beilage zum Landauer Anzeiger vom 28. April 1928, die „Palatina" (Beilage zur ‚Pfälzer Zeitung' und des ‚Rheinischen Volksblatts') veröffentlichte am 17. Juli 1930 das Gedicht „An mein Vaterland" auf der Titelseite. Die Amerika-Nummer der Zeitschrift „Die Pfalz am Rhein" brachte verschiedene Gedichte und ein Portrait-Bild von Krez sowie einen Aufsatz von Leopold Reitz.

Mit erstaunlicher Unverschämtheit hat der nationalsozialistische Schriftsteller Ludwig Finckh Konrad Krez zu seinem Eigentum erklärt und sich als den großen Krez-Forscher hingestellt, nachdem er zuvor einen schaurigen Roman über ihn geschrieben hatte, dessen Phantasie ihn auch beim Abfassen der Einleitung seiner Gedichtausgabe von Krez beflügelte. Finckh schwadroniert dort: „Verzweifelt wenig war noch über ihn bekannt; nur immer dieselbe farblose Litanei in beiden Erdteilen. Ich mußte suchen und graben, und ich fand seine Spuren im Museum seiner Vaterstadt und in Milwaukee; ich forschte nach seinen Ahnen und Enkeln, denn niemand hatte es bisher noch getan. Er war vergessen worden. Vermutlich waren auch die Fährten der flüchtigen ausgewanderten Deutschen absichtlich verwischt und ausgelöscht worden, denn man schämte sich noch ihrer, man wollte nichts mehr von ihnen wissen und nichts mit ihnen zu schaffen haben." In diesem Stil geht das Ganze weiter. Allerdings hatte in Landau der jüdische Zahnarzt Dr. Eugen Fried, bekannt als Mundartdichter und Rezitator, Forschungen über die „Ahnen" von Konrad Krez vorgenommen und publiziert. Ein „niemand"? Finckhs Geschichtsklitterung um Konrad Krez hatte zum Ziel, den „Auslandsdeutschen" im Leiden an Deutschland zum Kämpfer für ein „Großdeutsches Reich" zu stilisieren, was Krez nie war. Der Nationalsozialist Finckh behauptete: „Konrad Krez war ein Vorläufer des Dritten Reichs, der sein Herzblut verströmt hatte, Märtyrer für Deutschland." Sollte der Krezforscher von Gnaden des 3.

Konrad Krez:

An mein Vaterland.

(„Aus Wiskonsin" 1869)

Kein Baum gehörte mir von deinen Wäldern,
mein war kein Halm auf deinen Roggenfeldern;
und schutzlos hast du mich hinausgetrieben,
weil ich in meiner Jugend nicht verstand
dich weniger und mehr mich selbst zu lieben —
und dennoch lieb ich dich, mein Vaterland!

Wo ist ein Herz, in dem nicht dauernd bliebe
der süße Traum der ersten Jugendliebe?
Und heiliger als Liebe war das Feuer,
das einst für dich in meiner Brust gebrannt;
nie war die Braut dem Bräutigam so teuer,
wie du mir warst, geliebtes Vaterland!

Hat es auch Manna nicht auf dich geregnet,
hat doch dein Himmel reichlich dich gesegnet.
Ich sah die Wunder südlicherer Zonen,
seit ich zuletzt auf deinem Boden stand;
doch schöner ist als Palmen und Zitronen
der Apfelbaum in meinem Vaterland.

Land meiner Väter — länger nicht das meine —
so heilig ist kein Boden wie der deine!
Nie wird dein Bild aus meiner Seele schwinden.
Und knüpfte mich an dich kein lebend Band,
es würden mich die Toten an dich binden,
die deine Erde deckt, mein Vaterland!

O würden jene, die zu Hause blieben,
wie deine Fortgewanderten dich lieben,
bald würdest du zu e i n e m Reiche werden,
und deine Kinder gingen Hand in Hand
und machten dich zum größten Land auf Erden,
wie du das beste bist, o Vaterland!

Gedenktage

zu Ehren des grenz- und auslandsdeutschen

Sängers und Kämpfers

Konrad Krez

geboren zu Landau in der Pfalz am 27. April 1828
gestorben zu Milwaukee in Amerika am 9. März 1897

Veranstaltet am 8. und 9. Mai 1937 von seiner Heimatstadt

Landau i. d. Pfalz

VERANSTALTUNGS-FOLGE:

Samstag den 8. Mai 1937, 20 Uhr

Heimatabend

im großen Saale der städtischen Festhalle Landau

unter Mitwirkung
des Instrumentalkreises der städtischen Volksmusikschule (Leitung: Hans Knörlein)
der vereinigten Männerchöre (Georg Böhm) und
des Musikvereins Landau (Philipp Mohler)

I.

Feierlicher Marsch von August Kremser

Begrüßung durch Kreisleiter Bachmann

Deutsches Sturmlied, vertont von Krakow

Konrad Krez und seine Heimat im Ringen um das Reich
Vortrag von Stadtarchivar Lutz

Spruch der Auslandsdeutschen, vertont von Karl Schüler

An mein Vaterland, Gedicht von Konrad Krez

II.

Sarabande von Händel

Ludwig Finckh, Verfasser des Konrad Krez-Romanes
„Ein starkes Leben", liest aus seinem Werke

Gemeinsames Lied: „Nichts kann uns rauben . . ."
vertont von Ludwig Zölsch

Sonntag den 9. Mai vorm. 10 ½ Uhr

Kundgebung

vor dem Geburtshaus von Konrad Krez
am Deutschen Tor-Platz (Königstraße 2)

Aufmarsch der Gliederungen der NSDAP

Kantate „Hoch steht der eine Tag", von Erich Lauer
Worte von Herbert Böhme

Ausführende: Singscharen der städt. Volksmusikschule (JV, JM, BDM)
Musikkorps des Infanterie-Regiments 104
Leitung: Hans Knörlein. Sprecher: Dr. Franz Kunkel

Ansprache von Bürgermeister Maschemer

Enthüllung der Gedenktafel

Bekränzung durch ein Mitglied der Familie Krez

Grüße der Sippe Krez (aus Baden und Pfalz)
die sich hier zu einem Krezentag trifft

Konrad Krez und das Deutschtum im Auslande
Schlußwort eines Redners vom Deutschen Ausland-Institut in Stuttgart

Eröffnung der Ausstellung „Konrad Krez und seine Heimat im Ringen um das Reich"
im Nebenraum des Gasthauses zum Grünen Baum, beim Geburtshaus

Programm der Krezfeier vom Mai 1937.

Reichs, der feststellte: „Es war mir vergönnt, sein Gedächtnis wieder aufzuwecken und ihn auferstehen zu lassen, seine Lieder ins Deutsche Volk zu bringen", nicht „entdeckt" haben, daß Krez ein republikanischer, demokratischer Freiheitskämpfer war, der für eine Reichsverfassung eintrat, die den Politikern des 3. Reichs ein Greuel war, der in Amerika für die Menschenrechte und gegen den Rassismus als Familienvater sein Leben im Bürgerkrieg aufs Spiel setzte, daß Krez für die Rechte der Minderheiten lebenslang gekämpft hat, weil er wußte, wie ungerecht Mehrheiten die Freiheitsrechte (z.B. der Deutschamerikaner in der Ausübung ihrer Freiheitsrechte – die Sprache betreffend) anderer mit Füßen treten, daß Krez im Gegensatz zu vielen anderen deutschsprachigen Dichtern das Bismarckreich nicht verherrlichte, Bismarck in seinen politischen Dichtungen mit keinem Wort erwähnt (den er natürlich als Liberalenfresser kannte). Was Finckh anstellte, war eine Schändung des Ansehens von Krez aus dem Ungeist der Zeit.

Im ähnlichen Stil verliefen ein Heimatabend am 8. Mai 1937 und eine Kundgebung mit Enthüllungen der Gedenktafel am Geburtshaus von Konrad Krez am 9. Mai 1937. Es versteht sich, daß Finckh aus seinem Krez-Roman „Ein starkes Leben"vorlas.

Dr. Hans Hess, Stadtarchivar von Landau, hat nach dem Kriege in verschiedenen Artikeln Konrad Krez gewürdigt, bis er mit seinem Aufsatz „Konrad Krez – Ein deutscher Freiheitskämpfer und Poet in der Alten und Neuen Welt" eine wissenschaftliche Biografie nach dem vorhandenen Material im Stadtarchiv Landau vorlegte und sich besonders auf die Selbstbiografie von Krez stützte, wenn er auch Teile davon ausgelassen hat. Des weiteren wurden amerikanische Artikel aus biografischen Lexika und Sammelbänden und die Unterlagen des Krez-Nachlasses zu Rate gezogen. Wesentliche Informationen gaben und geben die Briefe von Konrad Krez an seinen Freund Justizrat Cornelius David (Frankenthal) aus der ehemaligen Sammlung Heinrich Kohl. Ein besonderer Fund zur Klärung der Krez-Biografie gelang Dr. Friedrich Krebs (Speyer), der unter den Präsidialakten im Staatsarchiv Speyer eine Akte fand, die sich mit Konrad Krez und seiner Rolle bei einer Verschwörung gegen den bayrischen König befaßt. Besonders wichtig war, daß Krebs aus dieser Akte erstmals die Proklamation gegen die Fürsten und Könige veröffentlichte. (Landauer Monatshefte. Heft 7/1971. S. 5 ff.

Wenn es gilt, die Leistungen der Deutschen in Amerika zu würdigen, wird Konrad Krez genannt. Immer wieder flackert die Erinnerung an ihn durch die Wiederholung altbekannter Wahrheiten und Fehler über seine Biografie auf. Kein Wunder, daß an Konrad Krez auch im Zusammenhang mit der Zweihundertjahrfeier der amerikanischen Revolution gedacht wurde. Aus der Feder Jakob Willers stammte dabei ein Artikel, der feststellte, daß der Deutsch-Amerikanische National-Kongreß Konrad Krez würdigte. Ein kurzer Lebensabriß von Krez erschien in der „Rheinpfalz" am 5. 7. 1986. Allerdings wurde u.a. der gleiche Fehler wie bei Finckhs Vorwort zu seiner Auswahlsammlung von Krezgedichten wiederholt, der behauptet, daß Krez vom Einsatz in Schleswig-Holstein direkt in den badisch-pfälzischen Aufstand zog, während in Wirklichkeit mehr als ein dreiviertel Jahr dazwischen lag. Solche fehlerhafte Übereinstimmungen verweisen darauf, daß die Kenntnis von Krez auf den immer mal wieder erscheinenden Zeitungsartikeln beruht, die zum Teil flüchtig zusammengeschrieben werden.

So war Konrad Krez in seiner pfälzischen Heimat immer unvergessen, wenn auch , bedingt durch die geografische Distanz, die Kontakte zu Lebzeiten von Konrad Krez recht bescheiden waren. Immerhin hat Krez sich zeitlebens für die alte Heimat, die Freunde und Bekannten interessiert. Die Briefe (siehe Dokumentation) sind z. T. rührende Zeugnisse dieser engen geistigen Bindung an die unvergessene Heimat. Kurz vor seinem Tode hat Konrad Krez in einem Brief an Kornelius David in Frankenthal auf diese Treue zur pfälzischen Heimat Bezug genommen. Er schreibt darin, daß „je älter der Mensch wird, um so lebhafter die Erinnerungen an die Zeiten der Jugend" zurückkehren. Nachdem er in jüngeren Jahren gezwungen war, durch die Anpassung an die neue Heimat die alte zu verdrängen, ergriff im Alter, „als er einigermaßen zur Ruhe gekommen war", sein altes Selbst verstärkt wieder von ihm Besitz.

Inzwischen sind Generationen nachgefolgt. Von Vertrautheit mit Konrad Krez kann nicht gesprochen werden – auch wenn im 3. Reich die beschriebene Vereinnahmung erfolgte. Derjenige, der vergessen war und blieb, war der Autor Konrad Krez. Die Vertrautheit der Heimat mit den vertriebenen und geflüchteten „Achtundvierzigern" „Neunundvierzigern" hatte schon seit den siebziger Jahren des 19. Jahrhunderts sehr gelitten. Nach der Reichsgründung läßt sich z. B. die Wandlung des Familienblatts „Gartenlaube" zur national orientierten Zeitschrift daran ablesen, daß die zuvor stark gepflegten Beziehungen zur Emigration zurückgedrängt werden. Die Bismarck-Zeit war auch mitgeprägt von den amtlichen Bemühungen, die Erinnerung an die Zeit von 1848/49 zurückzudämmen und sogar z. T. negativ zu verfälschen. Es war streckenweise verboten, Kränze an den Gräbern der gefallenen und verstorbenen Mitkämpfer der „Revolution" niederzulegen oder Erinnerungs- und Trauerfeiern abzuhalten. Auch das Abschneiden schwarz-rot-goldener Kranzschleifen ist überliefert.

Die enge Vertrautheit vieler amerikanischen mit deutschen Familien erlebte durch den Ersten Weltkrieg einen massiven Einbruch. Auch danach entwickelte sich das Selbstbewußtsein der deutschstämmigen US-Amerikaner nie wieder so, wie es vor dem Ersten Weltkrieg war. Darunter litt auch die Beschäftigung mit der Tradition der „Neunundvierziger" in Amerika. Viele wurden und sind gänzlich vergessen. Sie in die Erinnerung zurückzurufen, wird unsere zukünftige Aufgabe sein. Viele sind als Schriftsteller und Poeten tätig geworden. Wie das dichterische Werk von Konrad Krez, das

Gedenktafel, die 1937 am Geburtshaus von Konrad Krez in Landau gegenüber dem Deutschen Tor, verlängerte Königstraße, angebracht wurde.

streckenweise im Rahmen seiner Zeit durchaus Rang besitzt, sind ihre Arbeiten in erster Linie Dokumente der Emigration und damit ihres Lebensschicksals und ihrer rückwärtsschauenden Heimatliebe. Vielleicht weniger unter literaturästhetischen Gesichtspunkten als unter sozialwissenschaftlichen Aspekten oder im Hinblick auf die weitgehend unerforschte Geisteskultur der „Liberalen" und Freiheitskämpfer sind die Gedichte von Krez und seinen deutschamerikanischen Zeitgenossen wertvoll.

Stadtarchiv
Landau i. d. Pf.

THE SHEBOYGAN PRESS, SATURDAY, MAY 8, 1937

Memory Of General Konrad Krez Honored In Germany

Monument Is Unveiled For Famous Poet

Sheboygan Man's Life And Writings Are Lauded By Speakers—Most Famous Poem Is Read

His Memory Is Honored Today

Book Tells Of Krez Literary Fame And Life

Ludwigh Finck, Leading German Poet, Writes Of Place General Achieved With His Poetry

By WALTER KNIPPEL

General Krez Honored At Vicksburg

Sixth District Of Veterans Will Meet On Sunday

Famous Poem And Translation

AN MEIN VATERLAND

By Konrad Krez (1869)

TO MY FATHERLAND

GEN. KONRAD KREZ

Students From 12 Cities Win Speech Awards

Dykstra Proposes Education On Use Of Leisure Time

Overheated Iron Causes Fire That Razes Farm Home

Appliance Sales Bill Rejected By State Assembly

Ninth Victim Of Krause Blast Dies

Mit einem Bildnis des alten Konrad Krez illustrierte die „Sheboygan Press" ihren umfangreichen Bericht über die Ehrung für den aus Landau stammenden Krez in seiner alten Vaterstadt im Mai 1937.

IX
Dokumentation
Briefe und unveröffentlichte Texte

Juli 1862

Mein lieber junger Freund

Wenn Du glaubst, daß ich mich Deiner nicht mehr erinnerte, so kannst du keinen großen Begriff von meinem Gedächtnisse haben, obgleich ich zeitig mein Vaterland verließ, tausende Menschen in der Schweiz, Frankreich und Amerika kennengelernt habe, so stehen doch die Bilder und das Leben meiner ersten Jugend frisch vor meiner Seele, und wenn in mancher Nacht in einer einsamen Stunde die Schatten die Vergangenheit wieder vor mich zaubern, so erscheint auch dein hellockiges Haupt mit den mädchenhaften Zügen vor mir. So wie ich dich sehe, als du ein Knabe warst; freilich werden sich dein Haupthaar dunkler gefärbt und deine Züge ein männliches Gepräge angenommen haben. Tempora mutantur et nos mutamur in illis. Schwerlich würdest du in dem ernsten, durch das Leben so reich geprüften Conrad Krez den alten frohsinnigen und wilden Kunz wiedererkennen, aber trotzdem ist er der alte. Die Nuß ist bloß weiter und deswegen die Schale härter geworden, und die äußere Rinde, [die] der Leichtsinn und die gütige Natur der Jugend zum Schutz gegen die kleinlichen Sorgen des Lebens gegeben hat, ist abgefallen. Selten hat mich etwas so sehr wie dein Brief gefreut. Den Tod des Julius Bettinger habe ich erst duch deinen Brief erfahren. Das hätte er nicht gedacht, daß er vor mir dahinscheide, wo er das schöne Gedicht auf meinen Tod schrieb bei der Nachricht, daß ich in Schleswig-Holstein gefallen wäre, damals schrieb er:

Ich wollt ich läg getroffen
statt deiner fern von hier
ich gäb dir all mein Hoffen
und all mein Glück dafür

Armer Julius, ich hatte gehofft, deinen Namen berühmt zu sehen und dein Baum ist verdorrt, ehe er noch Blätter getrieben. Wenn du je sein Grab besuchst, so bitte ich dich, einen Kranz von Immergrün in meinem Namen daraufzulegen. Er war ein edler Mensch, und sein Herz glühte für [das], was immer gut und schön ist. Ich wollte immer, seine Freunde zu Hause würden ihm ein Denkmal durch die Herausgabe seiner besten Gedichte setzen, die sicher besser sind als der Amaranth von unserem alten bekannten Oscar Redwitz, von dem ich mir nie halb so viel versprach als von Bettinger und der auch in der That seinen Ruhm mehr dem Zufall wie seinem Verdienste verdankt, obleich ich übrigens mit der Richtung und dem Geist der Poesie von Redwitz einverstanden bin (denn ich habe die

Alten und die Engländer zu viel gelesen), so hat mich doch gefreut, daß Redwitz reussiert, alter Bekanntschaft halber. Was ist aus Lehmann von Frankenthal geworden? was aus George Neumair; ist er noch in der österreichischen Marine, ich habe seinen Namen einigemal in der Zeitung gelesen, was macht dann deine Cousine, die kleine Luft? Was ist aus dem Martin, dem Bullt geworden? Wenn du ihn siehst, sag ihm, daß der Ritter Advokat in Cleveland/Ohio ist. Der Fischer Franzl ist Arzt in Dum/Co. Wisconsin, unser alter Johannes Reinhard hat sich vor einigen Jahren in Madison, Wisconsin, vergiftet. Er saß bei mehreren Freunden beim Bier und scherzte und goß sich Strichnin in sein Glas. Zuvor verkündete (er), was er gethan, weil es nicht der Mühe werth wäre zu leben, brannte sich noch eine Zigarre an, lachte und scherzte, bis der Tod seine Zunge lähmte. Sein einziger Wunsch, daß man ihm am Grabe das Lied sänge „Über den Gräbern ist Ruh", wurde ihm erfüllt. Er starb mit einer Seelenruhe und einem stoischen Gleichmuth der Werth gewesen wäre, für eine große Sache zu sterben. Als ich es in der Zeitung las, hatte ich zum ersten Male in Amerika geweint. Friede seiner Asche und laßt seine Freunde ihn mit Nachsicht beurtheilen, er hatte ein erhabenes Gemüth. Sei so gut und laß das alles den Martin wissen, denn was immer mit ihm geworden sein mag, ich weiß, daß er seine alten Jugendfreunde nicht vergessen hat. (Ich hoffe), daß es dem Mahla und Franz Bauer gut geht und habe die Güte, ihnen meine innige Freude an ihrem Wohlergehen bei Gelegenheit auszudrücken. Von Karl Petersen hatte ich Nachricht. Auch meinem besonderen Gruß an Jean Hitschler und durch ihn seiner Frau Schwester, wenn er ihr schreibt. Ihren freundlichen Gruß habe ich durch meinen Bruder erhalten. Hoffentlich wird Davids [=Cornelius David] Wunsch in Erfüllung gehen und sich ihm bald Gelegenheit bieten, sich als Anwalt auszuzeichnen. Sage ihm, daß ich eine meiner Töchter nach ihm Cornelia genannt habe, und daß ich möchte, daß er mit mir in dem Land wäre, wo Aberglaube und religiöse Intoleranz sich schämt, öffentlich sich zu zeigen.

Das Obige habe ich im Juni niedergeschrieben, und seitdem habe ich wenig Muße gehabt, den Brief zu vollenden. Wir haben für eine Zeitlang alles beiseite gelegt, um Truppen zusammenzubringen. In unserem County [haben wir] 800 Mann Freiwillige zusammengebracht aus einer Bevölkerung von 28 000 Seelen. Meine Freunde und ich sind von Ort zu Ort gegangen um das Volk anzufeuern, seine Pflicht zu erfüllen, und ich glaube, daß, wenn es Noth thut, noch 500 Mann bereit sind, den Pflug oder die Feder niederzulegen. Daß ich es bin, kannst du überzeugt sein, denn lieber sterben als den Verrath siegen zu lassen, ist der Entschluß aller loyalen Herzen. Jetzt müssen wir bereits 400 000 Mann unter der Fahne haben, und die übrigen 100 000, die nöthig sind, um die Zahl, die der Präsident fordert, voll zu machen, werden bis Ende August auf den Beinen sein. Vielleicht bin ich dann unter denselben. Viele meiner alten Kameraden haben sich (gemeldet), Franz Siegel ist bereits Generalmayor, ebenso

Blenker, das will schon etwas heißen in einer Armee, wo der gemeine Soldat so viel Bezahlung hat als ein bairischer Lieutnant. Bis jetzt sind wir nicht so glücklich gewesen als zu wünschen wäre, es hat uns an Offizieren gefehlt, die Erfahrung haben, aber mit der Zeit wird unsere Armee so kriegstüchtig sein wie eine in der Welt, denn ich glaube nicht, daß es je eine Nation, Rom und Griechenland nicht ausgenommen, gegeben hat, die mehr kriegerischen Geist oder körperlich besser gebildete Männer gehabt hat. Wenn es die Franzosen und Engländer nicht glauben wollen, werden wir es denselben zeigen, sobald wir besser Zeit haben wie gegenwärtig, und sogar diese lausigen Spanier, die sich jetzt wieder batzig machen, weil sie sehen, daß wir zu Hause die Hände voll zu thun haben, werden schon ... schneiden, wenn wir die Rebellen nur erst gebändigt haben, und glaubt mir sicher, daß die Vereinigten Staaten zusammenbleiben. Wenn die Südlichen nicht unsere Mitbürger sein wollen, so müssen sie unsere Unterthanen werden, die deutsche Misere der Zerstückelung, Ohnmacht und Armuth des Volkes soll hier nicht wiederholt werden. Über die Ursache unserer Wirren will ich bloß weniges zum Verständnis schaffen [zu dem], was du in den Zeitungen finden magst, hinzufügen. Wie du weißt, besteht unsere Nation aus bis zu einem gewissen Grade unabhängigen Gemeinwesen oder Staaten, die in allem souverän sind, was ihre eigenen Angelegenheiten betrifft, die aber weder das Recht haben, Krieg zu erklären noch Truppen zu halten oder noch das Münzrecht auszuüben das Recht haben, die keine Zölle erheben können ohne Erlaubnis der Vereinigten Staaten, weder Banknoten zwangsweis verkaufen noch verschiedenes Maß und Gewicht oder Bankrott und den allgemeinen Handel betreffenden Gesetze machen oder einführen können. Alles, was das Allgemeine anlangt, die Vertheidigung von außen, Verkehr und Verträge mit fremden Nationen sind die Vereinigten Staaten ausschließlich souverän, sie allein haben das Recht Eingangshäfen für Waaren vom Ausland zu bestimmen oder aufzuheben und die Zölle zu kollectieren, alle Gesetze zu machen, die nöthig sind, die übertragenen Gewalten auszuüben, ihr eigenen Gerichte einzusetzen mit ausschließlicher Gerichtsbarkeit in allen Fällen die unter [ihre] Gesetze fallen und ihre eigenen Exekutivbeamte einzusetzen, die Urtheile zu vollstrecken. Die Post ist gleicherweise ein Vorrecht der Vereinigten Staaten. Das Volk im Allgemeinen wählt seine Vertrauten in das Haus der Abgeordneten und die Staaten als solche wählen je zwei Senatoren. Der Präsident wird durch eine indirekte Wahl gewählt, (durch) Electoren, die das Volk eines jeden einzelnen Staates wählt. Ein jeder Staat (darf so viele) Electoren (wählen) als er Mitgliedern des Congresses (zu wählen) berechtigt ist. Der Congress besteht aus dem Senat und dem Haus der Abgeordneten. Die Abgeordneten werden nach [der] Volkszahl gewählt. Die nöthige Zahl wird vom Congress festgestellt. Gegenwärtig ist diese Zahl 120 000. Z. Beispiel ein Staat mit bloß 120 000 Einwohnern wählt für zwei Senatoren zwei Electoren und für die anderen (?) 120 000 Einwohner ein Mitglied ins Haus der Abgeordneten und einen Elector. In den Sklavenstaaten ... zählen nach einer ausdrücklichen Bestimmung der Constitution 5 Sklaven so viel wie 3 Freie, daß also zum Beispiel ein Staat, der 500 000 Sklaven hat, zu wählen Mitglieder im Hause der Abgeordneten (house of representativs) berechtigt ist als ein Staat, der 300 000 freie Einwohner zählt. Außer den Staaten nun gibt es aber auch noch, was man die Territorien der Vereinigten Staaten nennt. Land, das außerhalb der Grenzen der einzelnen Staaten liegt, das von den Staaten theils durch Kauf von fremden Mächten, theils durch Eroberung erworben wurde. Diese Territorien wurden von jeher von den Ver. Staaten gerade so regiert wie ungefähr früher das Waadtland von der Republik Bern, alle Beamten werden von der Ver. Staaten-Regierung eingesetzt. Der Congreß bestimmt die Befugnisse der Territoriallegislative, und die Vereinigten Staaten sind die Eigenthümer des Grund und Bodens und können denselben den Ansiedlern oder fremden Mächten nach Gutdünken veräußern, und da unter der Constitution die Staaten allein die Räder sind, die die complicierte Maschinerie der Union zugleich bilden und treiben und da das Vereinigte Staatenbürgerrecht unabhängig vom Staatenbürgerrecht nicht ausgeübt werden kann, so folgt daraus, daß die Territorien in einer Art Hörigkeitsverhältnis sich befinden und der Congress und Präsident ausschließlich in demselben souverän sind. Ich will dies näher erläutern. Die Einwohner in einem Staat können bloß Abgeordnete und Senatoren zum Congreß schicken. Die Qualification eines Wählers im Staat wird durch die Gesetze dieses Staates [festgelegt], wenn z. B. ein Vereinigte Staaten-Bürger, der Wähler in Massachussets war, nach Wiskonsin kommt, so kann er hier nicht eher stimmen als bis er Bürger von Wiskonsin wurde und [er kann] hier nicht [eher] ein Bürger werden als bis er ein Jahr in Wiskonsin ansässig war. Wir könnten aber, wenn wir wollten, irgendeine Qualifikation zum Beispiel Eigenthumsqualification vorschreiben. Wenn nun ein Bürger nach einem Territorium geht, so kann er nicht mehr Bürgerrechte ausüben als den Bürgern dieses Territoriums gestattet sind, und da diese Territorien keine Vertreter nach Washington schicken, kann [er] dort nicht mehr für Präsidenten und andere Vereinigte-Staaten-Würden stimmen als ob er in Frankreich oder Deutschland wäre. Dieser Zustand jedoch ist vorübergehend, und der Congreß hat das Recht, bloße Territorien als Staaten aufzunehmen und bei solcher Aufnahme haben die Bürger das Recht, sich selbst eine Constitution zu geben. Diese Constitution wird durch die Abgeordneten des Volkes gemacht. Diese Abgeordneten werden gewählt, wie es der Congreß vorschreibt, der auch die Qualifikation der Wähler bestimmt. Wenn diese Constitution dem Congreß nicht behagt, kann die Zulassung als Staat verweigert werden, wenn aber einmal zugelassen, steht der neue Staat vollkommen auf gleichem Fuße mit den alten Staaten.

1869
An die
Redaktion der
„Gartenlaube"

„Im Anfang des letzten Jahres druckten Sie ein Gedicht von mir, „Entsagung und Trost", aus dem Freiligrath'schen Album in Ihrer Gartenlaube ab. Seitdem habe ich so viele Beweise von Anerkennung, die ich Ihrem Blatte verdanke, aus Europa, Amerika und sogar aus Australien erhalten, daß ich vielleicht nicht ohne Grund glaube, die Veröffentlichung des beiliegenden Gedichtes („An mein Vaterland") würde den Lesern der Gartenlaube nicht unangenehm sein. Es ist der Ausdruck des Gefühls eines alten Achtundvierzigers."

3. März 1896
[An Cornelius David, Frankenthal]
Lieber Freund!

Wohl magst Du geahnt haben, was der Grund meiner Verzögerung Dir zu antworten war. Am 14. September ist meine Tochter Gertrude unser aller Liebling an der Tuberkulose gestorben, zehn Monate war sie bettlägerig ohne große Schmerzen zu leiden, immer bei vollem Bewußtsein, und sie schlief ein ohne zu wissen oder zu ahnen, daß es der ewige Schlaf sei, in den sie sank. Sie war so reich begabt wie selten jemand geboren wird, sie war meine Freude und unser Stolz, und seit sie tot ist, ist es dunkel in unserem Hause geworden.

Hoffentlich weiß Du nicht, was es heißt, ein Kind zu verlieren, das einem ans Herz gewachsen ist.

Die schöne Handarbeit Deiner Tochter ist richtig angekommen, aber nicht an die richtige Adresse, denn die Cornelia Krez ist schon längst Mrs. William Montague Jenninger(?), die Frau eines Enkels des Professor Weber (des Anatomen zu Bonn) und Mutter von vier Kindern, derer ältestes schon 14 Jahre alt ist. Sie hat sich sehr gefreut und wird selbst schriftlich ihren Dank abstatten, und bis sie das thut, spreche ich Deiner liebenswürdigen Tochter Eugenie meinen Dank für die schöne Handarbeit und die schöne Widmung für mich selbst und meine Cornelia aus. In bezug auf Deine Rechtsfrage kann ich dir blos eine Antwort geben, wenn ich annehme, das der im red river Ertrunkene ein Bürger von Wisconsin war und außerhalb der Stadt starb, aber wie es hier ist, wird es auch in New York und anderen Staaten sein.

Ein Affidavit der Art hat blos Beweiskraft für den Reputer of death, der den Todesschein auszustellen hat.

Jemand macht Explication (über das) Tod sein, um den Tod von dem zuständigen Reputer of death urkundlich eingetragen zu erhalten. Er bringt Affidavits von Personen, die wissen, daß der Betreffende tot ist. Der Reputer entscheidet über die Hinlänglichkeit der Beweise, und wenn er sich weigert, diese Eintragung zu machen, steht dem, der sich dadurch in seinem Rechte verletzt glaubt, die Appellation vor dem Gericht zu. Hat der Reputer die Eintragung bewilligt, so füllt er die verschiedenen Rubriken in seinem Buche aus, und eine bescheinigte Abschrift ist dann der Todesschein. Und die Affidavits haben damit nichts mehr zu thun, sie waren Beweismaterial für den Reputer und bleiben bei ihm liegen.

Der Reputer of death ist ein Beamter eines County, in dessen Büchern alle auf Grundeigenthum bezüglichen Dokumente abgeschrieben werden, und der auch Bücher führt, in denen die bei ihm angezeigten Geburten, Heiraten und Todesfälle eingetragen werden, und die von ihm beglaubigten Abschriften dieser Eintragungen haben nach unserem, dem Wisconsingesetze, und wahrscheinlich nach den Gesetzen aller anderen Staaten, Beweiskraft. In was für einem Red river ist der Pfälzer ertrunken? Wir haben hier 2 red river, den red river of the North und the red river of the South, von denen jeder größer ist als der Rhein. Dieses Land ist groß, es hat jetzt 45 Staaten, und wenn ein Jurist die Gesetze seines eigenen Staates kennt und die Gesetze der Vereinigten Staaten und die Entsprechungen derselben, kann man ihm keinen Vorwurf machen, wenn er die besonderen Statuten der anderen Staaten blos vermischet.

Vor einigen Tagen wurde ich freudig überrascht durch einen Gruß vom „Lehmännel“ von Zürich, früher Frankenthal, den Herr Emil Hilgard zehn Jahre lang herumgetragen hat und erst neulich bestellte. Was ist aus seiner Schwester Emma geworden? Es grüßt Dich und die Deinen und insbesondere Deine Eugenie

Dein
Conrad Krez

14. Okt. 1896
[An Cornelius David, Frankenthal]
Lieber Freund.

Es ist eine lange Zeit seit ich Deinen letzten Brief empfing; aber der, welcher sich meiner nach so langer Trennung noch mit so viel Freundschaft erinnerte, wird meine verzögerte Antwort auch entschuldigen. Meinen Dank für Deine Photographie, wie oft habe ich Dich betrachtet, um den Cornelius, den Gymnasiasten wieder zu erkennen, der mit uns oben in der luftigen Mansarde in dem Nuß'schen Hause lustig und guter Dinge war, wenn auch immer etwas sentimental angehaucht, und auch mit uns über Gott und Welt, über Staat und Politik philosophierte. Was ich mit Erstaunen auf dem Rücken des Bildes las, daß Du älter bist als ich bin hat mich überrascht; denn ich glaubte, Du seist jünger, Du warst doch mit Julius Bettinger eine Klasse unter mir? Du hast Dich übrigens gut gehalten, nur hat der Hut auf dem Kopfe den Verdacht in mir erregt, daß die Motten Dir in den Pelz gekommen sind. Aber da ist nichts mehr in Deinem Aussehen, das mich den alten Schulkameraden erkennen ließe, wahrscheinlich wird es mit meinem Bilde Dir ebenso gehen, obgleich meine alten Soldaten behaupten, ich sähe noch gerade so aus wie vor 30 Jahren, und da mir damals einer meiner Soldaten, der aus Landau war, sagte ich sähe noch so aus wie im Jahre 1849 und ich Dir also, wenn dies alles wahr ist, noch leicht erkenntlich sein müsste. Du schreibst 2 von Dr. Lehmanns Schwestern waren an Regierungsdirektoren von Bettinger verheiratet. Was für Bettinger sind sie, Brüder von Julius oder Söhne von Prof. Bettinger? Julius ist doch schon gestorben, ehe er sein Studium vollendet hatte oder kurz nachher. Neu war es mir auch, daß Emma Lehmann an Dr. Zoeller verheiratet war. Es that mir leid zu hören, daß sie schon vor langer Zeit gestorben war, sie hätte ein längeres und glücklicheres Leben verdient. Friede sei ihrer Asche. Gefreut hat es mich aber, daß ihre Kinder ihrer Schönheit wegen bewundert werden. Wenn sie so schön sind wie ihre Mutter als Mädchen war, so verdienen sie Bewunderung. Übrigens war auch der alte Zöller, so nannten wir ihn, kein übelaussehender Student. Die Zöller waren alle ansehnlich, was ist aus den Schwestern der Zöller geworden? Was aus Neumayr, der auf der polytechnischen Schule zu München war, ist das nicht der, [der] die Welt umsegelt hat? Daß der Erblasser Deiner Clienten im East river und nicht in einem Red river ertrunken ist, ist für Dich, die Erben und den Erblasser ein glücklicher Umstand, denn jeder der beiden *Red* river ist mehr als 1200 Meilen von New York entfernt, und das Land, durch das sie fließen, ist noch ziemlich Wildnis. Den einen im Süden hätte ich beinahe als Kriegsgefangener gesehen, als im Frühjahr 1864 wir ohne Lebensmittel zwischen zwei confoderierten Armeen eingeschlossen waren, wenn unser trefflicher General Frederick Steele nicht mit seiner Vorhut die Armeen, die uns den Weg verlegten, angegriffen hätte und während des

Angriffs dann an denselben mit dem Gros seiner Truppen vorbeimarschiert wäre und aus der Vorhut die Nachhut gemacht hätte. –

Daß wir hier so viele Partikularrechte haben als Staaten ist nicht so schlimm als es in Deutschland war, da unsere Staaten so groß sind und Platz ist für verschiedene Rechte, doch sind die Unterschiede nicht so groß und bestehen meistens nur in dem Verfahren.

Der Staat Wiskonsin, dessen Bürger ich bin, wird ungefähr halb so groß wie ganz Deutschland sein, und der See, an dem ich wohne, der Michigan, ist ungefähr so gross wie das Königreich Baiern. Auf diesem See, der als Süsswassermeer betrachtet wird, gilt das allgemeine Seerecht, und die Gesetze der Hansestädte von Wisbuy (Visby) und Oléron gelten auch auf demselben, und die Gerichte der Vereinigten Staaten haben ausschließliche Gerichtsbarkeit in allen das Seewesen betreffenden Dingen.

Ihr könnt euch aber drüben zu eurem einheitlichen Gesetzbuch Glück wünschen. Ich habe das Strafgesetzbuch des Norddeutschen Bundes, das ja jetzt für ganz Deutschland gilt, durchgelesen und habe die Klarheit und Präcision desselben bewundert. Und hoffentlich werde ich das neue Civilgesetzbuch, wenn ich es zu Gesicht bekomme, des Strafrechtes würdig finden. Ich muß schließen und schließend muß ich Dich bitten, Deiner Tochter Eugenie mich zu empfehlen und [es grüßen] Dich meine Frau mit Kindern

Dein alter Kamerad
Conrad Krez

Milwaukee Februar 17. 1897
An Justizrat David, Frankenthal

Du scheinst Dich zu wundern, daß mein Herz noch immer an der alten Heimat hängt, aber glaube mir, je älter der Mensch wird, um so lebhafter kehren die Erinnerungen in die Zeiten der Jugend zurück, und keine Freundschaft des späteren Lebens ist so nachhaltig wie die, welche wir auf der Schulbank geschlossen haben. In meinen jungen Jahren hatte ich keine Zeit zurückzudenken. Gezwungen in der englischen Sprache zu denken, zu schreiben und zu reden . . .,

dann im Krieg die Kriegskunst zu lernen war ich lange Zeit so beschäftigt, daß ich mich selbst vergaß. Aber dieses sich selbst vergessen hat sich gerächt, in dem mein altes Selbst nur um so lebhafter von mir Besitz ergriffen, als ich einigermaßen wieder zur Ruhe gekommen war. Du scheinst Heimweh nach der Fremde zu haben, ich finde das erklärlich, denn dein Vaterland war nie ganz dein Vaterland gewesen. Aber preise dich glücklich, daß Du daheim im Lande Deiner Geburt, einem schönen Lande, unter

Jugendfreunden in geachteter Stellung alt geworden bist und daß es Dir vergönnt ist, mitzuhelfen, Deutschland groß und mächtig zu Land und zu Wasser zu machen . . .

und wenn Du einen Bekannten triffst, der sich meiner erinnert, grüße ihn auch.

Milwaukee 4. Mai 1899
Geehrter Herr!

Dieses Mal hat Ihr Brief eine ganz merkwürdige flinke Reise gethan; elf Tage, von Wiesbaden nach Milwaukee ist doch wirklich wunderbar. Sie haben mich sehr gefreut, durch die Nachricht, daß Sie meinem lieben Mann Jugenderinnerung gewidmet haben, und auch seine letzten traurigen Weisen in seiner Heimat bekannt gemacht. Ich möchte Sie nun recht sehr bitten, mir ein Exemplar Ihrer Zeitung zu schicken. Ich würde es dankbar anerkennen. Sie sprechen die Vermuthung aus, Konrad hätte seinen Jugendfreund im Laufe der Zeit vergeßen. Ich bin froh, Ihnen sagen zu können, daß Sie sich irren. So wie er sein Vaterland hochhielt und liebte, so war es auch mit seinen Freunden; und Sie besonders waren ihm lieb und werth. Hat er nicht unsere Nellie nach Ihnen genannt. Aber, Briefe schrieb er nicht gerne. Ich habe es auch empfinden müssen während den drei Kriegsjahren, ich kannte seine Schwäche, und hatte doch viel Angst und Sorge im Anfang. Ich habe mir aber zu helfen gewußt; sein Adjudant war ein sehr schreibseliger Herr, ich ließ ihn durch seine Frau bitten, mir in jedem Briefe zu schreiben wie sich der Oberst befände, so bekam ich alle paar Tage Nachricht und konnte meine Briefe ruhig erwarten.

Das Pfälzische Gedicht „Pfälzische Briefe, die der Schakob nach seiner Ankunft in New York nach Hause schreibt" habe ich noch nicht alle gefunden. Ich werde Ihnen die, welche ich gefunden habe, abschreiben und zuschicken. Ich bin neugierig, wie sie Ihnen gefallen; ich kann nicht mehr so darüber lachen, wie früher, das wird wohl an mir liegen, andere scheinen sich sehr zu amüsieren bei dem Lesen.

Mit besten Grüßen an Sie und die werthen Ihrigen von uns allen

Respectfully yours.
Adolphine Krez

Faksimile eines Gedichts, auf das Addi Krez in einem Brief anspielt *(siehe Übertragung, Seite 226).* →

Pfälzische Briefe, die der Schakob
nach seiner Ankunft in Neuyork
an einen guten Freund heimschreibt
in
Landauer Hochdeutsch.

Wie er sei Rozz verlore.

Des Herz is dir mei Lebtag ging
ich nimmi in den Kirche
So ziemlich war die Hälfte der Zeit
mei Kirchezettel [illegible].
Vom Kirche war [illegible] gar ke Red,
Des Deibelsschiff [illegible] [illegible],
Daß an des junge Leiber war
uf in der Kirch [illegible].
Es war die [illegible] mit der Schweiz
ein armer Schneider Rozz,
Der hat [illegible] gar ke Nase mehr g'hatt
so [illegible]
(e Paar [illegible]) war sei Rozz,
Vom [illegible] borzle und der war
sei Lebtag uf de Füß,
Und wann er [illegible] war,
war er im Paradies.

History oft the United States
by Conrad Krez

Von den ursprünglichen Bewohnern Nordamerikas
in Sonderheit den Irokesen
Über die Stadt New York
Über die V Stämme Mohaks, Oneidas, Onondagas, Cayayas, Senecas)
(Fragment)

Diejenigen, die am meisten
verdienen, eine Spur in dem
Andenken der (Weißen) Menschen
zurückzulassen, waren die
fünf Stämme der Mohaks,
Oneidas, Onondagas, Cayayas
und Senecas, welche die
Franzosen mit dem Gesamt-
namen der Irokesen belegten.
Später nahmen sie noch die
Tuskuroras unter sich auf.

Die einzelnen Stämme zerfielen wieder in unabhängige Gemeinden oder Bürger. Alle aber waren seit ihnen undenklichen Zeiten durch ein gemeinsames Bündnis vereinigt. Sie nannten sich selbst die Ersten des Menschengeschlechts, und der Ruhm ihres Volkes galt ihnen mehr als ihr Leben. Einer von ihnen verschmähte den Selbstmord als Gefangener, damit ihre Feinde nicht glauben möchten, lebendig gebraten zu werden, vermöchte ihren Herzen Furcht einzujagen, und er starb, das Lob und die Tapferkeit seines Volkes singend. Ihre Anführer pflegten einen Theil ihrer Habe zu verschenken, um ärmer als die übrigen zu sein, damit sie nicht der Verdacht des Eigennutzes und schmutziger Gesinnung [treffe].

Durch diesen Gemeingeist kam es, daß die meisten Indianerstämme ihnen zinspflichtig waren (und ihr Name ihren Freunden ein Schutz und ihren Feinden ein Schrecken war) und ohne ihre Zustimmung weder Krieg zu führen noch Verträge einzugehen wagten. So groß war der Schrecken ihres Namens, daß, als die Mohaks die Neuenglandindianer bekriegten und ein einziger sich blicken ließ, von Hügel zu Hügel der Ruf „Ein Mohak!" „Ein Mohak!" ertönte, worauf alle ohne Widerstandsversuch flüchteten, „wie Schafe vor den Wölfen".

Um sich immer neue Kräfte zuzuführen, ermuthigten sie andere Indianer, sich ihnen einzuverleiben, und gefangene Feinde wurden meistens von den Familien der gefallenen Krieger an Kindesstatt angenommen. Nicht wer unter ihnen geboren, sondern wer ihren Muth und ihre Tugend besaß, wurde als einer der ihren geachtet. Wie sehr haben sie hierin so viele engherzige Menschen der Gegenwart beschämt, die einen Vorzug darin erblicken, in dem oder jenem Winkelchen Erde geboren zu sein, als ob nicht alle Menschen Brüder und die ganze Erde unser gemeinsamer Geburtsort wäre.

Ihre Wohnsitze hatten sie ursprünglich in der Gegend des heutigen Montreal und längs den Lorenzfluß entlang bis an den Eriesee. Jenseits des Lorenzflusses wohnten ihre Todfeinde, die Adirondaks, von den Franzosen Algonkins genannt. Beide Völkerschaften hatten ihren Haß und den Krieg gegeneinander von ihren Vätern geerbt. Nun geschah es, daß um das Jahr 1609 die Franzosen bei Quebec sich niederließen und von dem Lande Besitz ergriffen, das sie Neufrankreich nannten. Champlain, der Befehlshaber der Franzosen, hielt es für klug, die Adirondaks zu seinen Bundesgenossen in der neuen Heimat zu machen und begleitete sie auf einem Zug gegen die Irokesen. In der Nähe des Champlainsees kam es zu einem Treffen, in welchem die Irokesen zum ersten Mal den Knall einer Feuerwaffe vernommen hatten. Einer ihrer Anführer fiel von einer Kugel und bestürzt, jedoch keineswegs entmutigt, suchten sie das Weite. Nun hatte es sich gefügt, daß eine andere Nation, die Holländer, das erste der seefahrenden Völker nach Spanien, auf Ungethümen, bewaffnet mit dem Donner des Himmels und den Flügeln des Windes, wie ein indianischer Häuptling die Schiffe nannte, schon vorher erschienen und Handelsniederlassungen gegründet hatten. Mit diesen schlossen die fünf Nationen ein Bündnis. Die (Wampun . . .) wurden ausgetauscht, die Friedenspfeife geraucht und das Schlachtbeil begraben, und ein christliches Bethaus wurde errichtet zum Zeichen, wie heilig das selbe [Bündnis] gehalten wurde. Dadurch kamen die fünf Nationen zur Kenntnis und in den Besitz von Feuerwaffen, um sich in ihrem alten Übergewicht über die anderen Stämme zu erhalten. Ihre Freundschaft schützte sie [die Holländer] vor Vernichtung, und sie fanden treue Bundesgenossen in ihnen [den Irokesen] gegen ihre weißen und rothäutigen Feinde. Nun traten die Ureinwohner Nordamerikas in die Händel der Europäer ein, und der Donner des Krieges am Rhein fand sein Echo in den Wildnissen am Hudson und Lorenzstrom [Spanischer Erbfolgekrieg – 1701 – 13/14], und das Land kam in die Hände der Weißen, die von den verschiedenen Völkern her an den atlantischen Küsten ihre Hütten zu zimmern anfingen und die Sitten, die Religion und Gesittung Europas hierher verpflanzten.

[Aus] heimatlichen Interessen sprechen wir zuerst von einem Volk, nämlich den Holländern, mit dem uns Deutsche die Unwissenheit unserer englischsprechenden Landsleute gewöhnlich zu verwechseln pflegt, das großentheils zu der Völkerfamilie gehört, von der wir Deutsche der ursprünglichste und am reinsten erhaltene Ausdruck sind, aus deren Schoße die Männer hervorgegangen sind, welche Burgen mit dem Schwert und Amerika mit dem Pflugschar erobert haben.

Wie bereits oben beiläufig erwähnt wurde, hatten die Spanier schon ein Jahrhundert vor der Zeit, von der wir sprechen, Mexiko und Peru erobert. Ihre Ansiedlungen erstreckten sich von Florida aus bis nach Brasilien an der atlantischen Küste und über alle westindischen Inseln, an den Ufern des stillen Meeres (pazifischer Ocean) breiteten sie sich aus von den Küsten Kaliforniens bis an die Grenzen von Chili. Ost- und Westindien schütteten ihre Reichtümer in die Schatzkammer der spanischen Könige, deren Reiche so groß waren, daß sie die Sonne nicht mit ihrem Licht und die Nacht nicht mit ihrem Schatten auf einmal bedecken konnten. Diese Größe der Macht verleitete den Hochmuth Philipps II, auch über die Gedanken und Gefühle der Menschen gebieten zu wollen. Er machte den Versuch, das Glaubensgericht (Inquisition) in den Niederlanden einführen zu wollen, in denen die Lehre der Reformation viele eifrige Anhänger gewonnen hatte. Die Einwohner, die nichts an ihrem unfruchtbaren Boden, den sie durch Dämme dem Meer aberobert hatten, als die Freiheit zu fesseln vermochte, hatten sich empört und ihre Unabhängigkeit siegreich behauptet. Da aber die Häfen Spaniens ihnen verschlossen waren und sie bloß von dem Handel leben konnten, so waren sie gezwungen, die Nebenbuhler der Spanier zu werden. So zogen auf Entdeckungen aus, um neue Abnehmer ihres Gewerbefleißes zu finden und um wohlfeile Märkte für Rohstoffe und Handelsartikel zu finden. Eine Gesellschaft von Kaufleuten hatte sich für den ostindischen Handel in den Vereinigten Niederlanden gebildet. Im Dienste derselben hatte Hendrick (Henry) Hudson die Aufgabe, deren Lösung erst der Gegenwart vorbehalten war, zu lösen versucht, eine neue nördliche Durchfahrt nach Indien zu finden. Er segelte um das Cape Cod, entdeckte den großen Nordstrom, der später Mauritius und später nach ihm Hudson genannt werden wird. Die Breite und Tiefe dieses Stromes verleitete ihn, denselben für einen Meeresarm zu halten, bis ihm beim weiteren Hinaufsegeln die Süßigkeit und die Seichtheit des Wassers eines besseren belehrten. Weiter wurde weiter gegen Süden der Südstrom, heute Delaware, entdeckt. Das Land von den Vorgebirgen des Delaware bis zu Cape Cod benannten die Niederländer Neu-Niederland, ein Name, der mehr für künftige Ansprüche denn als gegenwärtige Besitzergreifung gegeben wurde. Diese Reise überzeugte die Holländer von dem Dasein großer, noch nicht von den Weißen besetzten Landstrichen. Die gesetzgebende Gewalt der Vereinigten Niederlande gewährte den Entdeckern ausschließliches Handelsrecht in den von ihnen entdeckten Ländern für eine bestimmte Zeit. So segelten verschiedene Handelsleute nach Neuniederland, um sich des reichen Pelzhandels zu bemächtigen, die alle das Recht der ersten Entdeckung für sich beanspruchten. Um die verschiedenen Interessen zu vereinbaren, trat die Niederlandgesellschaft zusammen. Nach Ablauf der Vorrechte, die derselben gewährt waren, dachte (man) daran, das Land nach Kräften auszubeuten, denn bisher waren bloß einige Faktoreien, die von den Wilden mehr geduldet waren als daß man ihnen ein

Recht zugestanden hätte. Die Kaufleute traten in den Niederlanden nach dem Vorbild der ostindischen Kompanie zusammen, um Ansiedlungen zu fördern. Die Generalstaaten erteilten derselben das ausschließliche Handelsrecht vom Wendekreis des Krebses bis an das Vorgebirge der guten Hoffnung an der Westküste von Afrika und der Küste Amerikas. Um dasselbe gegen jeden behaupten zu können, statteten sie dieselbe [Gesellschaft] mit königlichen Vorrechten aus. Die westindische Kompanie konnte Bündnisse schließen, Truppen werben, Forts und Festungen errichten, Gesetze erlassen und alle dienlichen Mittel zur Handhabung von Gerechtigkeit und Ordnung ergreifen. Für Kriegserklärung und Friedensschluß wie in der Ernennung des Statthalters behielten die Staaten das Recht der Bestätigung und in Bezug auf die Gesetzgebung sollten die Erlasse Karls V., das römische Recht und vaterländischer Gerichtsbrauch in Geltung bleiben und die Beamten den Eid der Treue sowohl den Generalstaten wie der Companie schwören.

Die Geschäfte wurden von den Direktoren geleitet und in fünf Kammern oder Ausschüssen vertheilt. Dieselben hatten ihren Sitz in verschiedenen Städten. Die wichtigste war in Amsterdam, in deren Geschäftskreis die Angelegenheiten Neuniederlands gehörten. Die Oberaufsicht führte eine Versammlung von 19 Abgeordneten, zu der Amsterdam neun, Seeland vier, Meuse (= Maas) zwei, Friesland, das Norddepartement und Gröningen je einen Vertreter schickten.

(Es scheint, daß die einzelnen Staaten als solche sich bei den Gesellschaften und nicht Privatmänner betheiligt hätten.) Daß nichts gegen das allgemeine (Wohl) geschehe und um zu erfahren inwiefern die Gesellschaft ihren Verbindlichkeiten nachkam, hatten die Generalstaaten das Recht, einen Abgeordneten zu schicken. Sobald diese Vorrechte im Jahre 1621 von den Generalstaaten gesetzkräftig zuerkannt waren, ging man rasch an das Werk der Gründung der neuen Kolonie. An der reizenden Bai von New York wurde die Manhattaninsel um 50 Gulden von den Indianern gekauft, und an der Südspitze derselben wurde das Fort Neuamsterdam erbaut, aus welchem die Weltstadt New York hervorging. An dem westlichen Ufer des Hudson wurde Oranien gegründet und Nassau am Delaware ... Ein Direktor und europamüdes Volk, vorzüglich Wallonen, und die für den Ackerbau nothwendigen Hausthiere wurden übergeschifft. Da die Companie aber bessere Kaufleute als Menschen waren, so suchten sie nicht einen für Menschen wohnwürdigen Aufenthalt ihren neuen Unterthanen zu bereiten, sondern (sie) in Unterdrückung zu halten und nach Thunlichkeit auszubeuten, ... so fanden Beschwerdeschriften gegen die Colonialverwaltung ihren Weg nach Europa. Die Bevölkerung und der Absatz niederländischer Stoffe nahmen nicht nach Wunsche zu. Die Westindische Gesellschaft suchte nun durch vermögende Männer das Interesse der Ansiedlung durch Vorrechte zu [fördern], welche in einem Freibrief Charter of patroons erklärt wurden. Wer binnen vier Jahren eine Kolonie von

50 erwachsenen Personen gründete, hatte das Land als Fideicomiß, dessen Auswahl ihm freistund und vier deutsche Meilen Flußufer mitbegreifen durfte. Er hatte alle Rechte, Fischfang und Jagd, allen Bergbau und Wasserrechte, den Oberbefehl über ihre hohe und niedere Gerichtsbarkeit. Bei Erkenntnis über 50 Gulden war Appellation an den Direktor und seinen Rath gestattet. Hinzukam das Recht, Beamte in den sich bildenden Städten zu ernennen.

Die Colonisten waren also auch solche, die für eine bestimmte Zeit ihre Dienstbarkeit zugesagt hatten, eine Dienstverpflichtung für eine gewisse oder unbestimmte Zeit, Pächter für Lebenszeit oder Erbpachten, je nach Übereinkunft mit dem Patronus. So entstanden also Verpflichtungen für ewige Zeiten und die Rechtsnachfolger der Patrone, weil dieselben [die Patrone] für sie [die Kolonisten] einige Gulden Überfahrtsgeld bezahlt und wildes Land zum Anbau überlassen hatten, das ohne die Hände der Ansiedler wertlos geblieben wäre. Auf vielen Grundstücken im Staate New York haften diese Lasten und rufen noch täglich die Widersetzlichkeit der Antirenten hervor. Außer diesen Patronen konnten auch freie Männer mit Erlaubnis des Direktors und seines Rathes sich niederlassen. Den Patronen wurde bloß bedingungsweise der Küstenhandel gestattet, und hohe Ausfuhrzölle verhinderten, daß der Handel aus den Händen der Gesellschaft kam. Ein Gulden Ausfuhrzoll war auf jedes verkäufliche Biber- oder Otterfell gesetzt. Der Pelzhandel mit den Indianern war ihnen völlig untersagt. Um das gute Einvernehmen mit den Indianern nicht zu stören, war festgesetzt, daß diese für ihre Ländereien von den Patronen entschädigt werden mußten. Dieselben ließen sich mit einigen Hemden, Gläsern, Spiegeln oder anderen Tand abfinden. Die engherzige und kurzsichtige Politik der Gesellschaft prägte sich am besten in dem Artikel aus, daß auf das Weben von Woll- und Baumwolltuch, Leinwand und anderen Stoffen Verbannung und Verführung wegen Meineids und willkürliche Strafen gesetzt war. Die Hauptausfuhr durch die Niederlande bestand nämlich in diesen Artikeln, und so wollte sie jede Konkurrenz mit den Fabriken des Mutterlandes ausschließen. Die Gesellschaft hatte den ausschließlichen Handel nach den Niederlanden, und der Preis für die unentbehrlichen Waren lag ganz in ihren Händen. Um nun alles für einen künftigen Eroberer vorzubereiten, wurde die Sklaverei der Schwarzen eingeführt. So blieb die Kolonie schwach an Bevölkerung, denn wer wird das durch 100 Erinnerungen geheiligte Vaterland verlassen, um über dem Meere neue Unterdrückung zu finden. Und von welchem konnte die Vertheidigung einer Regierung erwartet werden, die seine Börse zum einzigen Gegenstand ihrer Aufmerksamkeit machte und welchen Widerstand kann ein Mann gegen äußere Feinde leisten, der zu Hause vollauf zu tun hat, seine Sklaven im Zaume zu halten? Die nächsten Folgen waren Zwiespalt unter den Ansiedlern selbst. Die Patrone verlangten uneingeschränkten Handel auf ihren Herrschaften und strebten nach Souveränität und brachten die Kolonie in Verwirrung.

Die Generalstaaten bewog der schlechte Zustand dieser Besitzungen zur Dazwischenkunft [Eingriffen]. Endlich lockerte der Rath der XIX das Band ein wenig, welches dem Handel angelegt war. Allen Bewohnern der Vereinigten Niederlande und freundlichen [befreundeten] Ländern war der Handel nach Neuniederland in den Schiffen des Königs gegen einen Einfuhrzoll von 10 Prozent und einen Ausfuhrzoll von 15 Prozent gestattet. Sie erweiterten die Einwanderung in das Gebiet, das unmittelbar unter ihrer Hoheit stand ... Daraufhin nahm die Kolonie raschen Aufschwung, indem viele Hugenotten und Waldenser kamen, um sich anzusiedeln. Aber die Feindseligkeiten mit den Indianern brachten sie bald an den Rand der Verzweiflung. Auf der Halbinsel, welche Chesapeake und Delaware Bai bilden, hatte ein Holländer eine Kolonie hingeführt und sie Schwanenthal genannt und das Wappen der Generalstaaten aufgerichtet. Ein Indianer, der dessen Nutzen nicht einsehen konnte, nahm es herunter und formte sich eine Tabakspfeife daraus. Die Holländer waren so kindisch, dies für eine Nationalbeleidigung zu halten. In ihrem Übermute erschlugen sie den armen Indianer, aber die gerechte Rache erreichte den Missetäter. Das ganze Schwanenthal wurde zerstört, kein einziger Weißer entrann (1632), um die Kunde von indianischer Rache nach Neuamsterdam zu bringen, und erst aus dem Munde der Sieger sollten es ihre Freunde erfahren. Die Flußindianer, die in unmittelbarer Nähe von Neuamsterdam wohnten, ebenso die auf Longisland, hatten sich bis jetzt als gute Nachbarn betragen. Es schmerzte sie, daß ihre Unterdrücker, die Irokesen, Waffen und Munition, die die Händler ihnen versagten, erhalten hatten, so daß diese [Irokesen] der alten Tyrannei noch mehr Nachdruck gaben. Als aber der Direktor, ein habsüchtiger Mann Abgaben von ihnen verlangte, antworteten sie: Der Sachem (Häuptling) in dem Fort müsse ein schäbiger Geselle sein, er kam in ihr Land, da zu wohnen, ohne daß sie ihn eingeladen hätten und wollte ihr Korn nun für nichts haben, ob das vielleicht der Lohn dafür sei, daß, als die Holländer ein Schiff hier verloren hatten und ein anderes bauten, sie dieselben mit Lebensmittel versorgten, bis das [Schiff fertiggestellt war], sie also zwei Winter für sie gesorgt hätten. Aber man solle bedenken, daß [wenn auch] das Land, worin die Holländer lebten, abgetreten sei, sie doch noch Herren in ihrem eigenen [Lande] wären. Aber diese Warnung [ärgerte] bloß den Direktor, er ließ die Raritans [Indianer], denen man einen Schweinsdiebstahl zur Last legte, [bestrafen], fiel über sie her und tötete viele derselben und verwüstete ihre Maisfelder. Als die Raritans zur Wiedervergeltung auf Kantenisland vier Weiße erschlagen hatten, setzte man (einen Preis) auf den Kopf eines jedes Raritan.

Ein Mann aus dem Stamme der Wechquaesgeeks war vor Jahren durch die Holländer umgekommen. Die Blutrache gebot seinem Neffen, ihn zu rächen, und als derselbe erwachsen war, erschlug er unversehens einen Holländer. Der Stamm verweigerte die Auslieferung des Thäters. So gerieten sie auch mit diesem Stamme in Feindschaft, dessen Jagdgründe im heutigen Westchester County in New York lagen. Ein anderer Holländer wurde von einem Hachinsack erschlagen, die jenseits des Hudson am Fluß gleichen Namens ihre Wigwams hatten, weil man ihn berauscht gemacht und dann seines Biberanzugs beraubt hatte. Man fürchtete einen allgemeinen Angriff von den Stämmen. Der Direktor glaubte, zuvorkommen zu müssen. Er berief alle Familienhäupter, nicht so wohl um ihren Rath als um ihren Beistand zu erfahren. Diese wählten 12 Männer als Ausschuß. Ihnen lag ihre Freiheit mehr als der durch die Unklugheit des Direktors angefachte Krieg am Herzen. Sie konnten mit Billigkeit verlangen, daß in Dingen, wo ihr und ihrer Familien Leben auf dem Spiel stand, ihr Wort ein Gewicht im Rath des Direktors hatte. Die schwierige Lage bestimmte diesen, ihrem Verlangen zu willfahren. Es hatte von nun an der Rath aus fünf Mitgliedern zu bestehen, von denen das Volk das Recht hatte, vier zu erwählen. Der Ausschuß der Zwölf aber wurde aufgelöst. Nun geschah es, daß viele Eingeborenen aus Furcht vor herumziehenden Mohawks in die Häuser der Weißen flohen. Der Direktor und seine Anhänger konnten eine so günstige Gelegenheit, ihren Namen zu brandmarken, sich nicht entschlüpfen lassen, sie ließen während der Nacht die Arglosen überfallen und Männer, Weiber und Kinder meuchlings niedermetzeln, statt sich durch Schutz [zu geben] ihrer Freundschaft zu versichern. Mit derselben Hinterlist überfiel er die Longislandindianer. Das Maß der Rache war voll, und elf Stämme erhoben sich, um die habgierigen und blutdürstigen Eindringlinge zu vernichten. Die Häuser der Ansiedler lagen verstreut, die einzelnen wurden angegriffen. Die Männer wurden skalpiert, Frauen und Kinder in Gefangenschaft geschleppt, das Vieh fortgetrieben, die Häuser verbrannt, die Lebensmittel geraubt, die Felder verwüstet. Von den Bäumen herab, aus den Büschen heraus, hinter den Felsen hervor lauerten der Pfeil oder die Kugel der nach Rache lechzenden Indianer. Wer konnte, floh in das Fort Amsterdam, um seine Kopfhaut in Sicherheit zu bringen. Als der Frühling des Jahres 1643 kam, schickten die Longislandindianer Unterhändler, aber mehr in der Absicht säen und ernten zu können, als um Frieden zu schließen. Bei Rockaway saß der Kreis der Häuptlinge mit de Vries, dem wir die Berichte darüber verdanken, und sein Begleiter in der Mitte. Der Beredtste erhob sich, ein Bündel Stäbe in der Hand, deren jeder einen Gegenstand seiner Rede ihm im Gedächtnis halten sollte.

„Als ihr jüngst in unser Land gekommen seid", sprach er „mangelte es euch manchmal an Nahrung, wir gaben euch unsere Bohnen und unseren Mais und erquickten euch mit unseren Austern und Fischen. Nun mordet ihr aus Dankbarkeit unser Volk hin. Dabei legte er einen seiner Stäbe nieder. Am Anfange eurer Reisen ließet ihr euer Volk mit ihren Gütern hier, wir handelten mit ihnen, während eure Schiffe fort waren und hielten sie werth wie den Apfel in unserm Auge, wir gaben ihnen unsere Töchter als Gefährtinnen, sie gebaren Kinder, und viele Indianer sind von den Svanneken (so nannten sie die Holländer) entsprungen, und nun schlachtet ihr niederträchtigerweise eurer eigenes Blut hin!" Dabei legte er einen anderen Stab nieder.

De Vries aber wollte nicht abwarten, bis er sie alle niedergelegt hatte. Friede wurde geschlossen, und die Weißen kehrten wieder zu ihren Feldern zurück. Aber im nächsten Herbst brach der Sturm von neuem noch furchtbarer los. Anna Hutchinson mit ihrer ganzen Familie, eine Enkelin ausgenommen, fielen als erste Opfer. Die Tankitakes, welche [der] Wappinger, Weehquaesgeeks, die Hackinsacks, Neyesiuks von der Westküste des Hudson, die Canarees mit ihrem Sachem Peahawitz und übrige Stämme Longislands wollten 1500 Krieger stark das Fort Amsterdam überfallen, das kaum 50 Mann regelmäßige Besatzung hatte und mit seinem 10 Fuß hohen und 4 Fuß breiten Erdwalle mehr einem Maulwurfshügel als einer Festung glich. Sogar Lebensmittel mangelten. Umsonst hatte man die englischen Ansiedler in Newhaven um Hilfe angefleht. Die Klugheit derselben war größer als ihre Freundschaft. Aber englische Kolonisten auf Ländereien der westindischen Gesellschaft boten ihnen Dienste an und der Engländer Underkill, durch frühere Siege anderwärts berühmt oder berüchtigt. Wie sehr die Gesitteten den Wilden an Barbarei gleichkamen oder dieselben noch überboten, mag ein Beispiel erhellen. Drei gefangene Indianer wurden eingebracht. Ihres Loses bewußt und nichts als den Tod erwartend, begannen sie nach ihrer Sitte den Kinte-Kaeye oder Todestanz zu tanzen. Sie wurden buchstäblich mit Messerstichen durchlöchert, daß selbst die gefangenen Indianerweiber „Schande, Schande" riefen. Ein Indianerdorf wurde mitten im Winter überfallen, und das Blut von 500 röthete den Schnee.
(unveröffentlicht)

Der Obelisk im Gartenfeld

Bei Nanzig ist ein alter Sumpf, jetzt liegt er trocken,
Und mitten unter Blumenkohl und Artischocken
Ist dort ein Obelisk bis heute stehn geblieben.
Drauf ist auf Altfranzösich etwas eingeschrieben:
Die Inschrift lautet in das Deutsche übertragen:
Hier wurde Karl der Kühne Gott sei Dank! erschlagen.
Er, der dort fiel, von einem Bauern umgebracht,
Der dachte einst, die Welt sei nur für ihn gemacht.
Sein reich und fruchtbar Land Burgund war ihm zu klein,
Er wollte noch der Herr der Schweizer Alpen sein,
Um wie von seinem Horst ein Adler, so von diesen
Hinab auf Beute in das deutsche Reich zu schießen.
Er brach mit Macht auf und mit eines Sultans Pracht,
Als ob zur Huldigung er ritte, nicht zur Schlacht.
Der Diamanten Feuer, der Rubinen Glut,
Der Wert von Ländern funkelte von seinem Hut.
Der Griff an seinem Schwerte schimmerte vom Scheine
Kostbarer Perlen und geschliffner Edelsteine.
So zog kein Fürst des Abendlandes je zum Streite,
Sein Wagen war ein Hof, sein Bett ein Schloß aus Seide.
Nicht alles Gold der Schweiz war von so großem Werte
Als wie das Gold an den Gebissen seiner Pferde.
Kanonen, wie sie größer nie gegossen waren
Ließ er das Land zu schrecken vor dem Heere fahren.
Er dachte wohl, die Deutschen hätten zarte Nerven
Und würden sich aus Angst den Welschen unterwerfen.
Und wer die Züge sah des Trosses und der Streiter,
Des Fußvolks der Geschütze der behelmten Reiter
Wer all die Waffen blinken sah und Fahnen fliegen
Mit denen die Burgunder von dem Jura stiegen
Der konnte wohl am Schicksale der Schweiz verzagen
Als ob für sie die letzte Stunde schon geschlagen.
Kein Wunder war es, daß als Karl vor Grandson kam
Er Burg und Landschaft dort durch eine Lüge nahm.
Schon hatte einmal er das feste Schloß berannt.
Die Handvoll Eidgenossen hielt noch immer Stand.
Fünfhundert Stücke schossen Bresche Tag und Nacht
Und hatten große Löcher in den Wall gemacht.
Schon gab es auf der Burg mehr abgeschossne Köpfe,
Als volle Mägen und mit Fleisch gefüllte Töpfe.
Trostlos begannen die Vertheidiger zu spähen
Ob sie kein weißes Kreuz im roten Felde sähen.

Vorn, hinten, rechts und links, das Land hinauf hinunter
bot sich dem Blick nichts dar als Himmel und Burgunder.
Wohin sie blickten sahen sie von allen Seiten
Den Feind Schanzkörbe flechten und Faschinen schneiden.
Da kam ein Welscher von dem Herzog abgesandt
Hinauf zu ihnen, welcher deutsch genug verstand
Um sie in ihrer Muttersprache anzulügen.
Er sprach: Lasst Hoffnung auf Entsatz euch nicht betrügen.
Hin ist die Hoffnung, denn die Zeiten sind verflossen,
In denen es so etwas gab wie Eidgenossen,
Gesprengt für immer ist ihr Bund und wehe denen,
Die toll genug sind gegen Karl sich aufzulehnen.
Verbrannt ist Solothurn, ganz Freiburg liegt in Asche,
Der Herzog hat den Schlüssel Bern's schon in der Tasche.
Selbst sah ich Berner ihm damit entgegen gehen
Und hörte Berner Weiber ihn um Gnade flehen;
Er aber schwor die ganze Brut dort aufzureiben,
Kein Stein des Nestes soll mehr auf dem andern bleiben.
Unüberwindlich ist der Herzog und die Macht der Stolzen
Ist wie der Schnee im Frühling weichend weggeschmolzen.
Ganz Deutschland unterwarf sich und ihr seid die letzten
von allen welche sich dem Herzog widersetzten.
Brav habt ihr ausgehalten und das macht ihm Freude:
Trotzköpfig wie er ist liebt er den Trotz der Leute.
Als er bei Tafel mit Bewundrung von euch sprach
Und wir ihn um euch baten gab sein Starrsinn nach.
Er trug mir auf euch freien Abzug anzutragen,
Und als ich von ihm fortging, um es euch zu sagen,
Sprach er zu mir noch: Dir verdanken sie das Leben,
Sie können dir dafür ein gutes Trinkgeld geben.
So schloß der Judas seine Rede. Unverweilt
Fing die Berathung an. Der Kriegsrath war getheilt.
Es war Hans Wyler welcher auf dem Schloß befahl
Für Übergabe. Mit ihm war die Überzahl.
Er sprach: Die Burg lässt sich nicht halten auf die Dauer,
Ihr Wall ist jetzt schon mehr ein Sieb als eine Mauer.
Und glückte es noch einen Sturm zurückzuschlagen,
Wie zwängen wir den Feind in unserm Magen?
Die Kugeln, die der Herzog lässt herüberschmeißen
Sind schwer verdaulich und ausnehmend hart zu beißen.
Wir haben nur noch wenig Hafermehl zu Mus,
Und Hunger macht den Tapfersten zum Hasenfuß.
Ist Bern genommen, Freiburg, Solothurn verbrannt
Und Deutschland unterworfen nutzt kein Widerstand.

Seit man mit Mordmaschinen kämpft und großen Heeren
Kann sich ein kleines Schloß wie unsres nicht mehr wehren.
Hans Müller aber sprach: Ich rat euch auszuharren,
Der Herzog ist ein Schuft und hält euch blos für Narren,
Sonst könnte jemand, der so oft schon log nicht denken,
Daß er noch Leute fände, die ihm Glauben schenken.
Habt Ihr vergessen wie er der Besatzung Bry's
Auch freien Abzug gab und sie dann morden ließ?
Wohl ist sein Heer so groß wie keins zuvor doch haben
Die Schweizer Land genug sie alle zu begraben.
Auch ist es wahr die alten Zeiten sind vorbei
Und bei dem Handwerkszeug des Kriegs ist vieles neu,
Doch glaubt mir, Kriegskunst mag sich wie sie will gestalten
Die Tapferkeit und Klugheit werden nie veralten.
Daß Solothurn und Freiburg eingenommen sind,
Ist nichts als eitel Lüge Prahlerei und Wind.
Den Tag wird nie der Herzog von Burgund erleben
An dem die Berner ihm Bern's Schlüssel übergeben.
Nur ausgehalten! Noch sind Weg und Steg verschneit,
Die Eidgenossen brauchen Zeit und nichts als Zeit.
Und jeden Tag, den die Burgunder hier verschwenden
Gewinnt die Schweiz um ihre Rüstung zu vollenden.
Das Schicksal hängt im Krieg an einer Stunde.
Der Sieg entflieht oft auf dem Flügel der Sekunde.
So endigte Hans Müller. Wyler rief hernach
Des Herzogs Boten in den Kriegsrath. Dieser sprach:
Der unerwünschten Wahrheit ist man niemals hold,
Die Wahrheit sprach ich und entscheidet wie ihr wollt,
Wie sollte ich ein Edelmann euch so verrathen
Und mich und mein Geschlecht mit Fluch und Schmach beladen?
So ein Verrath der wäre schändlicher und größer
Als der Verrat Ischariots an dem Erlöser.
So sprach er und blos eine die Hans Müller's fehlte
Als man die Stimmen für die Übergabe zählte.
Die Schweizer im Vertrauen auf des Herzogs Wort
Marschierten von der Burg mit Sack und Pack dann fort.
Der Herzog ließ sie packen und an Bäume henken,
Hans Müller aber lies er in dem See ertränken.
Und siebzig Silberlinge mehr als Judas nahm
betrug das Trinkgeld das der Edelmann bekam.
Treuloser Mörder! Der Vergeltung Tag wird grauen,
Ein Tag des Zorns für Männer und des Leids für Frauen,
Und kommen wird der Tag o Herzog von Burgund!
Wenn man dich töten wird wie einen tollen Hund,

Doch zeitig wird dein Tag nicht kommen, er wird sinken,
Den Krug der Trübsal wirst du bis zur Neige trinken,
Und elender wie du wird selten einer sein:
Die Mühlen Gottes mahlen langsam aber fein.
Des Endes Anfang naht, schon rühren sich die Berner,
Freiburger, Appenzeller, Züricher, Luzerner.
Schaffhausen, Basel, Straßburg und Sankt Gallen eilen
Mit Volk herbei Gefahr und Ruhm mit Bern zu theilen,
Es steigen von den Bergen in den Urkantonen
Herab die Hirten die am Fuß der Gletscher wohnen.
Sobald die Schaar den dritten Theil des Feinds betrug
Ein Deutscher gegen drei Burgunder war genug –
Da zog das Heer der Eidgenossen ab von Murten
Nach Grandson wo sie von dem Feind erwartet wurden.
Als nun die Eidgenossen ihm entgegenrückend
Und vor sich aufgestellt des Feindes Macht erblickend
Da fielen sie vor jenem Gotte auf die Knie,
Der David über Goliath den Sieg verlieh.
Es lachten die Burgunder laut auf, weil sie meinten
Der Gottesdienst der Deutschen wäre Furcht vor Feinden,
Sie sprengten auf dieselben los, um bei dem Beten
Sie mit den Hufen ihrer Rosse zu zertreten;
Die aber standen auf, die Reiterei zerschellte
An einem Wall von Helden, der die Ritter fällte
Von Neuem sprengten Schaar auf Schaar von Reitern her
Und immer wurden die burgunder Sättel leer
Die Schweizer standen festverwurzelt in dem Grund,
Es sank die große Feldstandarte von Burgund.
Es scholl ein Klang, wovon die Berge rund erhallten
Der Klang des Horn von Uri und von Unterwalden,
Da wurden Karls erprobte Helden Hasen
Und ward sein Heer in alle Welt wie Spreu geblasen!

(unveröffentlicht)

Ein Märchen

Es war einmal ein König. Seine Frau
War über alle Maßen stolz, es kränkte
Sie sehr, daß sie in's Kindbett kommen sollte,
So, wie die Weiber der gemeinen Leute.
Ach! sagte sie zum König, es geziemt
Sich nicht für Prinzen und Prinzessinnen
Zur Welt zu kommen, wie die Tagelöhner.
Ja! sprach der König, da hört meine Macht auf.
Ich kann mit einem bloßen Federstrich
Aus kleinen Menschen große Herren machen,
Was aber unser Herrgott festgesetzt, kann
Ich nicht verändern, selbst sein Stellvertreter,
Der Papst zu Rom, der heilig sprechen und
Aus armen Seelen Engel machen kann,
Kann keinen Frosch aus einer Kröte machen,
Da mußt Du Dich an unseren Herrgott wenden.

Die Königin begann nun Tag und Nacht
Zu beten, unser Herrgott möchte ihre
Verfassung ändern, daß die Prinzen und
Prinzessinnen nicht auf die Welt wie Kinder
Von Bettelleuten kämen. Unser Herrgott,
Der ein so närrisches Verlangen nie
Vernommen hatte, sprach: Ich will die Frau
Erhören. Da sie eine Gans ist, soll
Sie künftig wie die Gänse Eier legen.
Darauf kam ein Gefühl bald über sie,
Das sie ein Nest zu bauen nöthigte.
Sie flocht sich einen Korb aus Silberdraht
Und füllte ihn mit weichen Federkissen.
Und als das Nest gebaut war, legte sie
Ein Prinzenei. Daß es ein solches war,
Schloß man aus dessen länglicher Gestalt.
Sie freute sich ganz königlich darüber
Und liebte es, als wärs ihr Wickelkind.
Laut lachend ging sie in dem Schloß herum;
Sie wußte nun, warum die Hennen gackern.
Aus Freude über das Ereignis ließ
Im Reich der König die Kanonen lösen.
Die Kammerjungfern schüttelten die Köpfe,
Und als die Königin nun brütig wurde,
Da schüttelte der König auch den Kopf.

Daß eine Königin so lange Zeit
Auf einem Neste hocken sollte, war
Der Würde seiner Majestät zuwider,
und unbedingt verbot er ihr das Brüten.
Groß wurde nun die Not. Den Frauen traute
Man nicht aus Furcht vor ihrem bösen Willen,
Und da die Königin gern einen Helden
Zum Sohne ausgebrütet wünschte, bat
Sie ihren Mann, doch einen General
Zum Brüten zu beordern. Aber als
Der Kriegsminister Wind davon bekam,
So hintertrieb er es aus Angst, daß ihn
Am Ende selbst die Ehre treffen könnte.
Er schlug dem König einen Bischof vor.
Doch da der Erzbischof so ein Geschäft
In einem Hirtenbrief als allzu weltlich
Und unverträglich mit den geistlichen Gelübden
Verdammte, stand der König davon ab.

Zuletzt fiel seine Wahl auf einen Doktor

Der beiden Rechte, einen grundgelehrten
Professor, der Pandekten las und glaubte,
Was Königen beliebe, sei Gesetz.
Der Doktor beider Rechte unterzog
Sich mit Ergebung dieser zarten Pflicht.
Der König gab ihm einen Jahrgehalt
Auf Lebenszeit, erhöhte seinen Stand
Und schenkte ihm ein großes Ehrenkreuz.

Das Unglück aber wollte, daß kein Prinz
Je durch die Schale brach. Das Ei ward faul.
Untröstlich waren Königin und König;
Doch weder in dem Reich noch außerhalb
War jemand, der ein bißchen Mitgefühl
Für ihre Trauer hatte und man lachte blos.
Die fremden Höfe nannten derer Hof
Den Hühnerhof, beim Volke hieß der König
blos seine Majestät der Gockelhahn.
Und wer die Königin erwähnte, nannte
Sie Ihre Majestät die alte Glucke.

Als beide nun mit königlichen Ehren
Das faule Ei in ihrer Ahnengruft
beisetzen wollten, schämten sich der Hof
die Geistlichkeit und Truppen auszurücken

Und weigerten den Dienst. Da floh der König
Mit seiner Frau und ließ den Thron im Stich.
Die Kammern wählten einen anderen
An seinen Platz und der regierte lang
Und glücklich und sein Volk verehrte ihn.
Er erhob sich nie und war zufrieden,
Ein Mensch zu sein wie andre Menschenkinder,
Und theilte Freud und Leid mit seinem Volke.
Bevor er starb, schrieb er für seinen Sohn
Noch Folgendes in seinem letzten Willen:

Vergiß nicht, daß die Krone, die du erbst,
Kein Kopfputz ist für eines Narren Schädel.
Sie ist das Zeichen eines hohen Amts,
Wofür das Volk mit saurem Schweiße zahlt,
Damit Gesetz und Recht gehandhabt wird,
Und nicht der Mächtige den Schwachen und
Der Reiche nicht den Armen unterdrücke.
Es steht der Thron so hoch, damit der Fürst,
Der auf ihm sitzt, Wacht halten kann und sehen,
Daß keinen Schaden das Gemeinwohl leide,
Und daß ein Feind das Land gerüstet finde.

In Staaten, wo ein weiser Mann regiert,
Freut jeder sich des Seinen; sicher ist
Des einen Thaler und des andern Pfennig.
Da wird die Arbeit und der Fleiß geehrt,
Der Müßiggang verachtet und der Armut,
Der Quelle von Verbrechern, vorgebeugt.
Da blüht der Ackerbau, die Gärten prangen
Von edlem Obst, da wird der Wald gepflegt,
Auf satten Weiden grasen glatte Heerden,
Und in dem Wasser wimmelt es von Fischen.
Die Spindeln schnurren und es raucht der Schlot
Und singend sitzt das Handwerk an der Bank;
Da wird der Lehm zu Stein, das Erz zu Stahl,
Der Sand zu Glas der Thon zu Porzellan;
Geld rollt von Hand zu Hand und wie das Herz
Das Blut durch jeden Theil des Leibes treibt,
Vertheilt der Handel Reichthum durch das Land.
Mit edleren Empfindungen erfüllen
Die Kunst und Wissenschaften das Gemüt.
Da wird die Frau geehrt, das Kind geschützt,
Dem Alter wird die Achtung nicht versagt,
Und tausendzüngig eilt von Ort zu Ort

Das Lob der Leute, welche Lob verdienen
Und dem Gedächtnis edler Menschen fehlt
Der Immortellenkranz nicht auf dem Grabe.

Zum Hüter der Gesetze und als Wächter
Der Wohlfahrt Deines Volks bestellt, wirst Du,
Mein Sohn! als Mann von Ehre Deine Pflicht thun,
Und bist du wirklich einer Krone wert,
Wird Dich der Ehrgeiz großer Seelen reizen,
Die lieber Führer freier Männer sind,
als Herrn von Sklaven ohne Ehrgefühl.
Der Wahrheit schließe nie den Mund, sie ist
Der wahre Freund der Mächtigen, der Schmeichler
Ihr schlimmster Feind, und lieber als daß Du
Die Wahrheit abschrickst ihren Mund zu öffnen,
Ertrage mit Gelassenheit und Großmut
Des Neides und des Unverstandes Kläffen;
Der Hunde Bellen schreckt den Wolf, den Hirt nicht.
Wenn Schmeichler Dir den Kopf verdrehn, bedenke
Daß Du so nackt und hilflos in die Welt kamst,
Wie Dein geringster Unterthan, und so wie er,
Trankst Du die Muttermilch, wie er bist Du
Gewachsen, Du mußt leben, so wie er;
Was Gift für ihn ist, ist auch Gift für Dich,
Und so wie ihm wird Dir das Alter auch
Den Schädel bleichen und die Glieder steifen,
Und so wie ihn wird Dich der Tod hinstrecken.
Kein Messer, keine Scheidekunst und kein
Vergrößernd Glas kann dann den Unterschied
Entdecken zwischen Dir und einem Bettler.
Und wenn es Menschen gäbe, welche wirklich
Dich für ein höher Wesen hielten, wisse,
daß es auch Esel in Egypten gab,
die einen Gott aus einem Ochsen machten.

(unveröffentlicht)

Pfälzische Briefe, die der Schakob
nach seiner Ankunft in Neuyork
an einen guten Freund heimschreibt
in
Landauer Hochdeutsch

Wie er sei Kapp verliert

Das sag ich Dir: mei Lebdag ging
ich nimmi in den Kaschte,
So ziemlich war die Hälft der Zeit
mei Küchezettel Faschte.
Vom Koche war fascht gar ke Red,
des Deibelsschiff thät wackle
daß mer des Hungern lieber war
als in der Küch rumfackle.
Do war dir ener aus der Schweiz
en armer schepper Tropp,
Der hat fascht gar ke Nas mehr ghatt,
So gschwolle war sei Kopp
Von nix als borzle und der war
Ken Tag lang auf de Füß,
Und wann er fescht geborzelt war,
war er im Paradies . . .
(Fragment – unveröffentlicht)

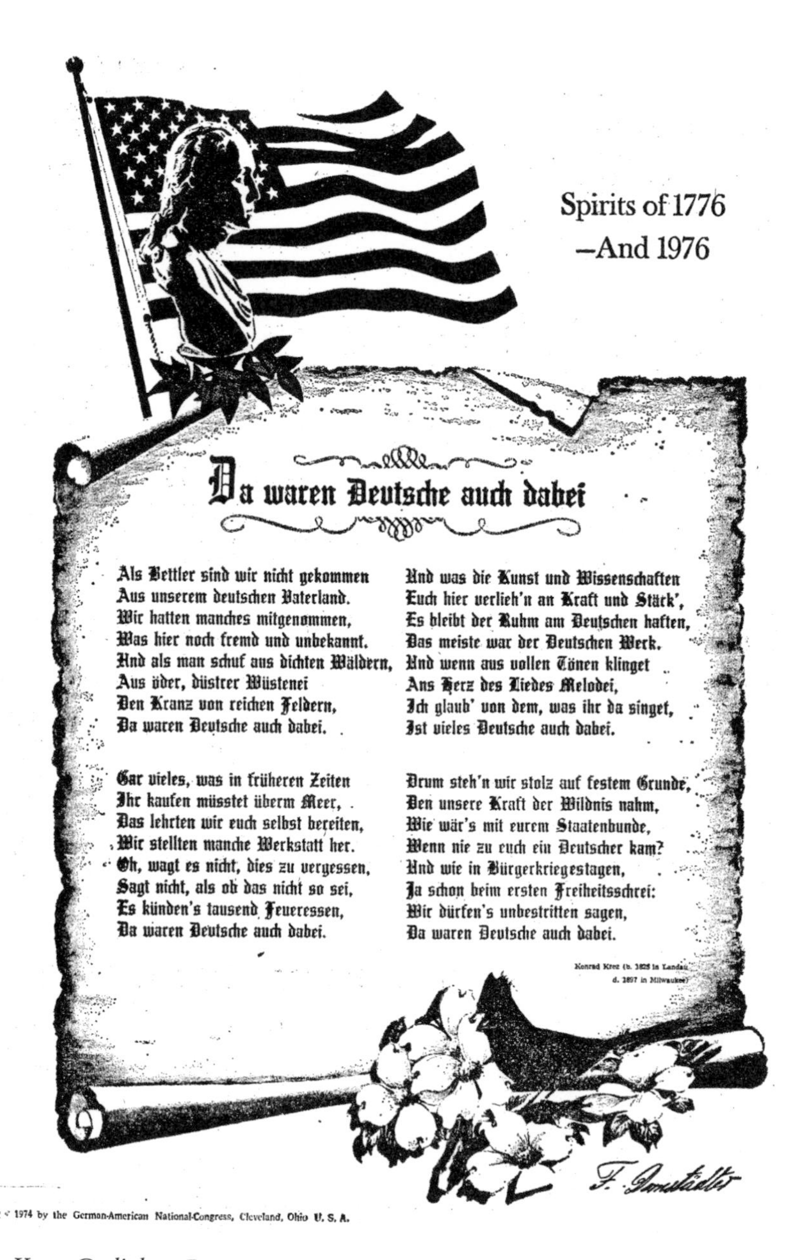

Das Krez-Gedicht „Da waren Deutsche auch dabei“ in einer Gestaltung zur 200-Jahrfeier der Amerikanischen Revolution (1976).

1828, 27. April	Geburt von Konrad Krez
1833	der 1832 mit dem bayrischen Prinzen Otto von Wittelsbach nach Athen gezogene Vater Johann Baptist Krez stirbt dort als Leutnant der Expeditionstruppe Ottos
1838 – 1842	Besuch der Lateinschule in Landau
1842	Besuch des Gymnasiums in Speyer – ermöglicht durch einen Freiplatz am bischöflichen Konvikt
1844	Hinauswurf aus dem Konvikt
1846	Umzug nach München, um die polytechnische Schule zu besuchen, zum Studium des „Bergfachs"
	Ablegung des Gymnasial-Schlußexamens am Neuen Gymnasium in München
	Rückkehr nach Speyer, um das dortige, zum Übergang auf das Lyceum berechtigende Gymnasialexamen abzulegen
	Wiederholung des Abschlußjahres am Gymnasium, um die Erlaubnis, das Examen ablegen zu dürfen, zu erhalten
1847 Sommer	Konrad Krez erhält das Gymnasial-Abschlußzeugnis wegen der Verweigerung einer Religionsnote durch Domvikar Busch trotz bestandenen Examens nicht (Abschluß mit Note 1)
Spätjahr	Rückkehr nach Landau, Krez arbeitet ein halbes Jahr als Gehilfe im Büro des Rechtsanwalts Kessel
1847/1848	Sammlung und Herausgabe seiner Gedichte bei Ed. Kaußler in Landau unter dem Titel „Dornen und Rosen von den Vogesen" (Vorwort 1. 11. 1847) ersch. 1848
1848 Frühjahr	Krez schließt sich im Schleswig-Holsteinischen Freiheitskampf als Freiwilliger dem von der Thann-schen Freikorps an; „Feuertaufe" am Karfreitag bei Eckernförde
3. Juli	Immatrikulation an der Universität Heidelberg
	Überwechseln nach München, um dort sein Studium fortzusetzen zum Wintersemester 1848/49
1849 23. April	Ausstellung eines Passes nach München für Krez durch die Landauer Polizeibehörde
Ende Mai	Rückreise von München in die Pfalz
27. Mai	Aufnahme von Konrad Krez in die „Studentenlegion"
Mai/Juni	als Studentenlegionär und Gehilfe des Civilkommissärs Schneider in Edenkoben im Einsatz

		Verfassung seiner „Proklamation", die zum gewaltsamen Sturz der tyrannischen Monarchen und Fürsten aufruft.
	Juni	Flucht von Konrad Krez in Mädchenkleidern aus Landau und über die französische Grenze ins Elsaß und in die Schweiz
		Recherchen der obersten Verwaltungs- und Polizeibehörden der Pfalz in Landau und Speyer über den „ausgelosten Königsmörder" und Rebell Konrad Krez.
1850		Aufenthalt in Zürich, Straßburg und Nancy. Herausgabe des zweiten Gedichtbändchens „Gesangbuch" (gedruckt in Straßburg)
	29. Juni	Verurteilung in Abwesenheit zum Tode durch das Königliche Appellationsgericht der Pfalz in Zweibrücken
1851	Januar	Emigration nach New York
		Fortsetzung seiner juristischen Studien bei gleichzeitiger juristischer Tätigkeit bei dem Anwalt John A. Stemmler
1852		Heirat mit Adolphine (Addie) Stemmler
1853		Abschluß des Jurastudiums
1854		Umzug nach Sheboygan, Wisconsin. Niederlassung als Rechtsanwalt
1856		juristischer Berater u. Rechtsvertreter der Stadt
1859 – 60		gewählter Rechtsvertreter des Districts
1860 – 61		Herausgeber der deutschsprachigen „Sheboygan-Zeitung"
1862	18. August	Krez schreibt sich in die Kompanie E des 27. Wisconsiner Infanterie-Regiments ein
1862	Sommer	Krez wirbt in seinem District für das 27. Wisconsiner Freiwilligen-Infanterie-Regiment Freiwillige an
1863,	7. März	Ernennung zum Oberst („Colonel")
	16. März	Auszug des Regiments zur Westarmee
		Erste Feindberührung des Regiments bei Satartia im Staate Mississippi
		Teilnahme am Feldzug in Arkansas und an der Belagerung von Vicksburg bis zu dessen Kapitulation, dort Zuordnung zur „provisional division" des 16. Korps unter General Kimball
		Das Regiment marschiert nach Helena und wird General Steele unterstellt
		Teilnahme an der Einnahme von Little Rock
		Teilnahme an der Red River Expedition

	Das Regiment wird dem Kommando von General Canby unterstellt als ein Teil der 3. Brigade der 3. Division des 13. Armeekorps. Oberst Krez wird Kommandeur der Brigade (4 Regimenter)
	Belagerung von Spanish Fort. Krez und seine Brigade stehen 14 Tage unter schwerem Beschuß durch die Artillerie des feindlichen Forts
	Die Streitkräfte der Union nehmen das Fort ein
	Oberst Krez wird nach McIntoshs' Bluff befohlen, um die dortige Kriegswerft der Konföderierten einzunehmen. Er entledigt sich dieser Aufgabe bravourös
1865, 26. März	Konrad Krez wird für seine treuen und ehrenhaften Dienste während des Feldzugs gegen die Stadt Mobile und ihre Verteidigung zum Titular-Brigadegeneral ernannt
	Die Truppe von Konrad Krez wird wieder General Steele unterstellt, der mit seiner Armee nach Brazos Santiago in Texas befohlen wird
	Von Brazos Santiago wird das Regiment nach Clarksville und anschließend nach Brownsville befohlen, wo es ausgemustert wird
29. August	Brigadegeneral Konrad Krez wird ehrenvoll ausgemustert. Heimkehr nach Wisconsin
1872	Krez verläßt die Republikanische Partei, Hinwendung zu den Demokraten
1873	Konrad Krez ist führendes Mitglied der „American Constitutional Union"
	Krez zum 1. Vorsitzenden der „Vereinigten Deutschen von Milwaukee" gewählt
1875	Herausgabe des 3. Gedichtbandes „Aus Wisconsin"
1885 – 1889	Krez ist staatlicher Steuereinnahmer des Hafens von Milwaukee
1888	Zulassung zum Obersten Gerichtshof des Staates
1889	Führer der Deutschen in der Anti-Bennett-Gesetz-Kampagne
1881	für mehrere Perioden Mitglied der Staatsversammlung, Mitglied der Demokratischen Partei
1890 – 1892	Rechtsbevollmächtigter des Districts
1892 – 1894	Rechtsbevollmächtigter (city attorney) von Milwaukee
1895	Herausgabe des 4. Gedichtbandes „Aus Wisconsin", zweite vermehrte und erweiterte Ausgabe
1897, 9. März	Konrad Krez stirbt in Milwaukee

Die erste Zahl bezeichnet die Seitenzahl des Herkunftsbandes, die zweite die Seitenzahl in diesem Buche. Gedichte ohne Herkunftsseitenzahl entstammen dem Nachlaß.

Gedichte aus „Dornen und Rosen aus den Vogesen" 1847

Gedichte aus dem „Gesangbuch" 1850

Gedichte aus
„Aus Wisconsin" 2. Aufl. (1895)

Krez, Conrad: Dornen und Rosen von den Vogesen. Landau 1848 (In Commission bei Ed. Kaußler)

Krez, Conrad: Gesangbuch. Straßburg 1850 (gedruckt bei Ph. A. Dannbach, Schildsgasse 1)

Krez, Konrad: Aus Wisconsin. New York 1875 (bei E. Steiger u. Co.) V u. 139 Seiten

Krez, Konrad: Aus Wisconsin. Gedichte. Zweite vermehrte und veränderte Auflage. Milwaukee, Wis(consin) 1895. Verlag George Brumder. (Entered according to act of Congress in the Year 1895 by Conrad Krez. In the Office of the Librarian of Congress at Washington, D.C.)

Krez, Konrad: An mein Vaterland. Gedichtauswahl. Auswahl und Vorwort von Ludwig Finckh – Gaienhofen. Stuttgarter Volksdeutsche Bücherei. Verlag Eugen Wahl. Stuttgart 1938
Rezension in: Unser Schwabenland (Stuttgart – Stadt der Auslandsdeutschen) 15. Jg. Heft 2/1939

Anklag-Akte errichtet durch die K. General-Staatsprokuratur der Pfalz nebst Urtheil der Anklagkammer des k. Appelationsgerichtes der Pfalz in Zweibrücken vom 29. Juni 1950 in der Untersuchung gegen Martin Reichard entlassener Volontär in Speyer und 332 Consorten, wegen bewaffneter Rebellion gegen die bewaffnete Macht, Hoch- und Staatsverrat etc.. Zweibrücken 1850

Becker, Albert: (Konrad Krez)
In: Pfälzische Heimatkunde. Jg. 1912. S. 40-42

Becker, Albert (Zweibrücken): Konrad Krez, ein Pfälzer Dichter in Amerika. In: Pfälzerwald. Nr. 1/1913, (14. Jg.) S. 7 ff
(dazu Pfeiffer, Maximilian: Konrad Krez, ein Pfälzer Dichter in Amerika. In: Pfälzerwald. Nr. 3/1913

Becker, Albert: Ein Pfälzer Dichter im Exil. Konrad Krez zum Gedächtnis. In: Der Trifels: Heimatbeilage der Pfälzischen Rundschau. Nr. 8. Jg. 1928.

Becker, Albert: Konrad Krez. In: Pfälzer Land. Beilage zum Landauer Anzeiger. Nr. 9, 9. Jg. 28 April 1928. S. 36 (Verlag A. u. K. Kaußler, Landau)

Blaul, Friedrich: Träume und Schäume vom Rhein in Reisebildern aus Rheinbayern und den angrenzenden Ländern. (Repr. Pirmasens 1972)

Brown M.A.W. (Hrsg.): Soldiers' and Citizens' Album of Biographical Record. 1890. S. 597 – 599

Brümmer, Franz: Lexikon der deutschen Dichter und Prosaisten im 19. Jahrhundert. Leipzig

Dictionary of American Biographie. Vol. IX. New York 1946. S. 505 f

Faber, Karl-Georg: Die südlichen Rheinlande von 1816 bis 1856. In: Franz Petri und Georg Droege: Rheinische Geschichte in drei Bänden. Bd. II. Düsseldorf

Finckh, Ludwig: Ein starkes Leben (Roman). Tübingen 1936

Fried, Eugen (Landau): Konrad Krez, ein Pfälzer Dichter in Amerika. In: Pfälzerwald. Nr. 5 (Mai) 1914 (mit Angaben über die Eltern von Konrad Krez und Erwähnung eines Aufsatzes über Konrad Krez, der in den 80er Jahren des 19. Jh. in der „Frankfurter Zeitung“ erschienen sein soll. Dieser Aufsatz blieb unauffindbar.)

Greif, Martin (d.i. Hermann Frey): Gesammelte Werke. Zweite, durchgesehene und stark vermehrte Auflage. 5. Bd. Nachgelassene Schriften. Selbsterlebtes. Novellen. Skizzen. Hrsg. von Wilhelm Kosch. Leipzig (Verlag C.F. Amelang) 1912. (Krez erwähnt in „Aus meiner Jugendzeit“ S. 139/140)

Die Gartenlaube. Illustriertes Familienblatt.
Jg. 1868. S. 116 (Abdruck von „Entsagung und Trost“, entnommen dem ‚Album für Ferdinand Freiligrath etc.‘ Hrsg.: Christian Schad u. Ignaz Hub) Nr. 8/1868
Jg. 1870. Nr. 1 S. 4 (Abdruck von „An mein Vaterland“)

Gretz, Julius: Krezenbuch. Bruchsal 1933 (Familiengeschichte der Kretz etc. Darin: Konrad Krez, der bedeutendste deutsch-amerikanische Dichter und seine Linie)

Heß, Hans: Konrad Krez – Ein deutscher Freiheitskämpfer und Poet in der Alten und Neuen Welt. In: Pfälzer-Palatines. Beiträge zur pfälzischen Ein- und Auswanderung sowie zur

Volkskunde und Mundartforschung der Pfalz und der Zielländer pfälzischer Auswanderer im 18. und 19. Jh. Hrsg.: Karl Scherer. (Heimatstelle Pfalz) Kaiserslautern 1891

Heß, Hans: 200 Jahre USA. Landauer Auswanderer haben in deren Geschichte einen festen Platz. In: Landauer Monatshefte. 24. Jg. Juli/August 1976. S. 158 ff (Johann Peter Zenger, Johann Thomas Schley, Konrad Krez, Thomas Nast)

Heitman, Francis B.: Historical register and dictionary of the United States Armay. 2 volumes. Washington, Governement Printing Office 1903. Neudruck: University of Illinois Press, Urbana 1965. (Bd. 1 S. 609, Bd. 2 S. 119)

Hense-Jensen, Wilhelm: Wisconsin's Deutsch-Amerikaner bis zum Schluß des 19. Jahrhunderts. Im Verlag der deutschen Gesellschaft. Milwaukee 1900

Keiper, Philipp: Ein Gedicht von Konrad Krez. In: Pfälzische Heimatkunde v. 15. Mai 1913

Krebs, Friedrich: Neues über den Landauer Dichter und Revolutionär Konrad Krez. In: Landauer Monatsheft. 1971/7. S. 5 ff

Legler, Henry E.: A Wisconsin Group of German Poets. With a Bibliography. In: Transactions of the Wisconsin Academy of Sciences, Arts and Letters. Vol. XIV. Part II, 1903. Madison, Wis. 1904 S. 471 – 484 (Krez S. 475)

Lutz, Karl: Zum Gedächtnis des großen Auslandsdeutschen der Westmark Konrad Krez aus Landau (1828 – 1897). In: Saarpfalz. Bebilderte saarpfälzische Verkehrszeitung. 20. Jg. Nr. 6. März 1937. S. 135/136

Lutz, Karl: Die Heimat ehrt einen Grenz- und Auslandsdeutschen: Konrad-Krez-Gedenktage in Landau. In: Saarpfalz. Bebilderte pfälzische Verkehrszeitschrift. 20. Jg. Nr. 10; Mai 1937. S. 253 – 257

Petersen, Adolf (Hrsg.): Chronik der Familie Petersen. München (1898) (III. Teil. Petersen, Julius: Erinnerungen aus meinem Leben. Julius war Sohn des Landkommissärs Petersen, dessen Sohn Karl Führer einer Studentenkompanie der Aufständischen war)

Reisert, Karl: Konrad Krez. In: Pfälzerwald. Nr. 7/8, Juli/August 1915. S. 51 ff

Reitz, Leopold: Der jugendliche Freiheitsdichter Leopold Konrad Krez. In: Die Pfalz am Rhein. Pfälz. Verkehrs- u. Touristenzeitung. 14. Jg. Nr. 16., 15. August 1931, S. 428/429. (Auf S. 420 veröffentlichte A. Becker in dieser „Amerika-Nummer" neben einem Bild die Gedichte „Frühling bei New York", „Heimweh" u. „Der Flüchtling")

Staroste: Tagebuch über die Ereignisse in der Pfalz und Baden im Jahre 1849. 2 Bde. Potsdam 1852 – 53

Toepke, Gustav: Die Matrikel der Universität Heidelberg. Sechster Teil. Heidelberg 1907. S. 69

Uhlendorf, Bernhard (Universität von Californien): Politische Lyrik der Deutschen in Amerika. In: Der deutsche Gedanke. 3. Jg.. Berlin 1926. S. 115 – 124. (Krez kurz erwähnt S. 118)

Valentin, Veit: Die Geschichte der deutschen Revolution von 1848 – 1849. 2 Bde. Frankfurt am Main Wien Zürich (1977)

Weyland, Hans: Zum Gedächtnis von Konrad Krez. In: Die Westmark. 4. Jg. März 1937. 6. Heft. . 280 – 282

Zimmermann, G.A.: Deutsch in Amerika. Beiträge zur Geschichte der Deutsch-Amerikanischen Literatur. I. Bd. Episch-lyrische Poesie. Hrsg. v. „Germanina Männerchor" in Chicago. Chicago (Ackermann u. Eyller) 1892. S. 64 – 68

US-Biographien von Krez nach Mitteilung von O. Engel v. Mai 1914: Berryman: „History of the Bench and Bar in Wisconsin"
„Wisconsin Supreme Court Reports" Vol. 97
„Kulturtraeger" (Hrsg. Fred Minuth, Grand Haven, Mich. USA) März-Nummer 1913
Abbildung v. Krez in:
Das Buch der Deutschen in Amerika. S. 368

Zeitungsartikel
(Stadtarchiv Landau/Pfalz)

Pfälzer Anzeiger. 6. März 1937
Zum 40. Todestag eines großen Pfälzer. Konrad-Krez-Abend in Milwaukee

Milwaukee-Herold. Sonntagspost v. 9. Mai 1937

NSZ-Rheinfront. 10. Mai 1937
Landau ehrt seinen großen Sohn. Enthüllung einer Konrad Krez-Gedenktafel am Geburtshaus. Der Heimatabend.

Deutsche Zeitung Sao Paulo 16. Juni 1937
Hellmut Culmann: Konrad Krez im Dienste zweier Völker

Rheinpfalz. 22. April 1978
Hans Heß: Es blieb die Sehnsucht nach der verlorenen Heimat. Vor 150 Jahren wurde in Landau Konrad Krez geboren. Das bewegte Leben des Freiheitskämpfers und Poeten.

Rheinpfalz 19. 7. 1986
Willi Rehm: Freiheitskämpfer und Dichter. Verein für das Deutschtum erinnert an Konrad Krez

Zur Entstehung dieses Buches

Die ersten Hinweise für eine Beschäftigung mit Konrad Krez gab mir in den 50er Jahren in Landau Eduard Kohl, Sohn von Heinrich Kohl, in dessen Hause Krez nie vergessen war, zumal Herr Kohl sogar das Hebammenbuch einer seiner Vorfahren vorzeigen konnte, in das die Geburt von Konrad Krez eingetragen war. 1966 verfaßte ich endlich einen Aufsatz, 25 eng beschriebene Schreibmaschinenseiten, den ich schließlich nicht publizierte, weil mir die Kenntnis der handschriftlichen Unterlagen aus dem im Stadtarchiv Landau befindlichen Nachlaß fehlte und an die beiden späteren Gedichtbände über deutsche Bibliotheken nicht heranzukommen war. Inzwischen habe ich für dieses Buch den gesamten Nachlaß durchgesehen, ihn unter freundlicher Mithilfe meiner Frau aus der Handschrift soweit notwendig übertragen und die Gedichtabschriften mit den publizierten Gedichten der Bände „Aus Wisconsin" verglichen. Dabei stellte es sich heraus, daß von Ausnahmen abgesehen, die in diesem Band verzeichnet sind, die meisten handschriftlichen Gedichtseiten zu den publizierten Gedichten von „Aus Wisconsin" oder früher zählen. In diesem Sinne ist der Nachlaß nicht sehr ergiebig. Alle noch nicht veröffentlichten entzifferbaren Texte wurden für diese Arbeit übertragen.

Für die freundliche Unterstützung meiner Arbeit im Landauer Stadtarchiv danke ich Herrn Dr. Hans Heß, dem Stadtarchivar, ebenso wie seinen Mitarbeiterinnen und Mitarbeitern sehr herzlich.

W.D.